동료 피부과 전문의로 오랫동안 정찬우 원장님을 보아왔습니다. 섬 소년이었던 정찬우 원장님은 두 번의 암 선고를 극복했습니다. 또 정 원장님을 믿고 오는 환자들을 열정을 다해 최선을 다하고 있습니다. 새로운 항노화 치료 '내게 줄 수 있는 최고의 선물-행복한 미소' 운동을 주어진 삶 가운데 끝까지 하고 계십니다. 이 책을 통해 정 원장님의 사랑의 마음이 전해져 온 국민이 따스한 미소의 삶을 살 수 있기를 바랍니다.

-강윤철, 강윤철 피부과 원장

같은 해 같은 달에 일주일 간격으로 남편과 친오빠를 주님 계신 곳으로 보내고 힘들어할 때 친구 소개로 정 원장님을 만났습니다. 얼굴은 물론 마음마저 밝게 변화시키는 인상 치료가 힘든 시기 저에게는 '희망'이었습니다. 미소 스위치를 올리고 있을 때 제 마음만큼은 미소 천사가 될 수 있었습니다. 힘든 시간을 이겨낼 수 있게 도와주신 정찬우 원장님 감사합니다.

-김선미, 주부

큰 시련을 겪고 난 후 제 얼굴에 드리워진 우울의 그늘에서 벗어나려 발버둥치다 우연히 정찬우 원장님의 책을 만났고, 그 책을 계기로 정 원장님의 '인상클리닉' 치료를 받게 되었습니다. 3년이 지난 지금, 인상클리닉을 통해 새로 태어난 저는 하루하루 놀라운 경험을 하고 있습니다. 어느 날, 제가 사람들에게 말하고 있더군요. '행복하세요!' 순간 어찌나 놀랐던지요. 선생님께서 제게 항상 말해주셨던 '행복하면 됩니다.'라는 말을 하고 있다니, '아…… 선생님이 보셨다면 흐뭇해하셨겠다.' 싶었습니다. 저를 인상클리닉으로 이끌어주신 '신'께 감사드립니다.

이 책이 힘든 삶을 살아가시는 모든 분들께 위로가 되고, 새 희망의 삶을 열어줄 열쇠가 될 것이라 확신합니다.

-이윤선, 주부

어린아이들은 하루에 200번 정도의 미소를 짓는다고 합니다. 어린아이들과 같은 마음이 아니면 천국에 들어갈 수 없다고 『성경』에서는 말씀하십니다. 정찬우 원장님은 십수 년 동안 항노화를 연구한 분으로 강의를 들을 때마다 남다른 감동을 주는 분입니다. 이 책을 통해 많은 의사와 독자가 노화를 근원적으로 이해하고 더 근본적으로 치료하는 계기가 되리라 확신합니다. 행복은 찾는 것이 아니고 느끼는 것이라고 합니다. 많은 사람이 잃었던 미소를 되찾아 행복한 삶을 살기를 바랍니다.

—김양제, 고운세상 김양제피부과 대표원장

아름다움을 추구하는 것은 인간의 본성입니다. 그 열풍만큼이나 잘 생기고 예쁜 분들을 자주 보게 됩니다. 그런데 무엇인가 아쉬움이 항상 있었습니다. 누군가에게 향기 있게 오래 기억되는 것은 단순히 예쁘고 잘생긴 얼굴이 아니라 행복한 미소를 머금은 좋은 인상입니다. 아무리 예뻐도 그에 어울리는 미소가 없으면 향기 없는 꽃에 지나지 않습니다. 이 책은 우리가 잊고 있던 정말 중요한 미소에 관해 이야기하고 있습니다. 행복한 미소가 긍정적인 마음과 좋은 표정 습관을 통해 만들어질 수 있다는 것을 일깨워줍니다. 이 책이 우리에게 주는 큰 선물입니다. 좋은 인상이 되길 원하는 모든 분에게 소중한 보물지도가 될 것입니다.

—김영선, 서울속편한내과 원장

인상클리닉은 정 원장님이 남은 삶에서 이루고자 하는 일 중 하나인 것으로 압니다. 잔잔한 미소로 항상 따뜻함을 전하시지만 미소를 따라하기엔 처음엔 쉽지 않았습니다. 많은 노력 속에서 시간이 지나면서 놀라운 변화가 제게 있었습니다. "밝아 보여 좋아." "무슨 좋은 일 있어?" 등등. 앙다물었던 입술을 떼고 나니 주위 사람들은 물론이고 제 작품에도 온기가 더해져 그림 인생 30년 만에 가장 좋은 평가를 받는 기쁨까지 얻게 됐습니다. 이 모든 것이 미소의 힘이니 가슴 깊은 감사를 전합니다.

—김영지, 화가

제가 어릴 적에 〈웃으면 복이와요〉라는 코미디 프로그램이 있었습니다. 사실 그 말을 믿지는 않았습니다. 이번에 정찬우 원장님의 이 책을 보면서 행복한 미소가 사람에게 얼마나 큰 영향을 미치는지를 처음으로 알게 됐네요. 이 책을 통해서 우리 모두 행복한 미소와 행복한 삶을 살아야 하는 이유를 알게 되는 계기가 되길 기원해봅니다.

–김우성, GF 소아청소년과 원장

정찬우 원장님과 저는 공통점이 많습니다. 같은 학교를 졸업한 의사이고 둘 다 동안이고^^ 둘 다 암 진단을 받고 투병했다는 것이지요. 모두 완치됐다는 것도 같습니다. 저도 암 진단을 받고는 '나는 무엇으로 기억될 것인가?'를 처절히 고민했던 경험이 있습니다. 결론은 나를 사랑하고 그 힘으로 남도 사랑하자는 것이었습니다. 그런데 이 책은 저와 같은 주장을 하고 있더군요! 스티브 잡스도 죽기 일주일 전 "자신에게 스스로 잘 해주세요."라고 주위 사람들에게 당부했다고 합니다. 이 책을 통하여 자신을 위한 미소로 스스로를 더욱 사랑하게 되시기 바랍니다.

–김종혁, 서울아산병원 기획조정실장·산부인과 교수

간혹 부자연스러운 인상을 감수해야 했습니다. 그러나 정찬우 원장님의 새로운 항노화 치료법인 인상클리닉은 돈도 시간도 들지 않고 생활 속에서 실천 가능한 근본적인 노화의 원인 치료입니다. 게다가 행복해지기까지 하고요.

–김창식, 창피부과 원장

이 책을 읽고 난생처음 거울을 보게 됐습니다. 팍팍하고 힘든 일상에 지쳐 밝았던 미소와 환하고 긍정적이었던 표정은 어느덧 사라지고 딱딱하게 굳어 지쳐버린 제 얼굴만이 보였습니다. 이 책을 읽고서야 제가 미소를 잃어버렸다는 것을 알게 됐습니다. 충격이었습니다. 언제부터였는지 한참을 생각해보는 계기가 됐습니다. 이 책은 잃어버린 미소를 되찾아 긍정적인 마음을 되찾고 행복한 인생을 만들어가기 위해 다시 시작하는 제 여정을 밝혀줄 작은 촛불이 돼주었습니다. 저에게 그랬듯이 이 책이 우리 모두에게도 잃어버린 미소를 되찾아줄 등대가 돼주기를 바랍니다.

–박철민, 현대자동차 책임연구원·기계공학박사

10년 전에 정찬우 원장님의 '행복한 미소'라는 강의를 들을 기회가 있었습니다. 의료서비스 분야에서 혁신이 꼭 기계나 약품에 의존하는 것만이 아니라 마음과 근원적인 치료에 관한 관심으로 여러 학문 분야를 융합해 인상치료를 통해 이루어질 수도 있겠다는 점에 큰 감명을 받았습니다. 내용이 참신할 뿐만 아니라 실천하기도 쉬웠습니다. 그래서 저는 한동안 강의나 주례에서 젊은이들이 긍정적인 생각을 할 수 있도록 정 원장님의 행복한 미소에 관해서 얘기를 많이 했습니다. 이 책을 통해 우리 사회에서 많은 사람이 긍정의 힘을 기르고 자기 자신의 관리를 돈 들이지 않고도 할 수 있는 기회가 될 거라 생각하니 더욱 기쁩니다. 나이와 관계없이 많은 사람이 이 책을 읽고 보다 긍정적으로 생각하고 마음속에 행복한 미소의 꽃을 피워가기를 기대합니다.

–박삼옥, 상산고등학교 교장, (전) 서울대 지리학과 명예교수

'인상클리닉'은 제게 또 다른 자신감과 긍정의 힘을 선물해주고 더 힘찬 미소를 가져다주었습니다. 정 원장님이 주신 인상클리닉 스티커는 매일매일 넘쳐나는 스트레스로 노화의 게이지가 올라가고 있을 때 제게 미소 지을 시간이라고 싱싱한 에너지를 보내줍니다. 이런 소소한 변화는 저 자신을 보다 사랑하게 해주었고 당당하게 '노화'에 맞서는 용기를 주고 있습니다. 물론 '인상클리닉'과 함께할 수 있었기에 가능한 일이었지만요.

–박혜정, ㈜에이치앤티 대표

드디어 책을 통해 안티에이징과 아름다움에 대한 신선한 충격을 다시금 느낄 수 있어 너무나 기쁘고 감사한 마음입니다. 진정성을 기반으로 하는 정 원장님의 아름다움에 대한 철학과 소명의식에 많은 분이 함께하시고 행복해지실 것을 확신합니다.

–백석기, 고운미소치과 네트워크 대표원장

알고 나면 너무나 쉬운 방식이었지만 정작 당시에는 아무런 해법을 내놓지 못한 '콜럼버스의 달걀' 이야기를 생각나게 합니다. 좋은 표정습관을 만드는 것이 행복하고 젊어질 수 있는 가장 좋은 길이라는 어찌 보면 너무나 쉬운 방법을 저자는 오랜 노화 치료 경험 속에서 입증했습니다. 그리고

달걀 끝을 깨트려서 테이블에 세워 사람들을 놀라게 한 것처럼 이 책을 통해 그 발상의 전환을 세상에 보여주려 합니다. 우리는 단지 그 방식을 손쉽게 따라 하기만 하면 됩니다.

–안근용, 피터드러커 소사이어티 이사

이 책은 독자분들에게 분명 세상에 다시 보기 힘든 행복과 유익함을 선사할 것임을 알기에 이 책이 세상에 나온다는 것만으로도 미소가 절로 납니다. '남을 위한 미소가 아닌 나를 위한 미소'를 지으라는 정 원장님의 과학적이고 구체적인 미소 강의는 30년간 서비스업에 종사하는 저와 많은 직원과 캐디들에게는 진정 절실한 공감이었습니다. 정 원장님의 미소를 향한 열정적 탐구의 결과물인 이 책은 스트레스 많은 직업에서 고뇌하는 이들에게 미소가 과학적으로 정신적으로 얼마나 중요한 것인지 알게 해주는 보석 같은 존재가 돼줄 것입니다.

–오은미, KLPGA 프로골퍼, (전)휘슬링락CC 총괄상무

인간의 평균 수명이 계속해서 연장되고 있는 현대 사회에서 안티에이징은 뜨거운 이슈입니다. 그러나 근원적인 것을 고민하는 진정한 노화방지법보다 순간의 외형만을 바꿔주는 반짝 시술만이 지금까지 지배해온 미용계에 정찬우 원장님은 용감하게 "바보야 그게 아니야~"라며 도전장을 내던집니다. 진짜 안티에이징이란 얼굴뿐 아니라 마음마저 행복해질 수 있는 좋은 표정습관이라는 것을 알게 되고 그것이 가져다주는 놀라운 변화를 체험하는 순간, 당신은 정찬우라는 사람을 이 세상에 보내준 신께 감사하게 될 것입니다. 바로 제가 그러했듯이.

–오제형, 방송인·제작자

아름다워지고 싶고 그 아름다움을 오래 유지하며 사는 것은 비단 20대 여성만의 소망은 아닐 것입니다. 불혹의 저 역시 더 아름답고 젊은 모습으로 삶을 살아가고 싶고 그런 제 모습을 거울을 통해 느낄 때 행복함을 느낍니다. 적어도 저에게는 아름다움을 위해 끊임없이 노력하는 것이 행복한 삶을 살아가고자 하는 것과 비슷한 의미가 있었습니다. 그럼에도 불구하

고 저는 성형 같은 소위 칼 대는 시술을 통한 인위적인 아름다움을 추구하는 것은 받아들이기 어려웠습니다. 그래서 저는 정찬우 원장님의 진료 철학을 접했을 때 너무나 반가웠습니다. 정 원장님의 인상클리닉을 통해 저는 아름다움을 유지하고 좋은 인상이 될 수 있는 새로운 방법을 알게 됐고 그 방법은 비단 외모와 인상뿐 아니라 삶을 충만하고 긍정적으로 살 수 있는 길잡이가 돼주었습니다.

–유수현, 고객·대학교수

정찬우 원장님이 '인상클리닉'이라는 말씀을 하셨을 때 직업상 가장 먼저 떠오른 것이 보툴리눔 톡신을 이용한 인상치료였습니다. 정찬우 원장님의 인상클리닉은 그런 점에서 시대를 앞서가는 시도라고 생각합니다. 인간의 감정이란 여전히 미지의 영역이 많지만 원장님의 말씀처럼 긍정적인 표정을 이끌어냄으로써 더 긍정적인 심리 상태를 유지할 수 있도록 하는 것. 이로써 보다 행복하게 느낄 수 있도록 하는 것은 궁극적인 항노화 치료의 목적이지 않을까 합니다. 이 책을 읽는 많은 사람이 더 행복한 삶을 누리기를 소망합니다.

–이우선, ㈜메디톡스 코리아 대표이사·피부과 전문의

삶에 대한 진지한 성찰과 가치 판단은 어떠한 과정을 통해 이루어질 수 있을까? 치열한 자기반성이 일상화된 철학자적 기질을 가지고 태어나거나 피해 갈 수 없는 극단의 위기를 헤쳐나가면서 삶의 궤적 속에 켜켜이 쌓이는 것이 아닐까 싶습니다. 제가 30년간 가까운 곳에서 보아온 저자는 이 두 가지 소양과 경험을 모두 갖고 의사의 길을 선택했고 자신만의 길을 열어왔습니다. 결국 가장 소중한 것은 내 하나뿐인 인생으로 귀결된다는 아주 간단 명료한 가치판단에서 시작된 그의 쉽지만 깊은 조언으로 많은 독자가 삶의 가치를 한 단계 높일 수 있는 계기가 됐으면 합니다.

–이준기, ㈜세창기계 대표

진단, 치료, 그리고 수술을 잘하는 명의들이 있습니다. 그러나 인간의 생명 속에 감추어진 비밀을 찾아내는 창조적인 의사는 극소수입니다. 나는 정찬우 원장님을 여러 면에서 '창조적인 의사'라 부릅니다. 이 책 속에서 우리는 창조적인 의사를 만날 수 있습니다.

–전영명, 소리귀클리닉 대표 원장

더 예뻐지고 더 활기차게 보이고 싶다면 화장품을 사거나 피부과나 성형 시술을 받기 전에 먼저 이 책을 읽어보기를 권합니다. 이 책은 표현 그대로 '최고의 선물'입니다. 저는 지금 이 순간도 정찬우 원장님의 '미소근육' 스마일 운동을 생각하며 미소를 짓습니다. 인상에 대한 과학적이면서도 실천적인 최고의 책입니다. 피부미용 시술 1억 원어치 이상의 효과를 볼 수 있는 책이라 확신합니다.

–제원우, 『피터 드러커가 살린 의사들』의 저자

예전에 정찬우 원장님의 '젊음의 미소 스위치를 켜라'라는 강연을 들을 기회가 있었습니다. 그 특유의 서글서글함으로 인상클리닉과 미소운동을 소개하던 모습. 특히 '아름다움을 위해 그 누구도 피해를 봐서는 안 된다Do no harm'라는 그의 진료 철학 속에 드러난 배려의 아름다움을 열정적으로 설명하던 그의 미소가 눈앞에 선합니다. 그 미소에 담겨 있던 사람 중심의 의학에 대한 학문적 열정은 그가 품고 있는 아스클레피오스의 지팡이를 떠오르게 합니다. 그때의 그 기억들을 인술仁術의 향기가 피어나는 글을 통해 다시 볼 수 있다니 너무나 반갑고 기대됩니다.

–조양하, (전)식품의약안전처.첨단의료기기과 과장.이학박사

영화 「반지의 제왕」에 나오는 마법사 간달프의 수정 구슬을 보면 한 사람의 미래의 모습을 보여줍니다. '미래의 자기 모습을 바라볼 수 있다면 얼마나 좋을까?'라는 비현실적 생각을 이 영화를 보면서 해본 적이 있습니다. 피부는 한 사람의 외면일 수 있지만 정찬우 원장님은 의사로서 환자의 건강 그리고 진정한 행복을 위해 사람의 내면까지 오랜 시간 동안 많은 고민과 성찰을 해왔습니다. 이 책은 미래의 '나 자신의 삶'을 위한 해법이자 많은 지혜를 가져다줄 '수정구슬'이라고 감히 말하고 싶습니다.

–차상권, 고운미소치과 네트워크 대표원장

스마일 닥터 정찬우 원장의

인상클리닉

정찬우 문혜영 지음

스마일 닥터 정찬우 원장의

인상클리닉

행복은 얼굴에 있다!

클라우드나인
CLOUD 9

들어가기 전에

왜 쥬빌런트 페이스인가

-정찬우, 피부과 전문의

J. F.란 '기쁨과 행복이 가득한 얼굴'이란 의미로 쥬빌런트 페이스Jubilant Face의 이니셜입니다. 쥬빌런트Jubilant란 '기뻐하고 행복해하며 널리 선포하고 전염시키다!'란 의미의 라틴어 유빌라테Jubilate의 영어 표현입니다. 유빌라테는 행복이 자기만의 감정이 아니라 인간 삶의 원동력이자 목표이며 인간이 신으로부터 부여받은 소명임을 천명하는 종교적 언어로 오랜 시간 자리매김한 유럽 문화의 기반이기도 합니다.

서양에서는 '미소는 습관이고 자연 발생적이다.'라고 표현할 만큼 낯선 사람에게도 미소가 생활화돼 있습니다. 서양의 이런 적극적인 표현 양상은 바로 유빌라테의 문화적 자산이 이어오고 있기 때문입니다. 모르는 타인에게 미소를 먼저 보내는 것이 익숙하지 않은 한국인에게 문화적 충격이 되기도 합니다.

'행복하게 살기를 바라는 인간 삶의 목적성'은 인종, 민족, 종교, 혹은 문화를 불문하고 공통적인 것입니다. 그리고 그런 행복은 바로 우리 얼굴에 나타날 수밖에 없습니다. 행복을 표현하고 발생시키고 전파하는 쥬빌런트 페이스를 통해 우리 모두의 세상이 보다 행복해지기를 바랍니다.

추천사

서로 사랑하는 것이란 서로 미소 짓는 것!

-허윤석, 가톨릭 신학 박사

"왜 인상이 굳어 있어? 어디 화가 났어?"

신학을 배우러 갔던 이탈리아 초기 유학 시기에 내가 외국인 친구들로부터 자주 들었던 질문이다. 웃지 않는다는 지적이었다. 나의 대답은 이것이었다. "왜 웃어야 되는데?" 그날부터 나는 거울을 보게 되었다. 사실 유럽인들은 모르는 사람과 서로 눈이 마주치면 즉시 웃음 짓는 문화가 있다. 그리고 웃음이 결과가 아니라 원인이라는 생각이 들 정도로 사고의 시작에 웃음이 존재한다.

이 책의 제목 '인상클리닉'이란 단어를 들으면 인상에 커다란 문제가 있는 소수의 사람을 대상으로 한 전문지식을 다룬 것으로 생각할 수 있다. 하지만 이 책을 읽어보면 우리 모두가 "왜 웃어야 하는데?"라고 말하는 다소 냉소적이지만 보편적인 오류의 심각성과 이 물음에 대한 알기 쉬운 해결책이 제시되어 있다.

"내가 왜 사는가?"라는 질문과 "내가 어떻게 살아야 하는가?"라는 질문은 비슷한 듯 보이나 실제로는 흑과 백 그리고 독약과 해독제의 차이만큼 다르다. 법륜 스님은 "내가 왜 사는가?"라는 질문은 잘못된 질문이라 했다. 이미 존재의 시작으로 현존재가 되어 매일을 생활하는 우리가 "왜 사는가?"라는 질문을 하는 것 자체가 자기 존재를 부정하는 것이기 때문이다. 반면 내가 "어떻게 살아야 하는가?"라는 질문은 '행복'이라는 인간 삶의 목적을 위한 나의 적극적인 행복 본성에 관한 물음인 것이다. 그래서 행복하지 않은 사람은 "왜 사는가?"를 묻기보다 "어떻게 살아야 하는가?"를 물어야 한다. 마찬가지로 "왜 웃어야 하는가?"보다는 "어떻게 웃어야 하는가?"라고 묻고 그 답을 얻어 실천해야 한다.

2017년 1월에 출간한 나의 벗 정찬우 원장의 『껌으로 하트라인 얼굴 만들기』는 너무나 쉽고 효과적으로 자신의 얼굴을 행복한 인상으로 회복시켜주는 표정근육 재활 운동법이었다고 평가하고 싶다. 그 이유는 그 책을 통해 이미 나와 나의 지인들이 서로 미소를 지으며 그 미소의 열매를 확인할 수 있었기 때문이다. 그래서 나는 주저 없이 '서로 사랑하는 것이란 서로 미소 짓는 것'이라고 단언할 수 있게 되었다. 그 책의 개정판인 『정찬우 원장의 인상클리닉』은 나에게 가져다준 인상 개선의 열매를 보다 폭넓고 심도 있게 다룬 전문성이 묻어난다. 그러기에 이 책의 추천사를 용기 있게 자청해 졸문이지만 벗의 애씀을 응원하려 한다.

몸만이 현재이다. 생각은 과거와 미래를 사고의 통제 없이 무분별하게 왔다갔다한다. 아식스Asics란 단어가 있다. 고대 라틴어 속담 아니마 싸나 인 코포레 사노Anima Sana In Copore Sano란 문장의 첫 글자만을 따서 약자를 명사화한 것이다. '건강한 몸에 건강한 정신'이란 뜻이다. 이렇듯 나란 존재는 행복을 느끼기 위해서 몸과 마음을 동시에 최적화시켜야 하는데 그 기본은 몸이라는 현재의 결과물을 개선하고 유지시키는 중진 행위를 통해서 가능할 수 있다.

몸과 마음이 하나가 돼 행복한 상태를 나타내는 대명사는 바로 웃음일 것이다. 이것이 표정에 드러날 때 미소微笑라고 부른다. 우리에게 신체身體라는 글자는 미소와 관련해 매우 중요한 깨달음을 준다. 몸 신身이라는 한자는 어떤 모습을 형상화한 것인가? 이 글자 안에 미소의 중요성이 들어 있다 해도 과언이 아니다. 이 글자는 다름 아닌 머릿결을 바람에 휘날리며 팔다리를 자연스레 움직이며 웃음을 띤 얼굴을 하고 걷는 사람의 옆모습을 그린 것이다. 머리를 날리며 웃으며 걷는 사람의 옆모습을 나타낸 글자 몸 신身! 우리가 말하는 몸, 즉 신체란 바로 활짝 웃는 미소가 담긴 얼굴을 한 사람의 모습으로 정의하고 있다. 그렇다면 인간 신체의 가장 큰 본질은 미소이자 행복인 것이다.

나와 정찬우 안드레아 원장은 늘 함께 강변을 걸으며 행복과 미소에 관해 이야기하는 삶의 동반자이다. 우리는 즐거울 때뿐 아니라 희로애락喜怒愛樂의 모든 순간에 함께 웃으면서 대소사를 나누었다. 나는 이러한 우리 삶의 태도를 '의외의 대화'라는 역설적 정의로 칭했다. 가장 힘들 때 가장 외로울 때 웃기! 그것이 진정 나 자신과 서로에게 줄 수 있는 가장 쉽고도 아름답고 경제적이며 본질적인 선물이었기 때문이다. 그가 늘 소명이라 여기며 그의 삶 안에서 담아오고 숙고해온 이러한 행복과 미소에 대한 지혜와 원리를 참 오랜 기간 산고를 거쳐 모든 사람이 쉽게 이해할 수 있게 한 책이 탄생한다고 하니 마치 내 자식이 태어나는 듯한 설렘과 행복감이 밀려온다.

나의 벗인 그는 나에게 좋은 인상을 선물해주기 위해 그의 깊은 우정만큼이나 혹독한 주치의이자 훈련 교감이었다. 그렇게 좋은 것을 주지 않고는 못 견뎌 하는 꾸준한 그의 성심誠心 덕분에 오랜 시간 죽은 자들을 돌보고 시신을 씻고 하는 나의 엄숙하고도 보수적인 생활로 인해 굳어진 인상이 지금은 개선을 넘어 부활이란 표현이 맞을 정도로 바뀌었다. 나 자신과 내 일로 핑계 삼아 굳어진 나의 주름과 어둠이 다시 새롭게 의미 지어지고 밝아졌다.

나의 예전처럼 어두운 인상을 간직한 종교인들을 보면 이제는 안타깝다. 이 책이 그러한 의미에서 "행복하여라!"라고 말씀하신 그리스도의 아름다운 명령에 대한 구체적인 길을 우리 안에 실현하는 아름다운 길이 되길 바란다. 길은 사람들이 가야만 된다. 사람이 길에게 고맙기도 하지만 길도 자신을 믿고 자신을 밟으며 걸어가준 것에 감사할 것이다.

정찬우 원장의 책에서 제시할 미소를 유지하고 발전시키는 훈련 중에 미소근육을 위로 올리는 내용이 있다. 신身이라는 글자는 바로 그렇게 웃는 사람의 얼굴 옆 모습을 그린 것임이 틀림없다. 정찬우 원장은 새로운 것을 발견한 사람이기보다 본질을 사는 사람이고 그 본질을 잊고 사는 많은 사람들에게 근원적 본질을 다시 부르짖는 예언자라는 생각이 든다. 그러나 이 책을 위협하는 위대한 통념이 있다.

"웃을 일이 있어야 웃지!"

흔한 말이지만 참으로 틀린 말이며 위험한 독소이다. 웃음은 원인에 대한 반응이 아니라 행복의 제1원인이다. 제1원인은 토마스 아퀴나스가 말한 대로 그 무엇에 원인을 두지 않는 본질이며 필요충분조건이다. 우리는 웃음을 결과로 보는 착각에 빠져 산다. 그것이 원인이며 늘 가져야 할 호흡이라고 인식하며 실천할 때 무지의 동굴에서 빠져나와 행복이라는 무지개를 늘 볼 수 있다. 웃지 않으면 늙는다. 그 이유는 신체라는 말 자체에 그 본질을 미소로 정의했기 때문이다. 따라서 본질을 잃은 존재는 빨리 사멸되거나 행복에서 멀어지게 된다. 밝은 햇살을 받고 맑은 공기를 맡으며 머릿결을 바람에 날리며 걷는 모습을 상상해보라! 당연히 우리의 얼굴엔 미소가 어느새 드리워진다.

나는 오래전 유학시절 로마의 성 시스티나 성당에서 미켈란젤로가

미켈란젤로가 성 시스티나 성당에 그린 벽화「최후의 심판」

그린 벽화 「최후의 심판」을 한동안 바라본 적이 있다. 그림은 천상, 연옥, 지옥 세 가지 세상의 모습을 생생히 묘사하고 있다. 그 가운데 연옥煉獄 부분에 공포, 불행, 그리고 우울함을 가득 머금은 표정을 한 채 자신의 얼굴을 한쪽은 가리고 있는 한 사람이 유독 눈에 들어와 깊은 생각을 한 적이 있다. 그 사람 주위에는 이를 기뻐하는 악마들이 그의 다리를 잡고 노닐고 있었다.

지옥의 악마들은 악인들을 고문하느라 힘든 얼굴로 울상이었지만 그 사람 주위에는 오히려 미소 가득한 얼굴로 쉬고 있었다. 그 이유는 무엇일까? 답은 간단하다. 바로 그 사람 스스로가 온갖 두려움, 불행, 그리고 우울한 인상을 짓고 지옥의 삶 한가운데 살고 있어서 애써 수고할 필요가 없었기 때문이다. 한 손으로 가리고 있는 반대쪽 얼굴에는 무엇이 숨겨져 있을까? 아마도 힘든 삶 속에서 변질되기 이전의 원형, 태어날 때 가지고 있던 맑고 순수한 영혼을 닮은 밝은 미소가 아니었을까? 많은 사람들이 자신의 행복을 누구 때문에 무엇 때문에 상실했다고 여기며 어두운 그늘에서 살고 있다. 거장 미켈란젤로는 그것을 말하고 있었다.

술을 먹다 보면 술을 먹는 것이 아니라 술이 사람을 먹는다고 한다. 정 원장이 말하는 미소 스위치를 켜지 않으면 우울감이 나를 지배하는 것이고 나쁜 습관이 되는 것이다. 미켈란젤로가 그린 연옥의 그 한 사람. 그 사람이 현대를 사는 우리들의 자화상일 수 있다. 이 책을 읽으면서 미소와 행복만 강조되는 것이 아니라 웃지 못한 악습이 단죄되길 기도한다. 정 원장과 나는 이러한 책과 강연을 통한 미소교육을 미소학교라고 부른다. 미소학교의 가장 큰 수혜자 중 한 명인 나는 인상에 있어서 괄목상대한 변화를 갖게 되었다.

좋은 것을 추천하는 이가 그 좋은 것을 실천하고 누리지 못한다면 그 것은 범죄라고 생각한다. 이와 같은 다소 비장하고 자신감 과한 표현은 그만큼 이 책의 중요성과 효과에 대한 신뢰의 표현임을 독자들은 이해하고 기대해주길 바란다.

여러분의 변화된 인상과 더 행복해질 삶을
기대하며

들어가는 말1

수술하는 피부과 의사의 20년 삶과 고민을 말하다

-정찬우, 피부과 전문의

미용치료 분야에서 20년을 고민한 내용을 세상에 얘기하려 마음먹고 나니 많은 생각이 듭니다. 길고 치열했던 제 자신과의 싸움과 어려웠던 과정이 모두 다 이유 있는 시간이었다는 것을 알게 되는 데 15년의 세월이 필요했습니다. 다소 전문적일 수 있지만 100세 시대에 많은 사람들이 관심을 가진 분야이기에 용기를 내 제 삶과 고민을 말하려 합니다.

저는 서해의 작은 섬에서 태어나 아름다운 자연 속에서 제 또래들이 누릴 수 없었던 동심을 경험했는데 그 경험은 삶 전체를 관통하는 제 심성의 기본이 되었습니다. 저는 초등학교 입학과 동시에 서울로 유학을 오게 되었습니다. 그때 자동차를 처음 보는 등 도시 생활의 문화적 충격 속에서 힘겨운 유년시절을 보냈습니다. 하지만 어려서부터 손재주가 좋다는 얘기를 많이 들었고 사람을 도울 수 있는 직업이 좋아서 10대 시절부터 변함없이 '수술하는 의사'가 되겠다는 꿈을 키웠습니다.

의과대학 시절에는 제 섬세한 손 끝에서 생사生死의 기로岐路에 계신 많은 사람들이 도움을 받기를 바랐기에 고도의 집중이 필요한 신경외과 의사가 되고 싶었습니다. 하지만 아버지께서 본과 3학년 때 5년여 오랜 투병 끝에 돌아가시고 학생운동으로 긴 수감생활을 갓 마친 형님 때문에 힘들어하시는 어머니의 반대와 설득으로 의과대학 시절에는 전혀 상상도 하지 못했던 피부과를 인턴 수련과정의 마지막이 되어서야 불현듯 선택하게 되었습니다. 피부과의 특성상 신경외과처럼 늘상 긴박하게 생사의 순간에서 긴장하는 일은 하지 않아도 되었습니다. 누구보다 섬세한 손과 마음으로 외과의사의 꿈을 꾸었던 저는 자연스레 피부외과 분야에 큰 관심을 두고 노력을 했습니다.

피부과는 4년간의 수련과정 중에 1,000여 가지가 넘는 피부질환을 한눈에 보고 80% 이상을 진단할 수 있도록 철저한 수련을 받고, 나머지 20%도 피부 조직을 직접 현미경을 통해 확인하고 진단합니다. 피부과 전문의는 대한민국 의사 13만 명 중에서 2%에도 채 미치지 못하는 2,000여 명 소수에 불과합니다. 다른 의사들은 글자로만 기억하는 콜라겐을 비롯한 피부조직을 매일 직접 눈으로 보았기에 조직의 변화를 생생하게 그릴 수 있을 정도입니다. 피부질환은 눈에 보이지 않는 내부 기관이 아니라 눈에 보이는 피부에 생긴 문제이기에 단순히 미용이 목적이 아니더라도 피부 조직을 정상적으로 만드는 과정에서 당연히 보이는 문제까지 해결되기 때문에 최종 치료의 종착지는 당연히 미용적인 것과 연관이 됩니다.

다시 되돌아보면 제가 그때 피부과를 전공하게 된 것은 정말 천운天運이라고 생각합니다. 피부과 수련과정에서 피부 노화는 물론 피부조직의 변화를 가장 높은 수준으로 이해할 수 있게 된 것은 지금의 특별한 시술을 하는 데 가장 소중한 자산이 되었습니다. 솔직히 피부를 정확히 몰랐다면 개발할 수 없는 시술법들이었습니다.

저는 종합병원을 그만두고 국립암센터에서 피부암 수술을 하다가 2003년 개원하면서 노화 문제를 주로 진료했는데 개원과 동시에 저 스스로와 작지만 소중한 다짐을 하게 되었습니다. 비록 오랜 꿈이었던 삶과 죽음의 최전선에서 환자의 생명을 지키는 의사는 되지 못했지만 저 스스로에게 부끄럽지 않은 미용을 치료하는 의사가 되겠다는 약속이었습니다. 개원 17년간 그 약속을 지키는 일이 되돌아보면 결코 쉽지는 않은 일이었습니다.

현대의학이 놀랍도록 발전해온 지난 50여 년간 위암수술, 심장수술, 그리고 뇌수술 분야는 눈부신 발전을 했습니다. 그러나 항노화 미용치료 분야는 그러하지 못했습니다. 지난 120여 년간 우리의 선배 의료진들은 꺼짐, 늘어짐, 주름과 같은 대표적 노화 문제를 치료함에 있어 '꺼짐(볼륨의 감소)'의 문제는 '채움'* 으로, '처짐(탄력의 저하)'의 문제는 '당김'** 으로, 그리고 표정에 의한 '주름'의 문제는 '마비'*** 시키는 것으로 해결해왔습니다. 이 접근은 최근까지도 마치 바이블Bible처럼 이어져오고 있습니다.[1]

그 결과 큰 수술적 치료를 부담스러워하는 현대인들과 의료진에게는 '꺼짐'은 '필러'를 이용해 채우고 '처짐'은 '실리프팅'을 이용해 당기고 '주름'은 '보톡스'로 표정근육을 마비시키는 것이 너무나 당연한 항노화치료의 정석으로 받아들여지고 있습니다.

과연 이런 접근이 정답이라면 100세 시대에 보다 젊고 생기 있는 삶

---

* 1893, Neuber, 최초의 지방이식

** 1901, Hollander, 최초의 안면거상술

*** 1970, Scott, 최초의 미용 목적의 Botox 시술

을 원하면서 경제적 시간적 여유까지 있는 분들께서 왜 소위 동안童顔이 되려는 노력을 기피하고 계실까요? 왜 수년간 이런 방식으로 치료해왔던 의료진들이 해가 갈수록 항노화 시술에 점점 더 깊은 회의를 느끼고 있을까요? 왜 이런 시술을 일찍 경험한 고객들이 점점 이런 시술에 부정적이 되어가고 있을까요?

그 이유는 우리 모두가 잘 알고 있습니다.

젊었을 때 좋은 모습이었던 연예인들이 시간이 지나면서 점점 어색해지는 경우를 너무 많이 보았습니다. 최근에는 가족은 물론 지인들 중에도 이런 경험을 드물지 않게 보게 되면서, 혹시라도 잘못되면 어쩌지? 어색해지면 어쩌지? 하는 염려가 결심을 꺼리게 하는 가장 큰 이유일 것입니다.

왜 생명과 직결되는 의료 분야의 발전에 비해 미용치료 분야는 대부분의 사람들이 다 받고 싶어하는 그런 '이상적인' 항노화 미용 시술을 제공하지 못하고 뒤처진 것일까? 100% 안전하고 시술 과정에서의 배려는 물론 결과 또한 시술 여부를 전혀 알 수 없도록 자연스럽고 오래도록 젊은 모습을 유지해주기를 바라는 모두의 바람이 지난 100년간 해결되지 못할 정도로 그렇게 어려운 목표였을까?

이 물음들이 수술하는 피부과 의사로서 첫 발을 내딛는 저에게는 가장 큰 고민이었습니다. 저는 그 문제의 원인이 미용의료 분야가 언제부터인가 의료의 핵심 가치인 '생명 존중'으로부터 멀어졌기 때문이라고 생각합니다. 생명을 다루는 의사에게 당연히 요구되는 긴장감과 치열함이 미용을 다루는 의사에게는 적거나 없을 수밖에 없습니다. 여기에 우리나라 의료제도의 오래된 모순 때문에 경제적인 이유가 더해져서 미용 분야에 종사하는 의료진은 피부과나 성형외과 전공 여부와 무관하게 해마다 그 숫자가 늘어만 가고 있습니다.

이런 경향 속에서 의사로서의 긴장감과 치열함이 중요시되는 전통적 의료의 가치와는 다른 미용의료의 속성이 점점 더 강화되고 있습니다. 미용치료를 둘러싼 경쟁과 혼탁함 속에서 무엇이 더 바른 치료인지에 대한 고민보다는 더 쉽고 당장의 효과가 좋은 치료에만 고민이 집중되는 것 같아 안타깝습니다. 그 결과 미용의료 분야는 기존의 의료가 발전해온 과정과는 매우 다른 이례적인 상황을 만들어내고 말았습니다.

한 사람의 외과의사가 배출되어 첫 심장수술이나 뇌수술을 집도하기까지는 최소한 5년 이상 다른 직업군이 감내하기 어려운 한계를 넘나드는 수련과정이 필요합니다. 아주 간단한 실 매듭 만들기나 봉합은 물론이고 섬세한 손 동작 하나하나를 그 기본기부터 도제식으로 무수한 수련을 거쳐 전문가로 단련되는 것이 너무나 당연한 의료의 수련 과정입니다. 그럼에도 유독 미용의료 분야는 생명과 직결되는 심장이나 뇌가 아니라 얼굴이라는 이유만으로 몇 번의 강의, 동영상, 어깨 너머로 선배의 시술을 지켜보고 나서 쉽게 시술을 결심하고 실제로도 그렇게 입문하고 있습니다.

100세 시대에 한 사회인으로 세상을 살아가는데 자신의 이미지를 결정하는 얼굴이 과연 심장이나 뇌보다 못한 존재인지 반문하고 싶습니다. 신경외과 의사가 첫 뇌수술 집도를 하기 위해 최소한 4~5년의 수련을 받는 것이 너무나 당연하듯 소중한 얼굴에 훗날 큰 피해가 될 수도 있는 미용시술 역시 충분한 경험과 고민은 필수적인 과정입니다. 누군가에게는 얼굴에 나타나는 시술 피해가 죽고 싶을 만큼 처절한 고통의 연속일 수 있습니다. 저는 자존감 있는 행복한 삶에 대한 욕구가 더 중시되는 지금 미용의료 역시 의료의 한 분야이기에 긴장감과 치열함이 요구된다고 믿습니다. 그러나 현재 우리 미용의료계에는 이 당연한 믿음이 너무나 먼 이야기라고 생각합니다.

그래서 저는 기존의 미용치료와는 전혀 다른, 이상적인 항노화 미용치료를 위해 미용의료에도 당연히 생명 존중과 배려라는 의료의 핵심 가치가 적용되어야 한다고 믿고 실현하기 위해 많은 노력을 해왔습니다. 2003년 항노화 미용치료 분야 진료를 시작할 때부터 '아름다움을 위해 그 누구도 피해를 경험해서는 안 된다Do no harm!'라는 원칙과 미용시술의 피해는 시술 직후에도 있을 수 있지만 시간이 많이 지난 뒤에도 발생할 수 있기 때문에 '50년 이후에도 후회 없는 시술'이 되어야 한다는 원칙을 세웠습니다. 그리고 그 원칙을 지키기 위해 '남다른' 노력을 해왔습니다. 노화로 말미암은 변화를 정확히 예측하고 '지나치지 않은 시술'을 해야 했고 조직에 무언가 큰 변화를 주기보다는 조직 자체의 건강한 재생 능력을 유도하려 애썼고 보다 장기적으로 노화를 해결하는 근본적인 방법을 추구했습니다.

그래서 그 시작부터 수술하는 피부과 전문의로서는 매우 독특한 선언을 했습니다. 첫째는 '비절개Non-Incision', 칼Mess을 쓰지 않겠다는 것이었습니다. 의학의 분야를 잘 모르시는 일반 사람들은 피부과 전문의가 수술을 한다는 것이 다소 생소하실 것입니다. 그래서 칼을 쓸 줄 몰라서 '비절개' 원칙을 말하는 것이라 오해하실 수도 있을 것입니다. 하지만 저는 피부과 분야에서도 피부암을 수술하는 피부외과 전공 의사였기에 칼은 가장 기본적인 무기였고 눈으로 보면서 칼을 쓰는 시술이 가장 쉽고 편하다는 것을 가장 잘 알고 있습니다.

선배 의사들이 120년 전에 늘어진 피부를 절개하고 당겨올렸던 것처럼 칼을 섬세하게 쓰면 얼굴의 눈 밑이나 턱선의 늘어짐 같은 노화에 따른 형태 변화를 얼마든지 개선할 수 있습니다. 그럼에도 칼을 쓰지 않고자 했습니다. 노화를 치료하면서 칼을 이용해 '절개와 봉합'을 하는 과정에서 조직의 과도한 손상과 변형은 피할 수가 없고, 그 후유증과 피해는 수년 이후부터 남아 있는 50년 이상의 긴 세월 동안 계속된다는 것을 경험 이전에 직관적으로 너무나 잘 알고 있었기 때문입니다.

두 번째는 '비수면Non-Sedation', 수면마취를 하지 않겠다는 것이었습니다. 노화치료를 위해 얼굴의 볼륨과 윤곽을 다시 복원시키기 위해서는 필연적으로 수술적 방법까지 필요합니다. 하지만 저는 모든 시술을 오로지 국소마취로만 진행한다는 원칙을 세웠습니다. 사실 '수면마취Sleep Anesthesia'는 한국에서 만연되어 있는 국적불명의 용어로 '진정마취Sedative Anesthesia' '중등도 진정' 또는 '의식하 진정'이 정확한 의학적 표현입니다. 우리가 흔히 '수면마취'라고 부르는 마취법은 '깊은 수준의 진정마취'에 해당합니다.

흔히 '수면마취'라 하는 깊은 진정마취는 마취과 전문의가 수술의 전과정에서 환자의 호흡을 통제하고 모든 상태를 체크하며 진행하는 전신마취 수술보다 더 위험할 수 있습니다. 그러나 '깊은 진정마취'를 '수면마취'라고 부르며 "잠깐 잤다가 깨면 된다."라고 편하고 쉽게 환자에게 말하는 것은 요즘 말로 '팩트'와는 전혀 다른 것입니다. 소위 '수면마취'는 그 위험성을 배제한다면 환자의 불안함을 없애고 의사의 시술을 쉽게 할 뿐만 아니라 시술에 대한 고통은 물론 수술실 안에서의 모든 나쁜 기억을 없앨 수 있는 많은 장점이 있습니다. 하지만 마약류의 한 종류인 '프로포폴Propofol'이라고 하는 약제를 주로 사용하는 수면마취가 미용진료 현장에서 지나치게 일상적이며 반복적으로 진행되면서 의료윤리가 '변질'되고 있고 잠재적 수면마취 중독자를 양산하는 등의 위험성이 커지고 있습니다. 저는 의사로서 이 문제가 현재 한국 미용의료계가 당면한 가장 심각한 문제라고 생각합니다.

사실 의료진이 환자가 불편함을 거의 느끼지 않도록 배려하며 섬세한 시술을 한다면 국소마취만으로도 충분히 수술할 수 있습니다. 물론 처음에는 저 역시 쉽지 않았습니다. 저는 지금은 연부조직 윤곽술은 물론이고 얼굴 및 가슴 지방이식이나 전신 지방흡입 등과 같이 큰 수술도 100% 국소마취만으로 고객과 편안히 대화하면서 진행하고 있습니다. 그러나 최근에는 이런 큰 수술은 물론이고 리프팅 레이저 하나를 할 때도 수면마취가 너무나 쉽게 남용되고 있습니다. 같은 의사로서 문제의 심각성을 알고 염려하고 있기에 가능한 국소마취 시술 문화가 정착되도록 의료진 교육과 계몽에 힘쓰고 있습니다.

어떤 시술이든지 국소마취로 수술하면 환자와 교감하게 되고 어떤 부위를 어떻게 다루어야 환자의 불편이 덜할지 고민하게 됩니다. 그러다 보면 시술의 섬세함이 당연히 발전하게 됩니다. 환자 입장에서 생각할 때도 안전하고 배려받는 시술이라는 점은 가장 큰 장점입니다.

제가 항노화를 전문으로 하는 수술하는 피부과 전문의로서 안전한 노화치료를 위해 지켜온 '비절개Non-Incision' '비수면Non-Sedation'인 'NINS 원칙!'을 선언했을 때 많은 동료들이 비웃었습니다. 이는 마치 요리사가 불과 칼을 쓰지 않고 멋진 요리를 만들어내겠다고 장담하는 것과 같은 상황이었기 때문입니다. 하지만 저는 신념을 위해서 불 없이도 달걀을 익힐 수 있는 '스티머'와 같은 특수한 장치를 고안해냈고, 익힌 달걀을 칼이 아닌 빨대를 이용해서 조각하듯 더 멋진 모습을 만들어내는 시술법을 만들어내겠노라 다짐했습니다. 그리고 그 무모한 도전의 과정에서 조직의 손상을 최소화할 수 있는 기존의 시술과는 전혀 다른 새로운 시술들이 개발되었습니다.

일생에 한 번 받으면 충분한, 지금 유행하는 소위 '눈 밑 지방 재배치' 등 시술의 한계를 극복한 시크릿 레이저 눈 밑 지방 제거술, 가장 많은 노력을 들여 조직손상이 거의 없도록 완성한 역시 일생에 한 번 받으면 충분한 하안면 시크릿 윤곽술, 자신의 볼륨을 이용해 다시 작고 입체적인 얼굴로 복원시키는 윤곽볼륨 교정술, 노화치료의 최종 목표인 조직 내에 콜라겐과 같은 세포외 기질물질ECM, Extracellular Matrix을 새롭게 재생시킬 수 있는 탄력 물질 재생치료와 같은 세상에 없던 많은 시술들이 개발되었습니다. 또한 변형된 표정근육을 재활하지 않고서는 노화로 인한 얼굴의 변화를 근본적으로 치료할 수 없다는 것을 고객들을 통해 배우면서 노화의 속도와 방향을 완전히 바꿔놓는 항노화 의학 미용치료의 목적지라고 할 수 있는 표정근육 재활치료인 인상클리닉이 완성되었습니다.

인상클리닉은 의사의 치료와 함께 표정근육 트레이너의 근육 재활훈련과 표정습관을 바꾸고자 하는 개인의 일상에서의 노력을 통해서 항노화를 완성하는 과정입니다. 인상클리닉의 주인공은 의사와 트레이너의 교육이 아니라 바로 고객 자신인 셈입니다. 저 역시 지난 13년간 별다른 노화치료를 받지 않았음에도 스스로의 표정근육 재활운동만으로도 13년 전보다 지금의 모습이 더 젊고 건강해 보인다는 얘기를 항상 듣고 있습니다. 그리고 수많은 고객분들이 표정근육 재활치료를 통해 자신만의 밝은 인상(쥬빌런트 페이스Jubilant Face)과 젊음을 되찾아 가는 것을 보았습니다. 그들이 걸었던 길의 시작점에 지금 이 글을 읽는 당신이 서 있는 셈이니 관심을 가지고 노력해보셨으면 합니다.

그런데 이렇듯 목표에 조금씩 도달해가는 기쁨과 보람을 느낄 여유도 없이, 꿈에 그리던 신경외과 의사의 길을 포기하고 시작한 미용 닥터로서의 치열한 30대 후반을 보내던 저에게 두 번의 큰 선물이 찾아오게 됩니다.

여러분, 세상에서 가장 소중한 것이 무엇이라고 생각하시나요? 사람마다 상황에 따라 몇 가지 답이 나올 수는 있을 것입니다. 저는 지금은 단연코 '자기 자신'이라고 생각합니다. 이것은 자기 중심적인 이기적인 마음과는 다른 것입니다. 아무리 사랑하는 사람이나 가족이 있어도 내가 세상에 존재하지 않는다면 손을 잡는 것은 물론 따뜻하게 안아주는 것조차 할 수 없다는 것을 알았기 때문입니다. 아이러니하게도 그 깨달음은 죽음을 목전에 두고서야 얻을 수 있었습니다. 비교적 젊은 나이에 받게 된 한 번도 아닌 4년 간격으로 두 번의 암 선고를 받게 되었습니다.

당시 '내가 곧 죽는다면?'이라는 질문을 스스로에게 해보고 나서야 세상에서 가장 소중한 것은 바로 나 자신이라는 것을 알게 된 것입니다. 저는 두 차례에 걸친 죽음과의 직면 그리고 기적이라고밖에는 표현할 수 없는 완치 과정에서 자신이 소중하듯 타인도 소중하기에 타인에 대한 배려가 어떠해야 하는지 의사가 아닌 환자로서 알 수 있는 소중한 기회를 얻게 된 것입니다. 지금은 두 번의 일들이 제 생애 최고의 감사한 선물로 남아 있습니다.

저는 이런 기적 같은 경험을 통해 왜 남들과 다른 피부과 의사의 길을 걸어왔는지, 왜 치열한 삶을 살았는지, 왜 무모한 시술 원칙을 세우고저 스스로를 다그쳤는지를 의심 없이 이해하게 되었습니다. 그리고 해가 거듭될수록 새로운 시술과 아름다움과 행복 그리고 인상클리닉과 항노화의 관계에 대한 비밀을 세상에 알리는 것은 최대의 소명이며 세 번째 덤으로 주어진 삶의 이유라는 것도 알게 됐습니다.

'쥬빌런트Jubilant'는 '기뻐하고 행복해하며 이를 널리 선포하고 전염시키다'란 의미의 라틴어 '유빌라테Jubilate'에서 유래한 말입니다. 그래서 현재는 '기쁨과 행복이 가득한 얼굴(쥬빌런트 페이스Jubilant Face)'을 의미하는 J. F. 피부과를 통해서 고객에게 피해를 주지 않는, 후회 없는 비절개와 비수면 항노화 시술과 행복한 미소의 의미를 전파하는 사회적 소명을 다하려 노력하고 있습니다.

지난 20여 년의 고민과 연구를 책 한 권에 담아내기에는 역부족입니다. 여러분 자신과 가족들 얼굴에서 늘 경험하던 노화현상에 대한 내용이고 인상에 대한 친근한 내용일 것입니다. 하지만 이 책을 통해 많은 분들이 소중한 자기 자신에게 줄 수 있는 최고의 선물이 무엇인지 알게 됐으면 좋겠습니다. 타인을 위한 미소가 아니라 나 자신을 위한 미소의 의미를 진심으로 깨닫고 생활 속에서 실천하면서 좋은 인상과 행복이라는 두 마리의 토끼를 모두 잡으시기를 바랍니다.

"아는 것이 힘이다Knowledge is power." 프랜시스 베이컨Francis Bacon이 한

말입니다. 저의 20년 작은 경험이 미용의료에 종사하는 많은 의료인에게는 치료 과정에서의 시행착오와 고객의 피해를 줄여줌은 물론 더 효과적인 치료로 발전시키는 데 밑거름이 되기를 바랍니다. 일반 독자분들에게는 바른 정보를 통해 현재의 문제 많은 미용의료 치료 문화가 한 단계 발전하길 기대합니다. 최소한 이 글을 읽으시는 분들께서는 보다 똑똑한 의료 소비자가 되어 어렵게 결정한 치료를 통해 후회하는 일이 없으시기를 희망합니다.

마지막으로 인상클리닉을 비롯한 비절개와 비수면 항노화 시술법이 만들어지고 발전하도록 17년 세월을 늘 제 곁에 있어주신 친구이자 동반자이신 여러 고객분들께 진심으로 감사를 드립니다. 그분들의 변화를 17년간 지켜볼 수 있었기에 많은 시술이 발전할 수 있었습니다. 또한 긴 세월 진료 현장을 함께하며 울고 웃었던 J. F. 피부과 직원들에게 세상 가장 귀한 단어로 제 마음을 전합니다.

"여러분! 진심으로 사랑합니다."

지금까지 많은 가르침의 기회를 주시고 저에게 세 번째 삶을 허락해 주신 하느님, 당신이 언제나 제 안에 계심을 믿기에 오늘도 누구보다 행복한 하루의 삶을 살아갑니다. 감사합니다.

2020년 6월

피부과 전문의 정찬우

들어가는 말 2

행복은 얼굴에 있다

-문혜영, 표정근육 트레이너

제 일생에 있어 가장 큰 영향을 준 문학 작품 하나를 꼽으라고 한다면, 단연코 소설 『큰 바위 얼굴』을 꼽을 수 있을 것 같습니다. 요즘 젊은 분들 중에는 모르시는 분들도 계시겠지만 『주홍글씨』로 유명한 너대니얼 호손Nathaniel Hawthorne이 쓴 단편으로 오랜 기간 동안 우리나라 중학교 교과서에도 실렸을 정도로 유명한 작품입니다. 저 역시도 중학교 때 교과서에서 이 작품을 만났습니다. 비록 '교과서'란 건조한 매개를 통한 '강제적인 만남'이었지만, 그 우연한 만남은 저의 인생을 바꾸는 일생일대의 사건이 되었습니다. 8년 전부터 세상에 없던 직업인 표정근육 트레이너로서 사람들의 삶을 바꾸는 누구보다 보람된 일을 하고 있으니 말입니다.

『큰 바위 얼굴』의 주제는 위대한 사람의 가치는 돈, 명예, 권력과 같은 세속적인 것에서 오는 것이 아니라 끊임없는 자기성찰과 노력을 통해 말과 사상과 생활이 일치하는 모습에서 온다는 것입니다. 모범적이고 긍정적인 방향으로 언행일치가 될 때 그 사람의 가치가 드러날 수 있는데 다른 곳이 아니라 바로 '얼굴'에 나타난다는 것입니다. 한 마디로 얼굴에 그 사람의 가치가 드러나고 그것을 통해 평가도 가능하다는 것입니다.

한 인간으로서의 저의 '가치'가 얼굴에 드러난다는 것이 당시에는 충격이었습니다. 이것은 단순히 이목구비의 좋고 나쁨과 같은 세속적인 문제가 아니었습니다. 한창 외모에 신경을 쓸 사춘기였지만, 저는 얼굴을 볼 때마다 『큰 바위 얼굴』의 주인공인 어니스트처럼 좋은 모습을 만들려고 노력했습니다. 아침에 일어나자마자 제일 먼저 한 일이 거울을 보면서 하루의 첫 표정으로 활짝 웃는 모양을 만드는 것이었습니다. 덕분에 중고등학교 시절 저는 비록 예쁘다는 평가는 못 받았지만 "잘 웃는다." "웃음이 많다." 혹은 "인상이 좋다."라는 평가를 받았습니다.

특히 이때쯤 아버지가 저에게 써준 편지 글이 더욱 자극이 됐습니다. '사람은 배가 고픈 슬픔보다 머리가 비었다는 슬픔이 가장 크며, 머리에 든 지식은 아무리 숨기려 해도 숨길 수 없이 드러나는 것이다.' 하시면서 성적을 떠나 자신의 가치를 아름답게 만들기 위해 노력하라고 한 말씀은 큰 감동이었습니다. 윤기 흐르는 속 빈 강정 같은 사람이 아니라 정말 속이 꽉찬 좋은 사람이 되고 싶었습니다. 그래서 공부도 열심히 했고 그와 함께 표정 연습도 정말 열심히 했습니다. 마치 『큰 바위 얼굴』 속 어린 어니스트처럼 말이죠.

사람들은 흔히 외모에 지나치게 관심을 두는 사람들을 속물스럽다라고 폄하하는 경향이 있습니다. 그러나 그렇게 좋지 않게 보는 사람들조차도 외모의 중요성을 무시하는 것 같지는 않습니다. 다만, 얼굴이라는 것은 '타고나는 것'이라 스스로의 노력만으로는 변할 수 없고, 그것을 가능하게 하기 위해서는 병원 시술과 같은 인위적인 노력과 필연적으로 '비용'이 들기 때문에 애써 평가절하하거나 부정적으로 생각하는 경우가 많은 것 같습니다. 인위적인 것에 대한 거부감 때문이겠죠. 특히 요즘같이 방송에서 심심치 않게 만나게 되는 헤어 스타일만 다르고 얼굴의 이목구비는 거의 같아 보이는 소위 '의醫쌍둥이'들이나 얼굴 한 가득 필러가 부자연스럽게 들어가 있는 중년 여성들의 얼굴에서 심한 위화감을 느낀 분들이 이런 생각을 하는 경우가 많습니다.

그렇다면 제가 매일 '아침' 그리고 『큰 바위 얼굴』의 어니스트처럼 '일상 생활' 속에서 신경 쓰는 얼굴과 그분들의 어색해진 얼굴에는 어떤 차이가 있을까요? 한 마디로 대답하면 그것은 바로 그분들은 단순히 정지해 있는 생김새인 '외모'에 신경 쓰고 저는 '움직이는 표정과 느낌'에 신경 쓴다는 점에서 확연한 차이가 있습니다. 사실 이런 차이는 움직이는 표정근육의 특징을 고려하지 않은 채 미용시술을 받은 경우에 극명하게 나타납니다. 특히 중년 이후에 볼 부위 표정근육이 퇴화해 근육이 힘이 없고 처진 상태에서 그 위에 단순하게 필러를 채워버리면 표정이 없을 때는 그나마 좀 괜찮은데 말을 할 때나 웃을 때 큰 어색함이 느껴집니다. 결과적으로 나이가 들어가면서 점차 얼굴이 울퉁불퉁해지고 이를 완화하기 위해 추가적인 시술을 받다 보면 진짜 '큰 바위 얼굴'이 되어가는 경우가 많습니다. 젊어서도 나이 들어서도 생기 넘치고 밝은 느낌을 주는 좋은 얼굴, 요즘 말로 '절대동안'을 유지하기 위해서는 얼굴 표정근육을 어떻게 쓰면 되는지 이해하는 것이 중요합니다. 이 책에서 설명하는 표정근육 트레이닝은 '내 얼굴 표정근육 사용설명서'인 셈입니다.

표정근육을 잘 쓰는 것이 절대동안을 만드는 데 왜 이리 중요한지는 제 얼굴보다는 얼마 전 KBS 드라마 〈같이 살래요〉에서 새콤달콤하고 설레는 진짜 새로운 중년로맨스를 보여줬던 배우 장미희 씨를 예로 들어 설명하면 쉽게 이해가 되실 겁니다.

한동안 중년 여성들 사이에서 장미희 씨가 어떤 미용시술을 받았는지가 초미의 관심사였습니다. 어떻게 하면 드라마에 나오는 장미희 씨처럼 젊고 예뻐질 수 있냐고 말이죠. 저에게도 참 많은 분들이 물어보셨습니다. 그럴 때마다 제가 장미희 씨가 드라마에서 연인으로 나왔던 유동근 씨에게 했던 닭살 가득하고 애교 넘치는 대사와 행동을 하면서 "자, 이렇게 한번 따라 해보세요."라고 권유하면 백발백중 모두들 손사래를 치면서 못한다고 대답합니다. 맞습니다. 보통의 중년의 여성들은 그렇게 할 수 없습니다. 모두들 젊어서 한때는 달콤한 로맨스 소설 한 권 정도는 써보셨을 분들인데도 흰 머리가 난 이제는 못한다고들 하십니다. 바로 장미희 씨는 할 수 있고 보통의 중년은 할 수 없는 그 이유가 그녀를 특별히 젊고 아름답게 느끼게 하는 비결인 것입니다. 장미희 씨는 비록 생물학적 나이는 60대이지만, 드라마에서 연기는 마치 20대에 젊은 사랑에 빠진 여자나 할 수 있는 몸짓이나 표정 연기를 했습니다. 그것은 기존의 60대 여배우가 보여주었던 표정 연기가 아니었습니다. 그래서 장미희 씨 이전에 중년의 로맨스가 없었던 것은 아니지만, 유독 그녀와 유동근 씨의 로맨스가 특별하다는 평가를 받는 것입니다.

배우들도 사실 '예쁜 척' '멋진 척'을 해야 진짜 예쁘고 멋져 보입니다. 아무리 유명한 배우라고 할지라도 화장도 안 하고 확 풀어진 모습에서는 그런 감정을 느낄 수 없습니다. 우월한 외모를 가진 사람들이 모두 인기 스타가 되지 못하는 이유도 여기에 있습니다. 얼굴의 생기 넘치는 표정을 통해 이런 감정을 전달할 수 있는 능력은 좋은 배우로 사랑을 받는 데 중요한 역할을 합니다.

배우도 아닌데 매일 표정 연기를 하면서 살라는 것인가? 표정이란 그냥 내가 기분 좋으면 웃고 슬프면 울고 뭐 그런 것 아니냐고 반문하시는 분들이 많으실 겁니다. 그런 분들에게 이렇게 말씀드리고 싶습니다. 버스나 지하철이나 길에서 만나는 사람들의 표정을 한 번 관찰해보시라고 말입니다. 왜 모두들 마치 화난 사람처럼 무표정하거나 미간을 찌푸리고 있는지 말입니다. 사람들은 평상시 자신의 얼굴 표정을 스스로 볼 수 없다 보니 평소 자신이 어떤 표정으로 생활하는지 알지 못합니다. 그래서 본인의 인상이 좋지 않을 수도 있다는 얘기를 듣게 되면, 곧잘 언짢은 기분을 드러내기도 합니다.

얼굴은 그냥 이목구비의 집합소로서 그 조화와 모양만을 평가받은 부위가 아닙니다. 무엇보다 얼굴은 그 사람의 평상 시 수많은 시간 동안의 누적된 감정 상태를 상대방에게 전달하는 기능을 합니다. 흔히 말해 그것을 '인상'이라고 합니다. 나이가 들어가면 그 좋고 나쁨의 격차가 더 커집니다. 사람들이 생활 중에 얼굴의 표정습관에 따라 얼굴의 표정근육의 발달 정도가 달라지면서 얼굴의 모양과 느낌도 변하고 그 표정과 연관된 감정이 상대에게 그대로 전달되기 때문입니다. 그래서 에이브러햄 링컨Abraham Lincoln은 얼굴이 완성되는 시기는 20세가 아니라 그 타고난 얼굴에 살아온 흔적이 새겨진 40세 이후라며 "모든 사람은 40세 이후 자신의 얼굴에 대해 책임을 져야 한다Every man over forty is responsible for his face."라고 말한 것입니다.

얼굴 피부 밑에 있는 표정근육의 놀라운 비밀을 알게 된다면 매일 책상 컴퓨터 옆에 거울을 두고 얼굴의 표정 상태를 신경쓰면서 일하는 저 같이 얼굴에 엄청 신경쓰는(?) 사람을 속물스럽다고 폄하하실 수 없을 겁니다.

그렇다면 반대로 겉으로 드러나는 표정과 인상을 개선하려는 노력을 하면 더 행복해질 수 있을까요? 요즘 워낙 행복한 삶에 관한 책이 유행이다 보니 이 책을 읽으시는 분들은 관련 서적 한 권 정도는 읽어보셨을 겁니다. 권위 있는 행복학The Science of Happiness 관련 학자들에 의하면 사실 행복의 가장 중요한 요소는 '일상의 즐거움', 다시 말하면 '삶을 대하는 긍정적인 태도'에 달렸다고 합니다. 결론적으로 행복이란 '하루 중 기분 좋은 시간이 얼마나 되는가'에 따라 행복의 정도가 결정된다고 합니다. 사람마다 기분 좋게 하는 요소가 다를 수 있기 때문에 모두를 행복하게 만드는 절대적인 조건은 없습니다. 돈이 많으면 행복할 것 같지만, 그렇지 않은 경우도 너무 많습니다. 하지만 저는 감히 모두를 행복하게 만들 수 있는 비법이 있다고 이야기를 드리고 싶습니다. 이 책을 읽어보시면 아시겠지만 그 비밀은 바로 매일 종일 열심히 '일하는 미소근육'에 있습니다. 물론 이것이 결단코 쉽지 않습니다.

대부분의 행복학 관련 책에서는 형이상학적인 보이지 않는 의식이나 생각만을 바꾸라고 주문하는 경우가 많습니다. 마음을 비우고 작은 것에 감사해하며 자신을 사랑하고 미움을 버리라는 주옥 같은 권고들을 실천하는 것이 그리 쉽지 않습니다. 그러기에 우리는 책을 읽고 나서도 그다지 더 행복해지지 않았나 봅니다. 인식의 전환과 결심이 반드시 필요하기는 하지만 대단한 의지의 소유자가 아니라면 지속성을 갖기란 쉽지 않습니다.

행복에 관한 과학적인 접근과 구체적 실천방법에 대한 내용은 하버드대 심리학과 탈벤 샤하르Tal ben-shahar 교수의 『해피어』[2]와 서울대 심리학과 최인철 교수님의 『굿라이프』[3]를 추천하고 싶습니다. 생활의 만족과 삶의 보람을 느끼는 흐뭇한 상태, 남의 시선에 연연하지 않고 불꺼진 방 안에 홀로 남아 곰곰이 생각해보아도 자신의 삶에 만족할 수 있는 상태가 바로 행복입니다. 두 책 모두 뜻하지 않은 큰 행운을 기다릴 것이 아니라 일상의 소소한 즐거움을 찾는 훈련을 통해서 보다 더 행복한 삶을 살아갈 수 있음을 말합니다. 삶의 스트레스로부터 벗어나시는 데는 법륜 스님의 『인생수업』[4]을 책이나 유튜브 영상을 통해 보는 것도 큰 도움이 되실 것입니다.

의식세계의 변화만을 강조한 기존의 행복에 대한 이론들이 점차 내가 눈으로 보고 느끼고 확인할 수 있는 형이하학적인 영역, 즉 몸의 편안함과 건강함으로 확장되고 있습니다. 일부 학자들이 "행복은 몸에 있다."라고 말하는 이유이기도 합니다. 표정과 감정이 불가분의 관계로 연결되어 서로 영향을 주고받는 것처럼 우리의 몸과 마음은 연결되어 있습니다. 몸이 건강하지 않으면 행복하기 어렵습니다. 못생긴 성인聖人은 있어도 우울한 인상의 성인은 없다는 말이 있듯이 행복은 그 마음 그대로 몸에도, 특히 행복감을 표현하는 표정으로 얼굴에 드러나야 합니다.

우리의 인상은 내게는 물론 내 주위에도 큰 영향을 미칩니다. 우리가 스스로의 표정과 인상을 돌보는 일은 마음 바로잡기 이상으로 귀한 행복의 실천법입니다. 「4장 표정근육 트레이닝 훈련」을 보면 아시겠지만, 보이지 않는 마음을 컨트롤하는 것보다 눈에 보이는 표정습관을 통해 실천하는 것이 더 쉽습니다.

행복하고 싶다면 조금씩 행복해지는 자신의 변화된 모습을 얼굴을 통해 확인하는 습관을 가져야 합니다. 마치 『큰 바위 얼굴』의 어니스트처럼 가치 있는 행복한 얼굴로 자신의 얼굴을 바꿔 나가는 노력을 하는 것입니다. 이것은 그냥 몇 시간 집중적으로 웃게 하는 웃음치료와도 결이 다를 뿐 아니라 그냥 많이 웃으라는 얘기와도 전혀 다른 이야기입니다.

행복은 얼굴에 있습니다. 우리의 삶은 결국 행복함을 느끼고자 살아가는 과정입니다. 생기 넘치고 행복이 느껴지는 젊은 얼굴을 원하신다면 20대의 얼굴 표정을 연습하세요. 그럼 정말 20대의 얼굴처럼 보일 것입니다. 우리 모두 『큰 바위 얼굴』의 어니스트처럼 좋은 얼굴을 따라 하고 그런 사람이 되기를 함께 노력보면 어떨까요? 이 책이 보다 좋은 인상과 행복한 삶을 원하는 많은 분들에게 누구나 쉽게 따라할 수 있는 길잡이가 되기를 희망합니다. 감사합니다.

2020년 6월

표정근육 트레이너 문혜영

인상클리닉은 항노화의 시작과 끝이다

나 스스로에게 부끄럽지 않은 미용닥터가 되겠다는 22년 전의 약속, 그 약속을 지키려 치열하게 고민하며 완성한 많은 시술 중에서 가장 보람된 치료법은 단연코 인상클리닉이다.

진료실에서 마주하던 많은 고객분들 중에서 유난히 치료가 되지 않던 몇 분의 고객들이 지금도 기억에 생생하다. 그분들의 깊고 굵은 미간 주름과 심하게 파이고 늘어진 입꼬리의 심술 주름이 아니었다면 인상클리닉은 탄생하지 못했을 것이다.

아무리 최선을 다해 치료해놓아도 얼마 지속되지 못하고 다시 파이는 주름을 보며 고객들의 불만보다 나 스스로의 한계에 답답함을 느끼던 어느 날, 고객들의 치료 전 사진들을 늘어놓고 곰곰이 생각해보다가 지금은 너무나 당연한 사실이 되었지만 그 당시만 해도 전혀 알지 못했던 중요한 사실을 발견하게 되었다. 마치 망치로 머리를 꽝! 맞은 것 같은 놀라운 발견이었다. 유난히 나이 들어 보이고 치료가 잘되지 않고 치료된 것처럼 보여도 금방 다시 나빠지는 주름들의 명확한 공통점을 발견하게 된 것이다. 그것은 바로 '나쁜 표정습관'이었다. 모든 사진 속의 고객들은 누가 시킨 것처럼 하나같이 입을 굳게 다물고 미간에는 잔뜩 찌푸린 인상을 하고 있었던 것이다. 치료 전 사진을 찍을 당시에 어느 누구도 그렇게 힘을 주라고 지시한 적 없었을 터이다. 그런데도 그 분들은 평소에 자신도 모르게 스스로 힘을 주어서 깊은 주름을 만들고 있었던 것이었다. '아~ 바로 이거야! 그래~ 이게 문제였어!' 내 뇌리를 스쳤던 엄청난 깨달음의 그 순간을 지금도 잊을 수 없다. 그렇게 하루 종일 힘을 주고 있으니 아무리 치료해도 치료가 될 리 만무했던 것이다. 대단한 사실을 발견한 양 나는 신이 나서 그 이후부터는 사람들의 표정습관부터 확인하게 됐다. 나쁜 주름이 있는 사람들에게는 그 사실을 알려주었다. 나쁜 힘을 빼야 한다고 말이다.

그러나 고객들의 반응은 차갑고 한결같았다. 힘을 주는 것이 아니라 그냥 편안하게 있는 것인데 어떻게 힘을 빼냐고 말이다. 이렇듯 그 깨달음의 순간의 기쁨은 너무나 짧았다. 표정습관을 어떻게 바꾸지? 이 부분은 의과대학과 피부과 수련 기간 동안에 배운 적이 없던 주제였다. 그래서 나는 이 물음에 대한 답을 찾는 노력을 시작하지 않을 수 없었다. 그 당시만 해도 그렇게 긴 여정이 될 줄은 전혀 모른 채 말이다.

가장 먼저 파고든 영역은 당연히 의학 분야였다. 얼굴의 표정을 만드는 표정근육에 대한 해부학적 지식을 총 동원해 어떤 표정이 어떻게 만들어지는지 확인했지만, 표정습관을 바꿀 만한 어떠한 단서도 찾을 수가 없었다. 그다음 파고든 영역은 표정을 만드는 것은 감정이니 감정, 즉 심리학 분야 공부에 심취했다. 다행히 많은 심리학자들이 감정과 표정의 상관관계에 대한 놀라운 연구를 이미 30여 년 전부터 발전시켜 온 터라 많은 힌트를 얻을 수 있게 되었다. 이 과정에서 긍정의 감정을 표현하는 표정과 부정의 감정을 표현하는 표정들이 무엇이고 서로 어떻게 연관되어 움직이는지 알게 되었다. 훗날 구체적 트레이닝 방법을 개발하는 데 큰 도움이 되었다.

그러나 여전히 표정습관을 교정하기 위해서는 풀어야 할 숙제가 너무나 많았다. 가장 큰 물음은 '왜 사람들은 화가 나지 않았음에도 평소에 화난 표정을 짓고 있는 것일까?' 본인들은 그것이 화난 표정인 것도 모른 채 말이다. 출퇴근길 지하철 앞자리에 앉은 사람들의 표정을 생각해보면 쉽게 상상이 될 것이다. 이 고민은 나를 뇌의 진화와 인간의 사고체계, 즉 인식의 과정을 이해하도록 이끌었다. 결국 무의식과 연관된 소위 무표정한 상태가 왜 부정적인 표정과 연관되는지 이해할 수 있었다.

삶의 목적이 행복임에도 일상의 많은 시간을 본인의 의지와 무관하게 부정적 표정을 지으며 살고 있었다. 인간이 보다 더 행복해지려면 일상의 표정습관을 보다 긍정적인 상태로 바꾸는 것이 너무나 중요했다. 그러면서 나의 고민은 자연스레 21세기 시작과 함께 꽃피우기 시작한 '행복학The Science of Happiness' 관련 분야로 옮겨갔다. 표정습관을 바꾸는 것이야말로 우리의 뇌와 감정의 상태를 항상 긍정의 상태로 유지할 수 있는 가장 확실한 방법임을 깨닫게 되었다. 인상클리닉이 단순히 노화치료가 아니라 행복한 삶을 위해서 모두에게 너무나 귀한 선물이었다.

마지막 여정은 재활의학 분야였다. 팔다리 근육과 표정근육은 다른 듯하지만, 결국 근육이라는 공통점이 있으므로 퇴화되고 변형된 근육을 다시 어린 시절의 상태로 재활치료하는 구체적 방법을 개발하는 데 결정적 도움을 주었다. 결국 어린 시절의 상태와는 너무나 다르게 변형된 표정근육을 재활하지 않고서는 노화로 인한 얼굴의 변화를 근본적으로 치료할 수 없다는 것을 고객들을 통해 배우면서 노화의 속도와 방향을 완전히 바꿔놓는 항노화 의학 미용치료의 시작이자 끝이라고 할 수 있는 표정근육 재활치료인 인상클리닉이 완성된 것이다. 그때가 2007년이었다.

주름을 만드는 근본 원인이 나쁜 표정습관이라면 그 근본 원인을 치료해야 한다는 너무나 당연한 의료의 원칙을 지키려 무려 5년여에 걸친 다양한 학문 분야 여정을 거쳐야 했던 것이다. 지금 생각해보면 의과대학 시절과 피부외과 수련 기간 그 어느 때보다 더 치열하게 방황하며 고민했던 시간이다. 그 긴 시간 동안 알 수 없는 어떤 힘이 나를 '인상클리닉'으로 끌어주었고, 그 귀한 여정을 마친 나 스스로가 대견스러웠다. 불행인지 행운인지, 그 놀라운 발견에 기뻐하던 2007년 겨울에 나는 간암 진단을 받았다. 내 생에 첫 번째 귀한 선물이 그렇게 찾아왔다.

나는 인상클리닉 덕분에 담담하게 투병하였고 결국 완치되었다. 내게 인상클리닉이 기적이 된 이유다. 이 기적을 많은 사람들에게 알려주고자 2007년 이후부터 학교, 관공서, 기업을 대상으로 '내게 줄 수 있는 최고의 선물 – 행복한 미소'라는 대중 강연을 통해 인상클리닉을 알려왔다. 이렇게 치료가 아니라 사회적 활동으로 시작한 것은 나의 신앙과 '특별한' 경험 때문이다. 나는 '행복한 미소'의 의미를 세상에 전파하는 것이 하늘이 의사인 나에게 준 소명이라고 생각하고 지금까지 500번이 넘는 강의를 해왔다. 그리고 현재는 진료실에서 표정근육 재활치료를 보다 적극적으로 노화치료에 활용하고 있다.

인상클리닉의 핵심은 표정근육 트레이닝이다. 처음에는 트레이너의 도움을 받아 원리를 익히고 바른 자세를 연습하지만 일단 이 부분만 숙지하면 혼자서도 얼마든지 할 수 있다. 트레이너의 도움은 초반 이론 교육을 포함해 몇 시간에 지나지 않는다. 스스로의 훈련은 매일매일의 5분간 표정 연습을 통해 계속된다. 자신의 노력 여하에 따라 동안은 물론이고 밝은 인상과 보다 행복해진 삶을 마주하게 될 것이다.

이 책에 소개하고자 하는 J. F. 표정근육 트레이닝은 수술 없이도 항노화를 실현하는 인상클리닉의 핵심 내용이다. 특히 누구나 많은 시간과 돈을 들이지 않고 스스로의 노력으로 노화를 치료하고 인상을 바꿀 수 있는 완성된 훈련법이다. 인상클리닉에서 제시하는 대로 표정근육 트레이닝을 일단 시작만 하면 변화는 보통 첫 3개월 이내에 나타나기 시작한다. 근육이 만들어져 모양을 만드는 데 걸리는 기본 시간이다. 3개월쯤에는 누구나 노화의 방향과 속도가 완전히 달라지는 것을 경험할 수 있다. 처음에는 한 점에서 출발했지만 표정습관에 따라 서로 다른 길을 간다. 마찬가지로 표정근육 트레이닝을 시작한 사람과 그렇지 않은 사람은 시간이 지날수록 노화의 정도에 매우 큰 차이를 보인다.

나는 지난 10여 년간 수많은 환자가 표정근육 트레이닝을 통해 자신만의 밝은 인상과 젊음을 되찾아가는 것을 보았다. 그들이 걸었던 길의 시작점에 지금 이 글을 읽는 당신이 서 있다.

차례

Image

1장

왜 인상클리닉이 중요한가

우리는 얼굴에서 무엇을 보는가

얼굴이란 단어의 어원은 '얼꼴'이었다고 한다. '얼'이란 흔히 '민족의 얼' '조상의 얼'로 표현하는 것처럼 '정신 혹은 내면'의 의미가 있는 순수한 우리말이다. '꼴'이란 보통 '닮은 꼴'처럼 어떤 '모양'을 뜻한다. 이처럼 '얼꼴'은 '내면의 모양' '정신의 모양'을 의미하는데 억양이 너무 딱딱해 언제부턴가 '얼골'로 발음하던 것을 '얼굴'로 부르게 된 것이다.

즉 얼굴에는 그만큼 그 사람의 모든 내면의 것들이 드러난다는 의미다. 현대인들은 내 삶의 이미지를 대표하는 얼굴의 느낌을 좋게 하려고 많은 노력을 한다. 좋은 화장품을 바르기도 하고 마음에 들지 않는 부분을 바꾸기 위해 적극적으로 성형을 하기도 한다. 그렇다면 우리가 누군가의 얼굴을 보았을 때 도대체 무엇을 보고 '좋다.' '나쁘다.' '호감' '비호감'의 판단을 하게 되는 것일까?

얼굴 생김새보다는 인상이 중요하다

우리가 얼굴을 대할 때 판단하는 기준은 크게 두 가지이다. 한 가지는 얼굴 생김새를 나타내는 '외모'에 대한 판단으로 소위 '미남美男' '미녀美女'처럼 "예쁘다." "잘생겼다." "못 생겼다."라는 평가다. 좋은 외모란 눈, 코, 입, 귀가 수치적으로 조화로운 비율이면서 얼굴의 선과 윤곽이 그 시대의 보편적인 '아름다움'의 기준에 맞는 것이어야 한다. 외모의 기준으로 본다면 타고났거나 성형수술로 만들었거나 해서 마치 인기 연예인들처럼 인형이나 조각 같은 외모를 가진 사람들이 그렇지 못한 사람들보다 좀 더 유리한 평가를 받을 수 있다. 만일 얼굴을 대할 때 '외모'로만 평가를 받는다면 그렇지 못한 대부분의 사람에게는 너무나 안타까운 일이 아닐 수 없다. 외모를 통한 평가는 표정이 고려되지 않은 정지된 상태에서의 매우 표면적이고 단편적인 평가여서 그 사람 내면의 느낌과 이미지를 판단하기에는 충분하지 않다.

다른 한 가지 판단 기준은 바로 '인상'이다. '인상'의 사전적 의미는 '어떤 대상을 보거나 듣거나 했을 때 그것이 사람의 마음에 주는 주관적인 느낌'을 말한다. 사람들이 많이 혼동하는 '인상'의 한자는 두 가지이다. 하나는 도장 인印 모양 상象이고 다른 하나는 사람 인人 보다 상相이다. 우리가 흔히 "그 사람은 인상이 좋다."라고 할 때나 '첫인상' 등으로 사용하는 것은 인상印象이다. 상象은 흔히 '코끼리'라는 뜻으로 알려졌으나 '모양'이라는 뜻이 있다. 인상印象이 어떤 대상을 대할 때 마음에 도장 찍히듯 새겨지는 주관적인 느낌이라면 인상人相은 사람의 얼굴이나 생김새의 객관적인 모습을 말한다. 따라서 "그 사람 첫인상이 나쁘

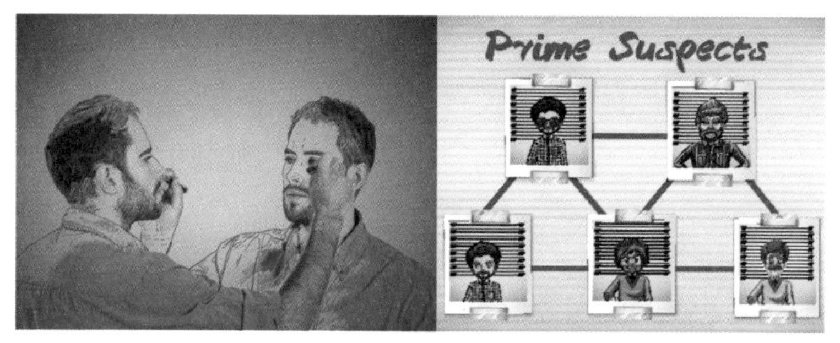

한 사람의 이목구비의 생김새를 그대로 표현할 때는 인상人相이라 한다.

한 사람의 모습을 포함한 느낌까지 포함한 것이 바로 인상印象이다.

다."라고 할 때는 인상印象이고 범죄수사극에서 "그 사람 인상착의가 어때?"라고 할 때는 인상人相인 것이다. 쉽게 말하면 우리는 어떤 사람의 인상人相, 즉 사람의 모습을 보고 인상印象, 즉 사람의 이미지를 느끼게 된다. 두 가지는 명확히 다르다. 우리는 누군가를 머릿속에 떠올릴 때 단순히 그 사람의 얼굴 생김새가 아닌, 그 사람의 느낌과 이미지를 떠올린다.

그렇다면 인상은 어떻게 마음속에 새겨지는 것일까? 많은 심리학자들이 누군가에 대한 인상이 마음속에 형성되는 과정을 연구한 바로는 한 번의 짧은 만남이건, 오랜 세월 동안에 걸친 사회적 관계 속에서 형성된 것이건 여러 가지 요인이 영향을 준다고 한다. 그 사람의 외모 역시 인상 형성에 적지 않은 영향을 줄 수 있다. 하지만 인상은 얼굴의 미적 기준과 같은 표면적인 모습이 아니라 느낌과 표정에서 드러나는 포괄적인 분위기가 더 중요하다. 결국 우리 마음에 남게 되는 것은 그 사람의 인상印象, impression이고 마찬가지로 내가 누군가의 마음속에 기억되는 것 또한 나의 인상印象인 셈이다.

얼굴이 바로 나다

우리는 얼굴을 보면서 그 인상印象을 통해 한 사람의 개인정보는 물론 그의 가족이나 사회적 관계 등 많은 것들을 읽어낼 수 있다. 얼굴이 가진 중요성이나 의미는 굳이 설명할 필요가 없다. 하지만 얼굴을 단지 구조와 기능적인 면에서만 따져보면 팔과 다리 혹은 위장과 별 다를 바 없다. 귀, 눈, 입, 코 4개 기관이 위치하고 있어서 표면의 형태가 복잡한 머리의 앞쪽에 위치한 면面, Plane일 뿐이다. 손꼽히는 세기의 미남미녀나 일반인이나 지구인이라면 모두 똑같다. 눈이 세 개인 사람은 없다. 아마 지구인 모두가 얼굴의 가치에 대해서 심장이나 간과 같은 내부 장기와 다를 바 없다고 생각한다면 문화, 산업 등 인간 사회 발전은 지금과 전혀 다른 양상으로 진행됐을지도 모른다. 각 기관의 생김새와 조화에는 전혀 관심을 두지 않고 오로지 각 기관의 기능만 잘되면 된다

서양에서 부르카를 금지하거나 홍콩에서 복면금지법을 시행하는 이유는 모두 사실상 '익명성'으로 인해 사람을 구별할 수 없기 때문이다. 얼굴은 곧 그 사람이기도 하다.

고 생각한다면 말이다.

하지만 우리 모두 알고 있듯 사람의 얼굴은 우리 몸의 표면表面, surface 중 가장 중요한 부위다. 인간의 존재는 얼굴로 증명되기도 한다. 우리는 자신의 얼굴을 통해 스스로의 실존을 증명받고 내면의 가치를 평가받으며 살고 있다. 인간은 누구나 자신의 가치를 좋게 하고 싶은 욕구가 있기 때문에 얼굴을 좋게 하는 미용은 많은 사람들의 관심 분야이

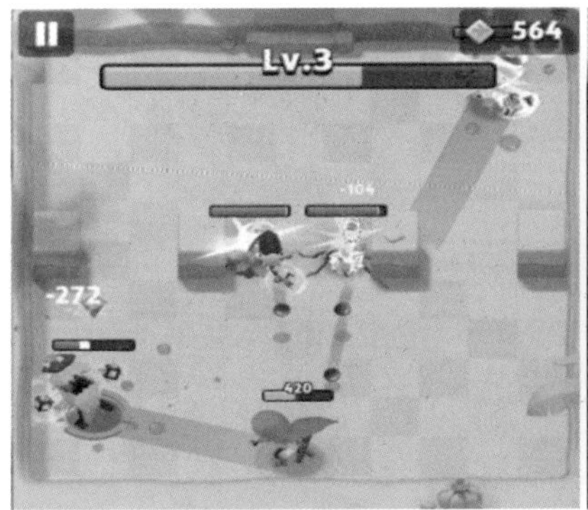

게임을 할 때 변동되는 캐릭터의 전투력 혹은 에너지양인 헬스 포인트Health point로 캐릭터의 남은 수명을 감지하는 것처럼 얼굴에 나타나는 주름이나 꺼짐 늘어짐과 같은 노화 마크는 소멸해가는 자신의 실존적 가치를 매일 아침 거울을 통해 확인하는 것이므로 매우 슬프고 두려운 일이 될 수 있다.

고, 관련 미용산업은 인류가 발전하며 존속하는 한 계속해서 번창할 수밖에 없다. 인간의 수명이 길어지고 신분사회나 계급사회와 달리 평범한 인간의 가치가 더 존중되고 높아지면서 미용 중에서도 항노화 관련 미용산업은 나날이 거대해지고 있다. 단순한 미용적인 욕망 때문이 아니라 소멸해가는 자신의 실존적 가치를 매일 아침 거울을 통해 확인하는 것은 매우 슬프고 두려운 일이기 때문이다.

소중한 자신의 젊음이 사라지는 것을 보는 것이니 가능하다면 이를 개선시키고 싶은 것은 너무 당연한 일이다. 그러기에 누군가는 적극적인 노력을 하고 살고 누군가는 삶에 지쳐 되돌아볼 여유 없이 살고 누군가는 혹시라도 잘못될까 두려워 망설이며 사는 것이 지금의 현실이다.

꼭 알아야 할 얼굴의 의학적 지식

얼굴은 그냥 피부기관으로만 이루어진 곳이 아니다. 우리가 얼굴에 대해 잘 알고 있는 것 같지만 실제로는 피부 지식을 제외하면 나머지 조직들에 대한 이해는 너무 적은 것이 사실이다. 더구나 내부 조직들이 노화의 과정에서 어떻게 변하는지를 복합적으로 이해하지 못한다. 그렇기에 잘못된 미용치료를 제안받더라도 무엇이 문제인지 전혀 판단할 수 없다. 그래서 이제부터는 알아두면 쓸 만한 얼굴의 의학적 지식에 대해 조금 알아보자. 물론 그렇다고 일반인들까지 전문적인 의학 공부를 할 필요는 없다. 우리에게 필요한 것은 어렵고 무서운 해부학이 아니라 기본 고등학교 생물만 배웠다면 쉽게 유추해서 알 수 있는 내용들이기 때문이다.

얼굴은 4층 구조로 돼 있다

우리 '얼굴'을 '건물'이나 '아스팔트가 깔린 도로' 등 우리가 일상 속에서 직접 보고 느끼고 알 수 있는 것에 비유해 생각해보면 직관적으로 알 수 있다.

당연한 이야기지만 다양한 생김새의 건물들이 있더라도 수직으로 하늘 위에서 본 톱뷰Top View를 통해서는 지붕이나 옥상의 모습만 볼 수 있을 뿐 각 건물의 높이나 층수는 알기 어렵다. 그림자가 있는 오후의 사진이라면 어느 정도 추측이 가능하겠지만 그림자가 없는 도면처럼 생긴 직사각형의 옥상이라면 측면에서 본 모습이 있지 않고서는 정확한 층수를 알 수가 없다. 더군다나 지하층까지는 절대로 알 수가 없다.

그런데 우리 얼굴의 정면은 마치 이 수직으로 위에서 본 건물의 지붕Roof이나 옥상Rooftop의 모습과 비슷하다. 수직으로 위에서 보기에는 그저 하나의 면처럼 보이지만 그 아래에는 몇 개의 층이 있는 것처럼 얼굴 역시 몇 개의 층 구조로 되어 있다. 얼굴은 안쪽에서부터 뼈, 근육, 지방, 피부 조직으로 구성되어 있다. 즉 간단히 4층 구조로 되어 있다고 생각하면 된다. 1층이 뼈, 2층은 근육, 3층은 지방, 4층이 바로 우리가 겉에서 보는 피부인 셈이다. 다만 4층 건물은 각 층의 높이가 비슷한 구조로 정확하게 4개의 층으로 나뉘고 지붕이라는 구조가 별도로 있다. 반면 얼굴의 해부학적인 구조는 각 층의 층고Floor Height가 다르고 피부가 가장 볼륨이 얇아서 가장 위의 4층이면서 지붕과 같은 역할을 한다고 생각하면 이해가 쉽다. 당연히 가장 층고가 높은 것은 얼굴로 치면 볼륨이 큰 것은 바로 뼈(1층), 다음으로는 지방(3층), 근육(2층)의 순이다

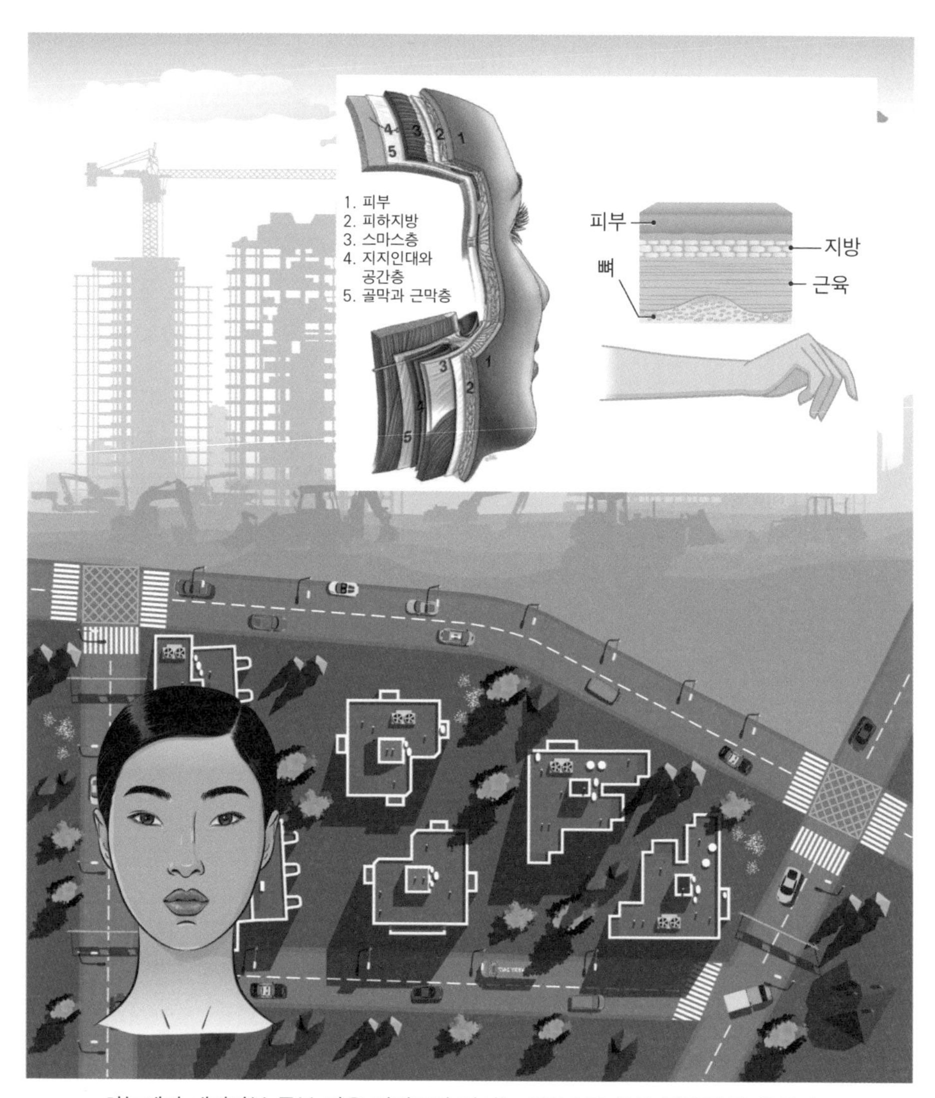

하늘에서 내려다본 톱뷰 같은 평면도만 봐서는 옆모습은 물론 건물이 몇 층인지도 알 수 없다. 우리의 얼굴은 마치 하늘에서 보는 것처럼 윗면만 볼 수 있을 뿐이다. 그 안에는 뼈, 근육, 지방, 피부 네 개의 층으로 이루어져 있다.

얼굴도 시간이 지나면 토마토와 같이 변한다

우리가 흔히 자연스러운 현상으로 받아들이는 내인성 노화란 한마디로 각 조직의 밀도가 줄면서 부피가 줄어드는 것이다. 건물로 따지면 건물의 층고가 줄어들면서 형태가 무너지는 것이다. 그 결과는 반드시 얼굴과 몸의 외적인 형태 변화를 가져온다. 내인성 노화와는 별도로 개개인마다의 표정습관이나 생활습관에 의해 얼굴에 지속적인 힘과 움직임이 가해지는 것 역시 큰 변화를 유발하는 중요한 원인이 된다.

여기에 계속해서 중력의 영향을 받게 되면 형태는 아래로 방향성을 갖게 된다. 그래서 지구에 오래 산 지구인은 모두 다 비슷한 유형의 노화된 모습을 갖게 되는 것이다. 인종에 따라 골격과 피부의 특성에 차이가 있어 느낌에는 차이가 있지만 노화 패턴에는 명확한 공통점이 있다. 그래서 우리는 백인이든 흑인이든 동양인이든 인종불문 얼굴을 보고 대략의 나이를 추측할 수 있는 것이다. 지구에서 중력의 영향을 얼마나 받고 살았는지를 파악하는 것이다. 즉 얼굴의 노화란 피부, 지방, 근육, 뼈의 볼륨 변화와 평상시 표정습관 등의 복합적 원인에 의해서 주름, 꺼짐, 늘어짐, 굴곡 등이 생기고 결국 윤곽이 변형되는 것을 의미한다.

내인성 노화로 피부, 지방, 근육, 뼈의 부피가 줄어드는 것을 과일의 산화로 설명하면 더 쉽게 이해가 된다. 냉장고에서 꺼낸 토마토를 상온에 놓으면 1주일 사이에 동그랗고 싱싱했던 모양이 시간이 갈수록 자연 산화되어 내부까지 쪼글쪼글해진다. 우리의 얼굴도 마찬가지이

얼굴의 노화 VS 토마토의 산화

다. 바깥, 중간, 안층까지 모든 곳에서 변화가 나타난다. 비단 과일뿐만 아니라 가죽 공으로 비유해도 비슷하다. 동그랗던 가죽 공을 그냥 두면 서서히 바람이 빠지면서 처음에는 모양의 변화는 없지만 손이나 발로 찼을 때 탄력이 떨어진 것이 느껴진다. 시간이 더 지나면 한 눈에도 공에 바람이 빠져 달라진 것이 느껴진다. 결국에는 아예 울퉁불퉁하고 납작한 공이 되어간다.

그 동그랗던 가죽 공의 윤곽이 변하는 과정이 우리 얼굴의 외적인 노화의 모습과 비슷하다. 다만 가죽 밑에 공기밖에 없는 공과 달리 사람의 피부 밑에는 여러 층 조직이 있어 층마다 고유의 노화를 거치게 된다. 그 결과 볼륨과 탄력이 감소하고 움직임의 방향을 가지고 있는 표

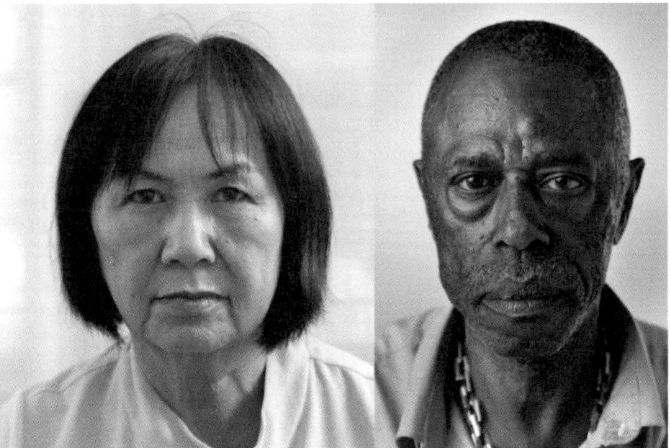

인종과 남녀불문 나이가 들면 중안면의 특히 앞정면의 볼륨이 줄어들고 꺼지면서 입체감이 소실된다. 동양인에 비해 타고난 입체감이 좋은 서양인도 자신의 젊은 시절의 얼굴과 비교하면 얼굴이 전체적으로 밋밋하고 넓적해진다. 하지만 중요한 것은 전체적으로 볼륨이 줄어드는 반면 특정 부위인 눈 밑과 턱선은 오히려 불룩해지면서 볼륨이 늘어난다. 따라서 노화로 인해 나타나는 전체와 부분의 변화를 종합적으로 고려해서 복원을 해야 자연스러운 젊은 모습으로 변화될 수 있다.

정근육의 변화와 중력의 영향으로 특정 모양을 갖게 되는 것이다. 공의 바람이 살짝 빠져서 탄력은 떨어졌지만 모양의 변화가 거의 없어 손으로 만지거나 발로 차지 않으면 느낄 수 없을 때가 사람으로 치면 20~30대까지 변화라 볼 수 있다. 그리고 그 이후의 찌그러진 공 윤곽의 변화는 40대 이후의 모습과 흡사하다.

건물 옥상만 바라봐서는 건물 내부를 알 수 없다

다시 얼굴을 4층 건물로 비유해 설명하면, 얼굴의 노화란 4개층 모두 시간이 갈수록 각층의 볼륨이 조금씩 줄어들면서 건물이 낮아지고 약해지면서 결국 지붕이 무너져 내리는 것이다. 그러나 우리가 눈으로 보는 것은 바깥 층인 4층의 피부만을 볼 수 있을 뿐이다. 피부를 통해 잡티와 검버섯 등의 색소는 물론 주름이나 꺼짐이나 늘어짐 등의 다양한 굴곡이 드러나 보인다. 즉 윤곽이 변하는 것이 바로 내적인 노화의 결과에 의해서 바깥으로 드러나 보이는 외적인 노화인 것이다. 그러나 얼굴의 해부학적 구조와 변화를 이해하는 전문가가 아니라면 단지 4층 건물 옥상인 피부에 드러나는 변화만을 봐서는 얼굴 내부에 어느 층에 어떤 변화가 있는지 알기 어렵다. 이는 의료 전문가조차도 정확히 알기 어려운 영역이다.

무언가 개선을 시킨다면 정확한 원인을 교정하는 것이 당연한 정답이다. 2층 근육층에 이상이 있다면 2층을 치료해야 하고 3층 지방층이 문제라면 3층을 치료해야 한다. 그러나 이런 내부의 변화를 이해하지 못한다면 엉뚱한 해법으로 교정할 수 있다. 가장 흔한 오류는 1층(뼈), 2층(근육), 3층(지방) 볼륨이 모두 감소하여 생긴 볼륨의 감소를 3층 지방층에만 필러나 지방으로 볼륨을 채워서 치료하는 경우라고 할 수 있다. 치료 직후에 겉에서 4층 옥상(피부)을 보기에는 꺼진 부위가 채워져 있는 것처럼 보이겠지만 뼈와 근육으로 인한 변화까지를 지방층에 교정을 했기 때문에 지방층 자체의 볼륨 감소보다 과도한 볼륨 교정이 된 것이다.

이것은 예외 없이 두 가지 문제를 만든다. 하나는 근육을 이용해 표정을 지을 때 근육 위쪽에 갑자기 두꺼워진 지방층 때문에 무언가 어색해 보인다는 점이다. 그리고 다른 하나는 볼 정면에 과도하게 채워진 지방층이 노화가 진행함에 따라 아래로 내려가면서 아래 팔자 주름 부위 위쪽으로 더 불룩하게 튀어나와 어색한 모양이 되고, 또 일부의 볼

름은 입꼬리 옆쪽으로 내려와 소위 심술 주름을 더 심화시키게 된다는 것이다. 이 두 가지는 충분히 예측 가능한 일로 너무나 자명한 현상이다. 실제로 지난 10여 년간 필러 시술이 대중화되면서 시간이 지남에 따라 어색한 결과로 피해를 보는 분들이 너무나 많다.

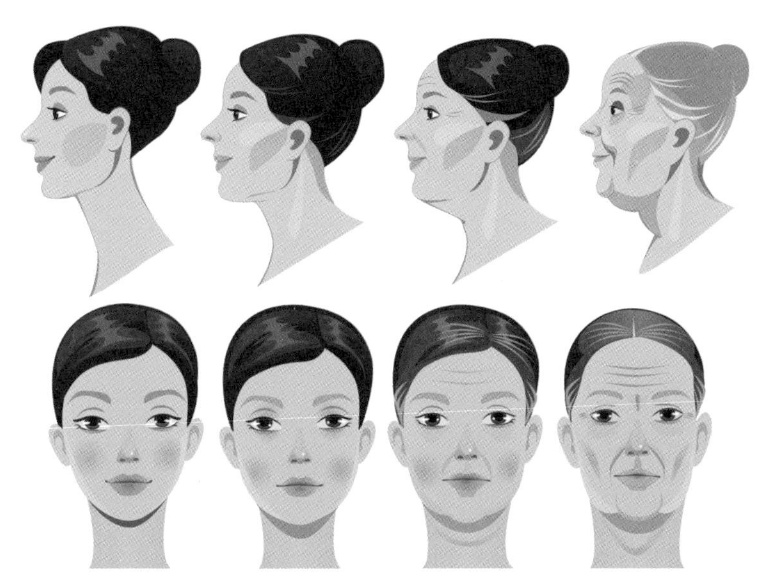

우리의 얼굴 피부는 마치 도로 위의 아스팔트나 건물의 지붕과 같다. 도로나 지붕의 무너짐이나 형태의 변화가 아스팔트나 지붕만의 문제가 아니듯 노화로 얼굴이 변하는 것은 피부 안쪽의 변화 그러니까 윤곽 변화의 근본원인을 파악해서 해결하는 것이 중요하다.

이 모두가 겉에서 척 보면 안다고 느꼈던 문제가 실제로는 자세히 들여다봐도 모를 정도로 복잡한 내부의 변화가 있음을 간과한 결과이다.

왜 나이 들어 보이는가

아름답다는 것, 젊어 보인다는 것, 그리고 나이 들어 보인다는 것에 보편적 기준이 있을까? 기준은 분명히 있다. 우리 모두는 본능적으로 한 사람을 보는 동시에 한눈에 그 사람의 보편적인 아름다움의 정도와 나이를 가늠할 수 있다.

인류 공통의 아름다움이 존재한다

"홍시 맛이 나서 홍시라 했을 뿐인데, 어찌하여 홍시 맛이 나느냐고 물어보시면……."

전 세계에 한류를 전파한 유명한 MBC 드라마 〈대장금〉에 나왔던 명대사이다. 무엇이라 설명하기 어렵지만 본능적으로 아는 것들이 있다. '아름다움' 역시 본능적인 영역에 해당한다.

한 TV 프로그램에서 '아이들은 예쁜 선생님의 말을 더 잘 들을 것'이라는 가설을 세우고 예쁜 외모의 선생님과 평범한 외모의 선생님에게 수업을 진행시켰다. 그 결과 이 가설은 사실로 드러났다. 실험에서 아이들은 평범한 외모의 선생님의 수업 시간보다 예쁜 외모의 선생님 수업 시간에 집중도가 더 높았다.

사실 사람은 누구나 타인에게 좋은 인상을 주고 싶어한다. 중요한 것은 누구에게 호감을 주는 좋은 인상에는 보편적 기준이 있다는 것이다.

취학 전의 아이들이 모인 어린이 집에서 두 명의 새로운 선생님이 똑같은 사탕바구니를 들고 서 있었다. 한 사람은 평범한 외모였고 다른 한 사람은 매우 뛰어난 외모였다. 아이들 중 3분의 2 이상이 뛰어난 외모의 선생님에게서 사탕을 받고자 줄을 섰다. 2000년대 초반 방송된 국내 다큐멘터리의 한 장면이다. 프로그램은 어린이들의 실험을 통해 아름다움이 선천적으로 인지되는 것인지 후천적으로 학습된 결과인지를 알아보고자 했다. 실험결과는 내면의 아름다움이 더 중요하다는 가르침이 공허해지기는 했지만 아름다움에 대한 분별이 선천적이라는 것을 잘 보여주었다.

이미 2000년대 초반부터 여러 연구자가 다양한 연구를 통해 만국 공통의 미의 기준이 엄연히 존재한다고 보고했다. 대표적으로 독일인 의사 울리히 렌츠Ulrich Renz는 저서 『아름다움의 과학』에서 '사람들이 생각하는 미의 조건이 얼마나 잘 일치하는가?'를 실험결과를 통해 보여주었다.[5]

미인선발대회처럼 몇 명의 사진을 공개하고 인기투표를 해보면 일관된 성향을 확인할 수 있다. 특히 투표에 참여한 사람이 많으면 많을수록 예쁜 얼굴과 그렇지 않은 얼굴은 극명하게 갈린다. 비단 여성뿐 아니라 남성 역시 마찬가지다. 남성 역시 호감형과 비호감형은 쉽게 양분된다. 더욱이 아이들도 똑같은 결과를 내놓는다. 흔히 아이들은 어른들의 영향을 받아 그런 것이 아닌가 생각하기 쉽다. 하지만 울리히 렌츠는 그렇지 않다고 말한다. 물론 사회적으로 용인되는 아름다움의 기준이 다를 수는 있다. 하지만 모든 아름다움의 기준이 태어나서 주입되는 것은 아니라는 것이다. 실험을 통해 판명된 진실은 '좋은 것과 그렇지 않은 것을 구분하는 것은 고정관념이 아니라 인간 본성이다.'라는 것이다.

텍사스대의 발생 심리학자 주디 랭로이스Judy Langlois[6]는 성인 남녀 100명에게 여러 장의 얼굴 사진을 보여주고 '잘생긴 사람'과 '못생긴 사람'을 구분하게 했다. 물론 특정한 기준 같은 것은 없었다. 그리고 생후 6개월 된 아기들에게 같은 사진을 보여주고 어느 사진을 오래 집중해서 보는지를 관찰했다. 결과는 앞서 설명한 대로다. 아기들은 성인들이 잘생긴 사람 사진이라고 지목했던 사진을 더 오래 집중해서 쳐다

하얀 달걀에 낙서처럼 그린 얼굴만 봐도 주인공의 성별, 연령대, 성격을 쉽게 짐작할 수 있다. 인물이 악당인지 선한 사람인지도 단박에 알 수 있다.

보았다. 자신이 좋아하는 것을 쳐다보는 것은 당연하다. 그러니 아이들도 잘생긴 사람 사진을 더 좋아했다고 추측할 수 있다.

그런데 이러한 연구결과는 한두 개가 아니다. 비슷한 연구가 수년에 걸쳐 반복적으로 행해졌다. 1990년대 후반에 하버드대 의대 낸시 에트코프Nancy Etcoff 교수팀[7]은 아이들을 관찰하며 생후 3개월 된 아기들도 성인들이 매력적이라고 느끼는 얼굴을 더 오래 쳐다본다는 연구결과를 발표했다. 낸시 에트코프 교수는 『미-가장 예쁜 유전자만 살아남는다』에서 "인간이 아름다움을 추구하는 것은 본능이고 유전자에 이미 포함된 생리적인 현상"이라고 정리했다.

인상이 만국 공통의 언어라는 것을 확인시켜 주는 흔한 예가 있다. 바로 만화다. 3D 입체 애니메이션이 아니어도 마찬가지다. 심지어 하얀 달걀에 낙서처럼 그린 얼굴만 봐도 주인공의 성별, 연령대, 성격을 쉽게 짐작할 수 있다. 인물이 악당인지 선한 사람인지도 단박에 알 수 있다. 언어, 교육, 성별, 지역과 관계없이 누구나 동일한 해석을 할 수 있다. 점 하나, 선 하나, 미묘한 굵기 차이로 그 모든 정보를 인식할 수 있다는 것이 참으로 놀랍지 않은가?

인류 공통의 아름다움이 존재한다. 그 말은 곧 인간에게는 아름다움을 파악할 능력이 있다는 것을 의미한다. 결론적으로 우리는 아름다움은 물론 사람을 판단하고 인상을 평가하는 일정 기준을 DNA 속에 가지고 태어났다. 홍시 맛이 나서 홍시인 것처럼 누구나 아름답다고 느끼기 때문에 아름다운 것이다.

젊어 보이는 것이 곧 아름다운 것이다

아름답지 않은 사람들은 평생 아름답지 않은 채로 살아야 하나요? 타고난 보편적 아름다움을 갖지 못한 사람이라면 이렇게 반문할 수도 있다. 하지만 세기의 미모를 탐하는 것이 아니라면 우리는 누구나 아름다워질 수 있다. 필요한 것은 내가 나인 채로의 '개성'과 '젊음'이면 족하다. 앞서 열거한 과학적으로 아름다움을 판단하는 기준 중에서도 가장 중요한 것은 젊음이다. 쉬운 예로 오드리 헵번이나 마릴린 먼로라 해도 나이가 칠순이 넘으면 길 가는 평범한 고등학생보다 아름답기 어렵

젊고 생기 넘친다는 것, 그것이 바로 아름다움이다.

다. 아무리 세기의 미녀라고 해도 세월 앞에서는 빛을 잃고 만다. 반대로 아무리 평범한 외모라 해도 젊은 모습이 나이들 때보다 아름답다.

결론적으로 젊어 보이는 것은 곧 아름다운 것이다. 전 인류가 노화를 막기 위해 애를 쓰는 것은 학교에서 가르쳐주지 않아도 누군가에게 배우지 않아도 이 진리를 본능적으로 알고 있기 때문이다.

세월이 가면 노화가 찾아온다

노화를 교과서적으로 설명하자면 "노화란 시간의 흐름에 따른 변화, 외부 자극에 의한 변화, 만성질환에 의해 나타날 가능성이 높은 변화이다." 또한 구체적으로 설명하자면 일반적 노화, 병적 노화, 성공 노화의 3가지 형태로 나눌 수 있다.

일반적 노화는 정상적으로 늙어가는 것을 말한다. 40대에 눈물이 많아지고 50대에 피부가 쭈글쭈글해지고 60대에 허리가 굽는 것은 일반적인 노화의 예이다. 병적 노화는 콜레스테롤의 증가나 암의 발병처럼

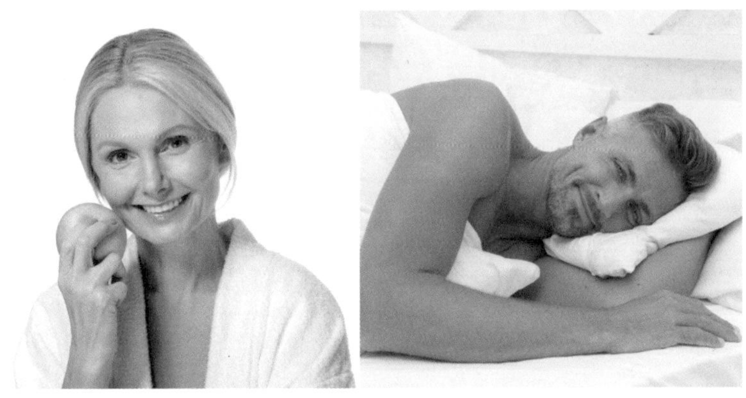

성공 노화에 필수요소 중 하나가 바로 외모에서 풍기는 젊은 느낌이다.

병에 의한 노화를 말한다. 아프면 더 빨리 더 많이 늙는다.

그렇다면 최근에 모든 이들이 원하는 성공 노화란 무엇일까? 세계보건기구에서는 노인이지만 신체와 인지 기능이 정상이고 질환이 없고 활발한 사회 참여가 가능한 상태를 성공 노화라고 한다. 우리가 원하는 대로 죽는 그날까지 멋지게 살다가 딱 생을 마치는 것이요, 한마디로 '잘 늙는 것'을 의미한다. 하지만 안타깝게도 전 세계 인구 중 30%만이 성공 노화를 겪는다고 한다.

우리가 바라는 노화는 두 말할 필요도 없이 성공 노화일 것이다. 당연히 성공 노화를 위해 필요한 요소가 궁금할 것이다. 각종 학회의 연구결과를 종합해보면 가족과 건강 등 필수 불가결한 요소를 제외하고는 '젊은 느낌'을 가장 중요한 요소로 꼽았다. 나이가 들어도 건강하고 성공적인 사회생활을 할 수 있기 위해서는 '젊은 느낌'을 갖고 있어야 한다는 것이다. 젊은 느낌은 구체적으로 '힘이 넘친다' '슬림하다' '탱탱하다' '꼿꼿하다'로 정도로 표현할 수 있고 늙은 느낌은 '우울하다' '힘없다' '처진다' '쭈글쭈글하다' '굽어진다'로 표현할 수 있다.

모든 길이 로마로 통하듯 세월이 가면 노화는 찾아온다. 하지만 아이러니하게도 이 노화를 잘 이겨내려면 '젊은 느낌'이 필요하다. 마음의 젊은 느낌 못지않게 몸의 젊은 느낌도 중요하다. 특히 얼굴의 젊은 느낌은 본인의 마음뿐만 아니라 사회생활과 대인관계에도 큰 영향을 미친다.

노화는 누구에게나 주어지는 반갑지 않은 종합선물세트지만 포장지를 열어 쓸 만한 것과 버릴 것을 헤아린 후 필요치 않은 것은 과감히 버리는 지혜가 필요하다.

노화는 주름이 아니라 윤곽 변화이다

"팔자 주름 때문에 10년은 더 늙어 보여요. 이것 좀 쫙 펴주세요." 피부과 또는 성형외과에서 가장 흔하게 듣는 소리가 아닐까 싶다. 미용성형과 항노화 시술이 일반화되고 필러와 보톡스를 다루는 크고 작은 의원도 많아지다 보니 주름은 어렵지 않게 없앨 수 있다고 생각한다. 그러나 이러한 시술이 '얼굴을 젊게 하는 치료 목적'에 적절한 것인가에 대해서는 의문을 가져야 한다.

정말 중년 여성의 주름 자국을 포토샵처럼 몇 개 펴는 것만으로도 10년씩 젊어 보일 수 있을까? 가까이서 비교해보면 주름이 없는 사람이 좀 더 나아 보일 수는 있겠지만 멀리서 본다면 큰 차이를 느끼기 어렵다. 다시 한 번 또 다른 케이스를 비교해보자. 한 사람은 상안면 이마나 눈가에 주름살은 없지만 하안면과 목으로 이어지는 턱선이 울퉁불

멀리서도 한 눈에 나이를 가늠할 수 있는 이유는 주름 때문이 아니라 바로 얼굴의 전체적인 모양, 즉 윤곽의 변화가 노화 정도를 나타내기 때문이다. 그래서 눈가 주름이 아무리 심해도 눈가 주름 없이 하안면만 늘어진 사람이 보다 더 늙어 보이는 것이다.

퉁한 사람과 상안면 이마나 눈가에 주름살은 많지만 하안면과 목으로 이어지는 턱선이 매끈하고 날렵한 사람을 약간의 거리를 두고 비교해 보자. 둘 중에는 주름이 좀 있더라도 하안면 턱선이 날렵한 사람이 젊어 보인다. 다시 설명하면, 우리의 눈은 이마의 주름 몇 개나 눈가의 주름 몇 개를 노안의 중요한 판단 기준으로 여기지 않는다는 것이다. 그렇다면 무엇이 중요할까? 바로 얼굴의 전체 모양, 즉 윤곽이다.

특히 얼굴 중안면의 가장 중요한 부위인 앞 광대(흔히 여성들이 화장할 때 생기 있어 보이라고 볼 터치하는 부위) 볼륨이 감소하면서 아래쪽으로 늘어져서 전체적인 얼굴 중심부의 입체감이 소실되는 것과 얼굴의 아래쪽 턱끝을 중심으로 양쪽으로 이어지는 하안면의 둔탁한 늘어짐은 상대의 나이를 판단하는 중요한 기준이 된다. 즉 동안과 노안의 구분은 주름이 아니라 중안면 입체감의 정도와 하안면 턱선의 매끈한 정도가 그 기준이다. 이것이 첫인상에 강력한 영향을 미친다.

(왼쪽) 포토샵 전후. 중년 여성의 사진에서 주름을 없애도 20대처럼 보이지 않는 이유는 노화란 주름이 생기는 것이 아니라 얼굴 골격뿐 아니라 피부, 지방, 근육까지의 총체적인 변화이기 때문이다. (오른쪽) 할머니와 손녀의 사진을 보면 피부의 노화뿐만 아니라 윤곽의 변화를 알 수 있다.

우리의 눈이 3D 입체를 구분하기에 바깥쪽 테두리를 결정하는 얼굴 곡선의 변화에 매우 민감하게 반응하기 때문이다. 그중에서 가장 확실하게 눈에 들어오는 것은 헤어라인으로 가려질 수 있고 그 변화가 크지 않은 얼굴의 위쪽과 측면보다는 언제나 노출돼 있고 곡선의 변화가 큰 하안면의 윤곽이다.

그에 대한 흥미로운 연구가 있어 소개한다. 2015년 미국의 로제스턴대 메디컬센터 로버트 쇼 박사팀은 나이가 들어 보이는 것이 과연 주름 때문인지 알아보는 실험을 했다.[8] 우선 70대 할머니의 사진을 가져다 놓고 포토샵으로 20대처럼 주름을 다 지워본 후 평가를 해본 것이다. 주름을 없앤 70대 할머니가 과연 20대 아가씨처럼 보일까를 말이다. 당연히 결과는 그렇지 않았다. 주름을 없애도 20대처럼 보이지는 않는 것이다. 연구팀은 우리가 늙어 보이는 이유가 주름이 아니라 윤곽의 변화 때문이라는 것을 알았다.

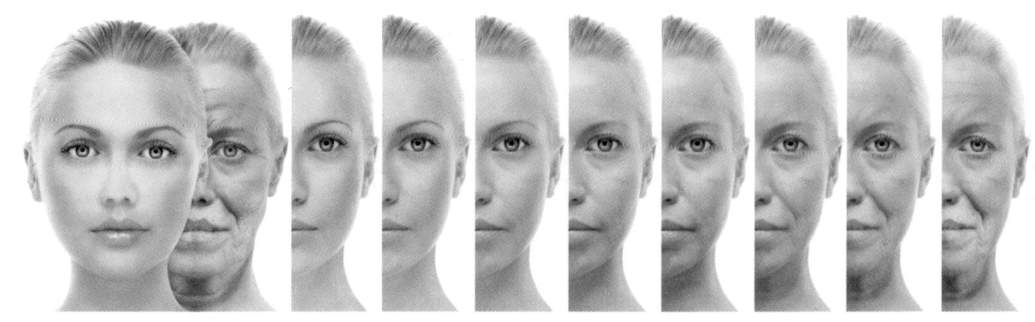

우리 얼굴의 윤곽 라인이 테두리는 물론 안쪽의 볼륨 라인까지 울퉁불퉁해지고 크고 작은 단절면이 생기는 것이 바로 노화다. 볼륨이 감소하는 대표적인 곳은 얼굴 중앙 볼 꺼짐이다. 반면 볼륨이 증가하는 대표적인 곳은 눈 아래 지방과 턱선의 울퉁불퉁한 조직이다.

그 후 연구팀은 연령대별 얼굴 골격을 컴퓨터로 단층 촬영해 나이가 들어가면서 나타나는 눈, 코, 얼굴 골격의 변화를 살펴보았다. 그 결과 나이가 들수록 뼈가 줄어들었다. 눈, 코, 턱 주변의 뼈가 줄어들고 항상 아래턱이 아래로 축 처지지 않게 위로 잡고 있으려고 힘을 주는 아래턱 부위는 턱끝만 앞으로 돌출되는 모습을 보였다. 여성은 41세부터 그런 변화가 두드러지게 나타났고 남성은 65세 이후부터 나타났다. 그렇다면 얼굴 골격이 줄어드는 사이에 피부와 근육과 지방은 제자리를 지키고 있었을까? 물론 아니었다. 노화로 인해 근육과 지방도 볼륨을 잃었고 그 와중에 피부 역시 자연스럽게 탄력을 잃었던 것이다.

나이가 들면서 나타나는 윤곽의 변화를 좀 더 자세히 알아보자. 우리의 얼굴 골격이 완성되는 것은 성장이 끝난 20세 전후다. 그런데 안타깝게도 얼굴 골격이 완성된 시기를 지나면 바로 노화가 시작된다. 뼈도 근육도 지방도 나이가 들면 그 양이 점차 줄어든다. 심부 조직이 줄어들어 늘어진 피부는 중력의 영향을 받아 그대로 아래로 내려간다.

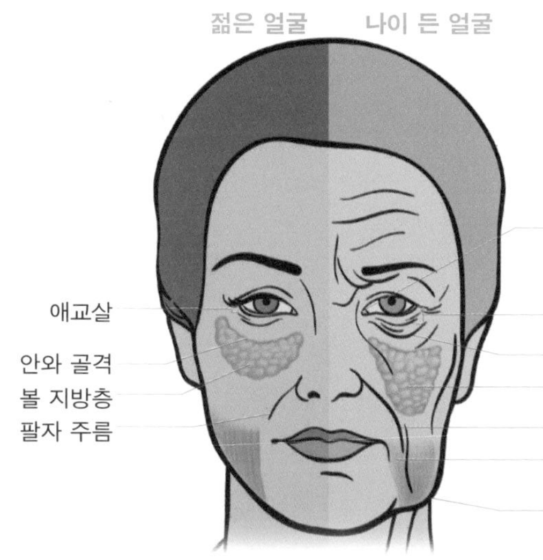

성형수술은 '타고난' 이목구비를 아예 다르게 바꿔 고정시키는 것이다. 반면 항노화 미용시술은 나이 들어가며 계속해서 그에 따라 변화되는 현상을 그 이전의 상태로 교정 복원하고, 그 복원한 상태를 오래 유지시켜 주는 것이다. 중안면부터 하안면까지 윤곽의 변화를 만드는 가장 근본 원인이 무엇인지 이해하는 것이 중요하다.

하안면의 매끈한 곡선은 마치 심술이 한가득 들어 있을 것으로 보이는 울퉁불퉁한 모양으로 변형된다.

피부와 내부의 변화는 얼굴 모양을 크게 두 가지로 변화시킨다. 뼈를 포함한 얼굴 모든 조직의 볼륨이 줄어든다는 것과 그 결과로 인해 뼈 위에 걸쳐져 있는 근육, 지방, 피부로 이루어진 연부조직이 중력에 의해 아래쪽으로 늘어진다는 것이다. 아래로 늘어져내린 볼 정면 부위와 광대뼈 아래 부위는 볼륨이 감소해서 움푹 들어가 보이고 늘어져 두툼해진 하안면 부위는 오히려 볼륨이 증가한 것처럼 보이게 된다. 또한 늘어지는 과정에서 이전에는 없었던 주름이 생긴다. 팔자 주름이 대표적이다.

노화 흔적의 대명사인 볼 꺼짐과 팔자 주름은 볼이 늘어지면서 피부

노화에 따른 눈 밑 지방과 볼 지방 처짐 현상

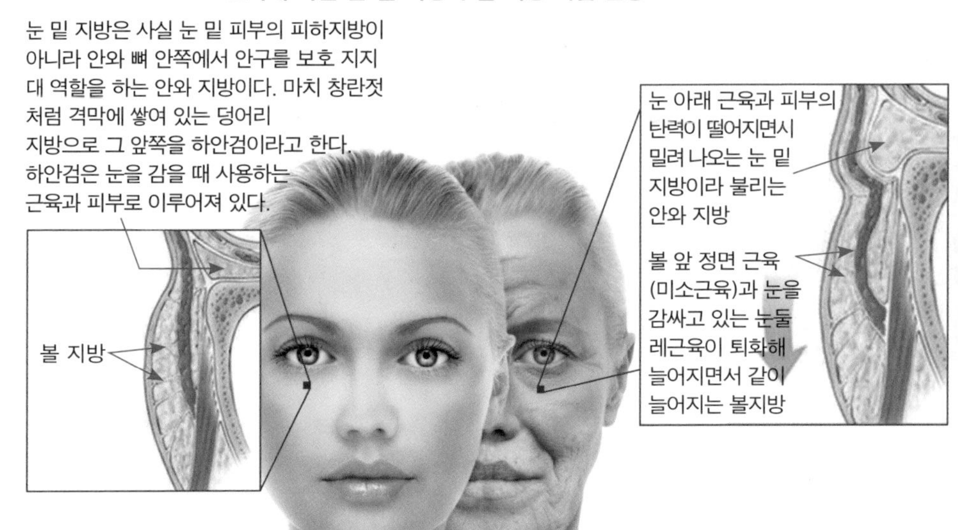

하안검을 이루는 피부와 근육이 탄력을 잃으면서 점점 눈 밑 지방이 튀어나온다. 중요한 것은 이 지방은 피하지방과는 달라서 격막에 쌓여 있어서 한 번 튀어나오기 시작하면 계속 나오게 된다. 눈물고랑을 채우거나 재배치를 하는 것으로는 근본적인 원인을 막을 수 없다.

조직이 팔자 주름 부위에서 접히면서 생기는 것이다. 따라서 서로 떼려야 뗄 수 없는 연관된 변화로 말미암은 결과인 셈이다. 팔자 주름은 그 부위가 꺼져서 생긴 것이 아님에도 무언가를 채워서 치료하려는 노력은 애초에 그 발상 자체가 틀린 것임을 쉽게 알 수 있다. 볼살이 늘어지면서 마찬가지로 입 주위에도 입꼬리 심술 주름이 생기게 된다.

볼륨이 늘어나 보이는 곳은 하안면 턱선 말고도 한 곳이 더 있다. 바로 눈 밑에 지방이 튀어나와 심술 주머니를 만드는 곳이다. 노화될 때 얼굴의 모든 부분은 볼륨이 감소하는 것처럼 보이지만 이렇게 딱 2개 부위만 볼륨이 늘어나는 것처럼 보인다. 하안면은 울퉁불퉁하게 살이 처지면서 볼륨이 많아지기도 하지만 소위 사각턱이라고 부르는 부위는 나이가 들면서 깨물고 씹는 근육이 도드라져 보여서 얼굴이 커진 것처럼 느껴지게 한다.

입체감 있는 동안 윤곽과는 거리가 멀어지는 평평한 네모 얼굴이 되어가는 것이다. 이러한 노화의 과정 때문에 나이가 들수록 얼굴이 커지고 넓적하게 보이게 되는 것이다. 그리고 주름은 이러한 노화가 진행되는 과정에서 자연스럽게 만들어지는 결과물인 셈이다. 이마, 눈, 입, 그리고 팔자 부위에 썩 좋아 보이지 않는 주름들이 수십 년에 걸쳐 자리를 잡아간다.

이 모든 변화는 중력의 영향을 받는 지구에 사는 사람이라면 누구나 찾아오는 공통된 변화이다. 즉 노화란 얼굴의 골격과 모든 볼륨이 줄어들면서 하트 모양의 입체적 볼륨 윤곽이 무너지는 과정이다.

나이가 들면 누구나 네모공주가 된다

막이 오르고 연극이 시작됐다. 60대 할머니로 분장한 여배우가 꼬장꼬장한 시골 구멍가게 주인 역할을 열심히 소화해낸다. 백발의 머리카락, 얼굴에 만연한 주름, 굽은 허리, 거기에 카랑카랑한 목소리까지……. 그런데 뭔가 이상하다. 어딘지 모르게 여배우는 30대 초반의 젊은 아가씨일 것만 같다. 어디에서 뭔가 이상하다는 느낌을 받는 것일까?

외모로 사람의 나이를 측정할 때 가장 먼저 들어오는 정보는 주름이

(왼쪽) 젊은 사람을 늙어 보이게 분장해도 어색할 뿐만 아니라 진짜 노인과 비교하면 현저한 차이가 난다. (중간과 오른쪽) 젊은 딸과 중년이 넘은 엄마의 사진을 비교해보면 확실히 나이가 들수록 네모난 얼굴로 변하는 것을 알 수 있다.

아니다. 우리가 처음 상대를 만나 나이를 추측할 때는 얼굴은 물론 말투, 몸의 자세, 패션, 헤어스타일 등 여러 가지 요소를 고려해 짐작을 하지만 그래도 가장 중요한 것은 얼굴의 전체적인 모양인 '윤곽'이다. 주름의 많고 적음만으로는 전혀 알 수 없다. 두 눈을 통해 상태의 얼굴 윤곽을 보고 나이를 측정하는 것만큼은 알파고보다도 더 빠르고 정확하게 측정해낼 수 있다. 우리는 인지하고 있지 못하지만, 우리에게는 수천 년 이상 노화된 사람들에 대한 데이터가 이미 DNA에 녹아 있고 무엇보다 익숙하기 때문이다. 그래서 목욕탕에서 나이를 추측하는 것이 가장 정확성이 높다. 그뿐만 아니라 같은 인종의 사람을 보면 언뜻 봐도 정확하게 나이를 가늠하지만 낯선 인종의 나이는 쉽게 가늠되지 않는다. 익숙함이 떨어져서 그렇다.

재미난 것은 서양인은 동양인을 실제보다 좀 더 젊게 보고 동양인은 서양인을 좀 더 나이 들게 본다. 일광욕을 좋아하고 생활습관의 영향도 있지만 서양인에 비해 동양인이 피부 연부조직의 볼륨이 좀 더 두꺼워서 그렇게 보인다. 인종마다 다양한 특징들이 있지만 공통적으로 얼

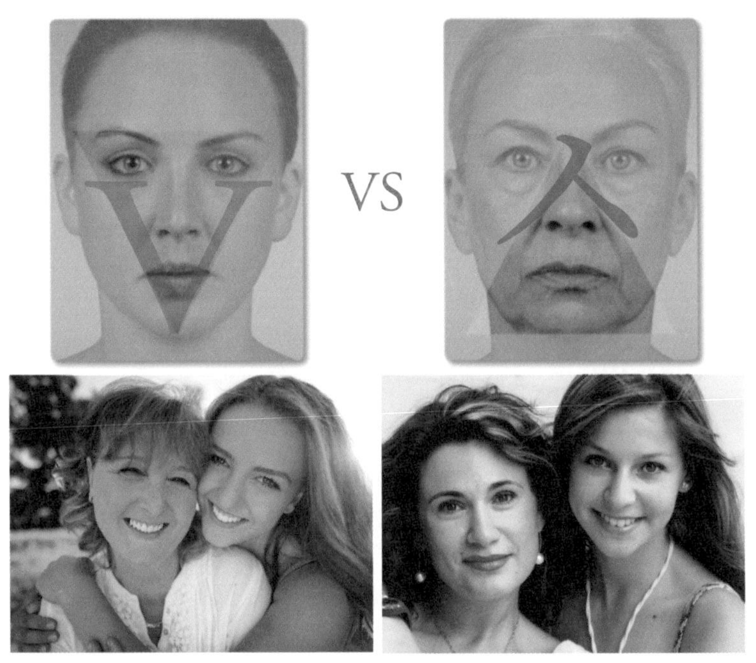

노화가 진행하면 얼굴의 윤곽은 V형에서 ㅅ형으로 바뀌어간다.

굴 턱선과 목을 이어주는 부위가 날렵하고 부드러운 얼굴은 젊은 사람으로 인식하고 턱선 부위에 볼륨이 많아져 둔탁해 보이고 울퉁불퉁하며 평퍼짐할수록 나이 든 사람으로 인식한다. 이유는 중력의 영향 때문이다. 지구에서 오래 산 사람일수록 얼굴 조직이 처지면서 각진 형태로 변화하는데다 중앙부의 조직이 크게 줄어 우리 눈이 약간의 착시를 일으키기 때문이다.

종합해보면 우리는 중력의 영향을 받는 지구에서 살기에 오래 살면 살수록 얼굴의 윤곽은 알파벳 V형에서 아래가 넓은 한글 ㅅ형으로 바뀌게 된다. 그러다 보니 전체적으로 네모공주로 바뀌는 것이다. 결국 항노화 미용의학의 목표는 변화된 윤곽을 다시 젊은 윤곽으로 바꾸는 것이다. 단, 여기서 V라인은 20세 때 얼굴형을 바꾸고 싶어서 하는 V라인 성형과는 다른 것이다. 턱을 깎거나 당겨서는 100년 갈 수 없다는 것을 잘 이해해야 한다. 젊음을 위한 V라인은 자기가 원래 가지고 있던 얼굴형을 찾아 복원하는 것이지 인위적인 라인을 만드는 것이 아니다.

중력만 없으면 모두 우주미인이 될 수 있다

지구인은 내인성 노화와 함께 중력의 영향으로 얼굴이 볼륨감이 아래로 늘어지면서, 결국에는 자신의 기본 얼굴형이 어떻든 간에 네모진 얼굴로 변한다. 네모공주가 되는 것이다. 특히 중력의 영향을 받는 부위가 있다. 볼 정면의 눈 아래와 코 옆의 지방들이 아래로 내려오면 마치 광대가 아래로 내려간 것처럼 보이고 턱선이 늘어지는 경우는 심술맞은 얼굴처럼 울퉁불퉁하면서 넓어져 보인다. 몸에서는 뱃살이 많으

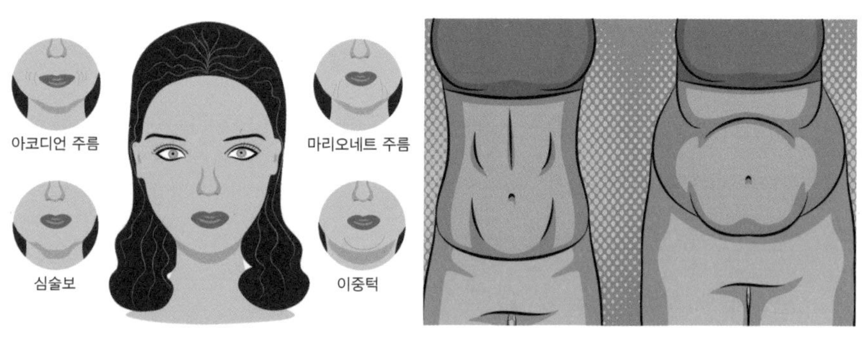

볼과 배 부위만 국한시켜 보면 늘어지는 것은 비슷한 모양새다. 젊어서는 약간 살이 쪄도 처져 보이지 않는다. 하지만 나이 들면 조금만 살이 쪄도 심하게 늘어져 보이는 이유는 바로 지방층 아래에 있는 지지 역할을 해주는 근육의 힘이 약해졌기 때문이다. 근육이 지방층을 포함한 연부조직이 늘어지는 것을 잡아주지 못해서 더 늘어지는 것이다.

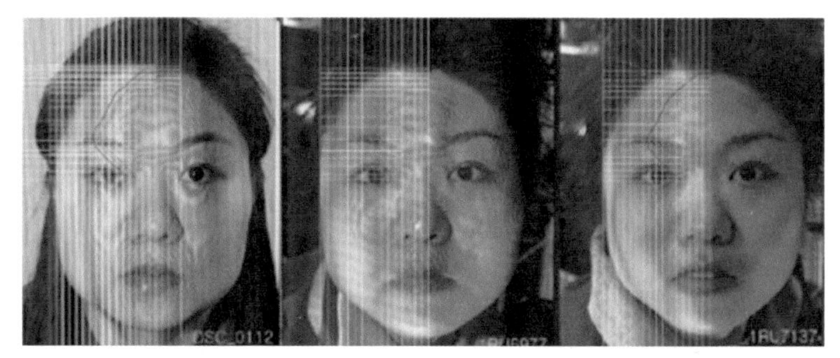

왼쪽부터 이소연 씨의 우주선 발사 전, 국제우주정거장 도착 직후, 그리고 11일 이후 지구 귀환 직전 사진. 중안면 등고선이 올라가고 그에 따라 붙어 연결되어 있는 윗입술이 올라가 있는 것을 볼 수 있다.

면 뱃살이 더 늘어져 보인다.

중력과 노화의 상관관계를 가장 잘 보여주는 예가 바로 2008년 우주미인이라 신조어로 불렸던 한국 제1호 여자 우주인 이소연 씨다. 지상에서 385킬로미터 떨어진 국제우주정거장에서 11박 12일간 생활한 이소연 씨가 한국에 돌아왔을 때 분명히 얼굴이 조금 바뀌어 있었다. 특유의 통통한 얼굴은 그대로였으나 예전의 각지고 네모난 얼굴보다는 좀 더 계란형으로 되어 있었던 것이다. 덕분에 이소연 씨는 최초의 '우주미인(?)'이라는 별명까지 얻게 된 것이다. 사실 이소연 씨는 이목구비에 비해 얼굴이 크고 각이 져서 모두가 선호하는 미인상은 아니다. 하지만 그럼에도 불구하고 그녀에게 우주미인이라고 별명을 지어준 것은 우주에 간 여성 1호이기도 했지만 우주 여행을 마친 그녀의 얼굴이 모든 사람들이 좋아하는 계란형으로 바뀌어 지구에만 있을 때보다 상대적으로 예뻐졌기 때문이다.

한국에 돌아온 이소연 씨는 '한국 우주인 우주과학 실험결과 발표회에서 「무중력 상태에서의 한국 우주인 얼굴의 형상 변화」에 대한 연구결과를 발표했는데 사진을 통해 자신의 얼굴이 우주에서 어떻게 변화했는지도 보여주었다. 한남대 조용진 교수가 개발한 얼굴 등고선 촬영 장치를 이용해 이소연 씨의 얼굴 변화를 측정하고 발표도 했다. 발사 전과 국제우주정거장 도착 직후 그리고 11일 후 지구 귀환 직전 촬영한 이소연 씨의 얼굴은 그야말로 전형적인 사각형 얼굴에서 상대적으로 계란형에 가까운 얼굴로 바뀌어가고 있었다. 그뿐만 아니라 그녀의 기본 얼굴 표정도 변화했다. 이유는 아래로 당기는 중력의 영향을 덜 받으면서 중안면 근육을 들어 올리기가 쉬워져서 볼이 올라가고 중안면 근육과 연결되어 있는 윗입술이 위로 자연스럽고 편하게 올라갔기 때문이다.

12일 동안 이소연 씨는 이마와 코가 앞으로 돌출되었고 전체적인 볼륨이 위로 올라가면서 입체감이 상승되어 얼굴형이 그 이전에 비해 상대적으로 갸름하게 보인다. 국제우주정거장 도착 직후 폐쇄회로에 찍힌 이소연 씨의 턱선은 늘어진 모습과 각진 모습이 개선되어 보인다. 11일 뒤 얼굴은 턱이 좁아지고 볼이 위로 올라갔으며 이마와 미간 역시 위로 올라갔다. 이에 조용진 교수는 이소연 씨의 이마와 코가 앞으로 올라오고 V자형 턱을 갖는 미인으로 변했다고 설명했다. 이후 지구에 도착한 뒤에도 이소연 씨의 중력을 거스른 듯 시간을 되돌린 '입체형 얼굴'은 한동안 유지되는 것으로 보도됐다.

우리는 이 연구결과에서 다음의 두 가지를 추측할 수 있다. 불과 10여 일간의 무중력 상태만으로도 육안으로 보일 정도의 얼굴 윤곽의 변화를 보이는데 평생 동안 중력의 영향을 받는다면 그 영향은 매우 클 것이라는 점과 만일 아래로 연신 끌어당기는 중력이 없다면 나이가 들면서 생기는, 그러니까 지구에 오래 머물러 생기는 얼굴의 미용적인 문제의 많은 부분들을 해결할 수 있다는 것을 말이다. 그러나 불행히도 모든 지구인은 중력을 피해서 살 수 없다.

쥬빌런트 페이스는 3D 하트 윤곽이다

그럼 우리가 지향해야 할 두 가지인 아름다움과 젊음을 충족시키는 얼굴의 조건은 무엇인가? 바로 나이보다 젊은 느낌이 살아 있는 얼굴 윤곽에서 그 답을 찾아야 한다. 이 윤곽은 단순한 수치적 조화로 억지로 만들어진 윤곽이 아니라 기쁨과 행복의 감정이 드러나는 표정을 머금고 있는 자연스러운 인상이어야 한다. 그러니까 생기 있는 얼굴이어야 한다. 나이가 들어 피부의 변화나 주름과 같은 피할 수 없는 세월의 흔적이 찾아왔다 하더라도 활력 넘치는 느낌이 전달되는 윤곽이어야 한다. 따라서 잘 관리만 한다면 70대나 80대에도 얼마든지 가능한 인상이다. 실제로 곱게 나이 드신 어르신들의 공통점은 어린아이 같은 순수함이 묻어나는 인상의 소유자라는 점이다. 젊은 느낌이 있는 얼굴이라면 특히 볼 부위의 입체감이 두드러져 있어야 한다. 어린아이들의 환한 미소와 웃음을 떠올려보라. 이런 윤곽을 한 마디로 표현하면 3D 하트 윤곽이라고 할 수 있다.

그림에서 보듯 3D 하트 윤곽 얼굴은 정면에서 보았을 때 앞광대부터 턱끝점까지 부드럽게 이어져 얼굴 윤곽이 하트 모양으로 만들어진다. 정확한 위아래 방향성이 있는 밝고 환한 표정이 느껴져야 한다. 3D 하트 윤곽은 다음과 같이 세 부분으로 구성된다.

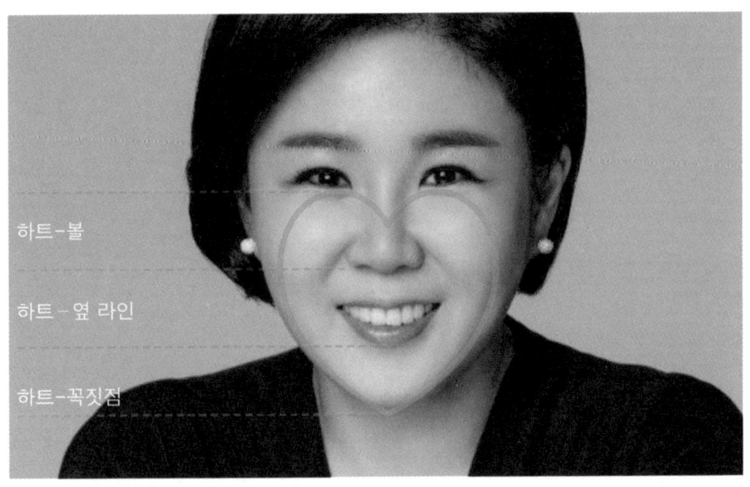

40대 후반 표정근육 트레이너의 하트 미소. 인상클리닉에서 지향하는 미소는 20대 예쁜 여자들만의 전유물이 아니라 누구나 평생 동안 간직해야 할 좋은 미소다. 하트 미소는 나이보다 젊어 보이고 생기 있어 보이며 실제 얼굴보다 작아 보이는 효과가 있다.

하트-볼

중안면, 볼 정면, 앞광대 부위 등 다양하게 부를 수 있다. 하지만 이 부위의 핵심은 바로 눈동자 아래에 볼륨감과 입체감이 가장 강조돼 있어서 마치 작은 공Ball이 볼 앞쪽에 들어 있는 것처럼 보이는 것이다.

하트-옆 라인

이 부분은 입꼬리 옆부분에 있는 볼의 앞쪽 측면 부위로 하트-볼과 하트-꼭짓점을 연결하는 라인이다. 볼살이 꺼지고 늘어지면 옆 라인 역시 굴곡지고 무너진다. 이 부위가 너무 옆으로 뚱뚱하게 벌어져 있지 않고 또 너무 안쪽으로 들어와 보이지도 않게 중간에 그림자나 굴곡이 많지 않으면서 양측에서 V 모양을 그릴수록 더 젊어 보인다.

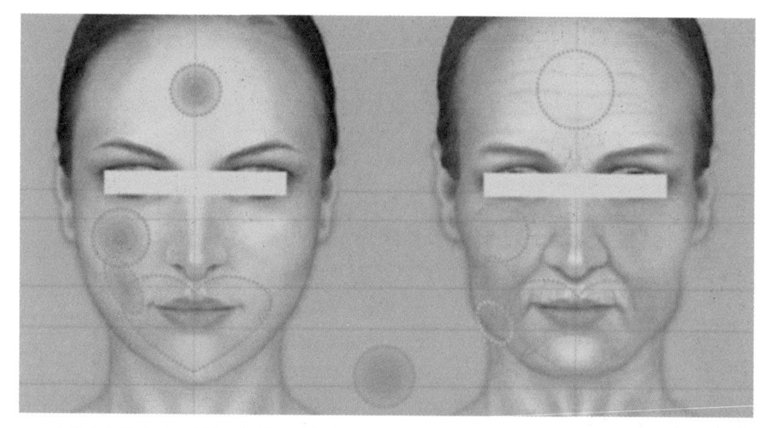

노화가 진행되면 얼굴 전체 조직의 볼륨이 줄어들지만 오히려 얼굴이 넓어져 보이는 이유는 입체감이 소실되기 때문이다. 좌측의 입체감 있는 젊은 얼굴은 볼륨은 더 많지만 작아 보이고, 우측의 밋밋한 나이든 얼굴은 볼륨은 더 적지만 크게 보인다.

하트-꼭짓점

3D 하트 윤곽의 화룡점정畫龍點睛은 바로 턱끝 부분에 위치한 하트-꼭짓점이다. 이 부분이 위로 끌려 올라가 뭉툭해지지 않고 아래 방향으로 날렵하게 내려오는 듯한 느낌이 유지돼야 젊은 느낌이 더 또렷해진다.

우리의 눈은 사람들의 얼굴을 카메라의 자동초점처럼 3D로 보도록 맞춰져 있다. 중앙 부위가 볼록하게 올라와 있으면 중심부를 집중해서 보게 되고 그림자가 지는 바깥 부위는 초점이 흐려진 상태로 보게 된다. 당연히 얼굴이 작아 보인다. 반대로 중앙 부위에 볼륨이 없으면 시선이 중심에서 주변 부위로 확대되어 옆 라인까지 생생히 보게 되면 면적 자체를 넓게 보게 된다. 당연히 얼굴이 커 보인다.

요즘 인기 있는 연예인들은 다 중앙부 볼륨이 살아 있는 하트 윤곽 얼굴이다. 이마, 볼, 앞 광대, 눈 위, 팔자 주름 등이 입체감을 더한다. 최

우리의 눈은 카메라의 자동초점처럼 3D로 보도록 맞춰져 있다. 때문에 평면적인 얼굴보다 코를 중심으로 십자 방향의 입체감 있는 얼굴이 상대적으로 작아 보인다.

근에 유행하는 각종 화장과 조명 기술은 V라인과 함께 3D 하트 윤곽이 선명하게 보이도록 돕는다. 그리고 웃을 때는 위로 올라오는 통통한 볼살로 유독 하트 윤곽이 도드라지는 것을 볼 수 있다. 얼굴에 입체감을 더하는 3D 하트 윤곽은 어린아이와 같은 순수함과 사랑스러운 이미지를 연출한다. 아름다움과 함께 젊어 보이는 효과까지 있어 가히 최고의 동안형 얼굴이라 불릴 만하다.

생기 없는 젊음은 가짜 꽃과 같다

17세, 성장이 끝나면 노화가 시작된다

우리 얼굴과 몸은 태어나서 죽을 때까지 계속해서 변화한다. 인간의 삶을 '부피Volume'로 풀이해보면 늘어나다 다시 줄어드는 것이다. 물론 현대에는 오히려 비정상적으로 영양 과잉공급과 활동저하로 나이가 들면서 체중과 부피가 과도하게 늘어나기도 하지만 현 인류의 역사를 100으로 가정할 때 현대와 같은 식량 공급 과잉의 시대 전에는 예외 없이 모두 이런 곡선을 가졌다. 이것이 바로 내인성 노화다. 0세부터 20세까지는 계속해서 부피가 증가하여 완성되는데 우리는 이것을 성장Growth이라고 부른다. 20세부터 죽을 때까지는 계속해서 볼륨이 줄어들면서 형태와 윤곽이 변한다. 우리는 이것을 노화Aging라고 부른다. 최근에는 성장이 점점 빨라져서 17세 정도면 성장이 끝난다. 따라서 17세까지는 성장이고 그 이후는 노화의 과정이다.

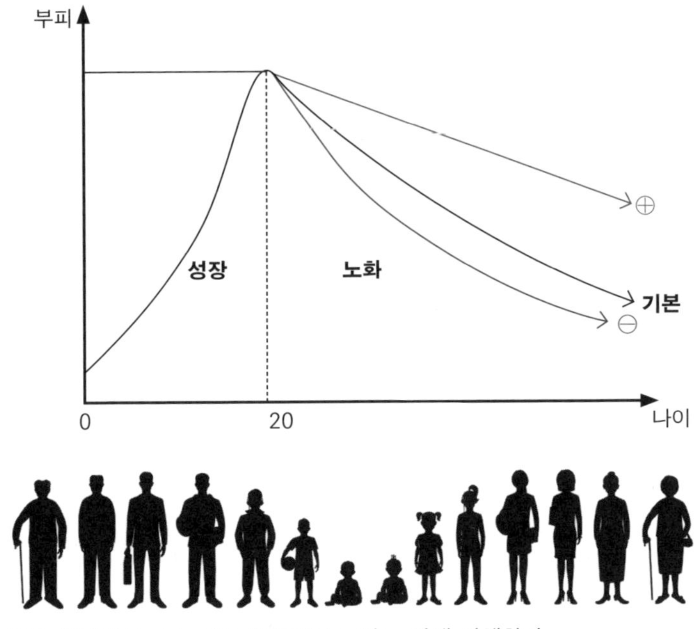

성장이 끝나면 바로 노화가 시작되고 노화는 평생 진행한다.
현대인들은 나이가 들어가면서 체중이 늘어나는 사람들이 많다 보니 노화가 되면서 전체적인 부피가 줄어든다는 것이 잘 이해가 안 될 수도 있다. 출생과 함께 성장기까지는 부피가 늘어나고 키도 커지다가 성장이 끝난 시점부터는 부피가 줄어들고 키 역시 작아지는 과정이 평생 진행된다. 결론적으로 나이든 얼굴과 체형으로 형태와 윤곽을 바꾸는 가장 큰 원인은 바로 뼈와 근육의 변화이다.

항노화 미용의학은 생기를 되찾게 해준다

그렇다면 노화의 과정을 통해 가장 많이 줄어든 것은 무엇일까? 조금 추상적으로 이야기하면 '생기生氣, vitality'가 아닐까? 젊음의 가장 핵심적인 속성이 바로 생기이고 생기를 잃은 모든 것은 그 본연의 아름다움과 힘을 잃는다. 그리고 나이든 여자들은 젊음의 아름다움에 나이든 남자들은 젊음의 힘에 매료되고 또 원하게 된다. 오랫동안 여성에게는 아

멀리서 보면 바구니에 소담스럽게 꽂혀 있는 화려한 가짜 들국화가 언뜻 눈에 먼저 띌지는 모르지만 실제로 가까이 갈수록 진짜 꽃과 가짜 꽃의 아름다움은 천양지차다. 성형수술로 쉽게 눈에 띄는 외모를 만들 수는 있지만, 가까이서 대화를 하다 보면 점점 아름답기보다는 어색함을 느끼게 되는 것과 비슷하다.

름다움이, 남성에게는 힘이 존재의 가치를 높여주는 가장 중요한 수단이 되어왔기 때문이다. 그래서 남자나 여자나 '젊어 보인다'는 말은 여성에게는 아름답다는 의미이고 남성에게는 힘이나 능력 있어 보인다는 의미로 다가온다. 이런 평가는 자신의 존재 가치를 높여주는 의미가 되기 때문에 언제나 기분 좋은 말로 들린다. 나이가 많은 사람일수록 생기 있어 젊어 보인다는 것은 단순히 외모를 평가하는 것 이상의 매우 긍정적인 의미를 내포한다. 그러기 위해서는 타고난 것에 더해서 철저한 자기관리는 기본이고 경제적인 능력 역시 필요하기 때문이다.

오늘날 사회에서 '경제력이 있어 보인다'는 것은 아름다움이나 신체적 힘과 함께 한 사람을 평가하는 데 있어 또 하나의 중요한 잣대가 되기도 한다. 빈부격차가 심한 자본주의 사회의 불편한 진실이다. 그러나 여기서 반드시 짚고 넘어가야 할 것이 있다. 나이가 들면서 반복적으로 젊은 모양으로 채우고 당겨 '모양을 바꾸는 성형'을 하면 얼굴에서 '싸구려 가짜 꽃' 같은 느낌이 든다. 조화를 아무리 잘 만들어도 눈으로 볼 때는 비슷하지만 만져보고 냄새를 맡아보면 생화와는 전혀 다르다. 살아 있는 것과 생명이 없는 물건과의 차이다.

향기를 맡거나 만질 것도 아니고 그저 눈요기로 해놓는 것이니 인테리어용 조화로서 겉으로 보이는 것만 똑같으면 최고인 것도 사실이다. 그런데 사람은 다르다. 사람은 살아 있는 존재다. 살아 있는 생물은 눈으로 볼 때는 물론 모든 감각에 있어 좋은 느낌이 나야 하고 기능에도 문제가 없어야 한다. 생기가 있어야 한다. 지금까지 항노화 의학미용은 마치 '조화를 만드는 기술'처럼 발전했다고 해도 과언이 아니다. 모두들 눈에 보이는 '외양'에만 집중했고 초기 미용의학이 주로 성형외과를 중심으로 발전하다 보니 수술로서 모양을 바꾸는 것이 아니면 치료 영역이 아니라고 생각해서 그렇다.

나이가 들수록 얼굴에 생기를 만들어주는 것은 모양이 아니라 '에너지'나 '감정' 등 보이지 않는 것들이다. 우리 얼굴에는 이 에너지와 감정과 연결되어 있는 해부학적 조직이 있다. 바로 얼굴 표정근육이 그것이다. 다시 말해 항노화 미용의학이란 단순히 얼굴의 모양만 바꾸는 것이 아니라 생기를 되찾아주는 방법이어야 한다. 그래야 향기롭고 부드러운 생화의 자연스러운 아름다움을 사람에게도 느낄 수 있다.

표정근육의 움직임을 고려하지 않는 시술은 어색하다

사실 사람의 얼굴만큼 컴퓨터 그래픽 기술로 재현해내기 힘든 것이 없다. 요즘은 3D 컴퓨터 그래픽으로 살아 있는 공룡까지 매우 실감나게 느껴볼 수 있지만, 정교한 컴퓨터 그래픽으로도 진짜처럼 완벽하게

영화 「아바타」의 낯선 외계인이 매우 사실적으로 보이고 영화 「혹성탈출」의 유인원이 매우 사람처럼 느껴진다. 그들의 얼굴 움직임을 실제 배우가 직접 연기했기 때문이다. 가상의 캐릭터에 배우의 몸 근육의 움직임을 그대로 담아 실제처럼 표현하는 것이 모션 캡처Motion Capture 기술이라면 보이지 않는 내부 감정을 얼굴 표정근육의 미세한 움직임으로 담아 보다 현실화하는 기술이 바로 이모션 캡처Emotion Capture라는 것이다. 몸의 움직임만 구현하는 것보다 표정근육을 통해 감정을 구현하게 되면 가상 캐릭터는 현실 캐릭터로 승화한다. 껍데기에 불과하던 것이 얼Spirit을 갖게 되었으니 당연하다.

구현하지 못하는 것이 바로 살아 있는 사람의 얼굴 움직임이다. 공룡은 우리가 실제로 본 적이 없으니 어떻게 움직여도 물리적 법칙에만 모순되지 않으면 실제처럼 느끼는 데 문제가 없다. 아주 작은 머리털이나 깃털의 움직임까지 완벽하게 재현해내는 것 역시 일반적인 물리법칙에 근거하기 때문이다. 하지만 얼굴의 움직임은 아무리 잘 만들어도 뭔가 살짝 어색하다. 세상에 컴퓨터그래픽이 만든 것처럼 부분적으로 단순하게 얼굴을 움직이는 사람은 없기 때문이다.

평소 우리가 잘 느끼지는 못하지만 인간이 만들어낼 수 있는 표정은 매우 다양하다. 배우들만 다양한 표정을 짓는 것이 아니다. 어떤 학자에 의하면 우리가 지을 수 있는 표정은 7,000가지 이상이라고 한다. 희로애락뿐만 아니라 무수히 많은 미묘한 감정을 얼굴에 담아내면서 살고 있는 것이다. 이렇게 다양한 표정을 만들 수 있는 것은 바로 얼굴에 있는 43개의 표정근육 덕분이다. 보통 하나의 감정을 드러내기 위해서는 2~4개의 근육이 수축하며 근육이 붙어 있는 피부를 뼈 쪽으로 잡아당긴다. 우리는 이런 미세한 근육의 움직임으로 자유자재로 얼굴 피부를 움직여 표정 변화를 만들어낼 수 있다.

간단하게는 눈꺼풀이 움직이고 입이 움직이고 눈썹만 움직이는 것처럼 보인다. 하지만 실제적으로는 피부 아래 있는 표정근육이 피부 안쪽 판에 붙어 있어서 이를 수축하거나 이완시키면서 일정한 움직임을 만드는 것이다. 몸에 있는 운동근육은 뼈와 뼈를 이어주면서 관절을 중심으로 팔과 다리를 움직이게 한다. 마찬가지로 얼굴의 표정근육은 얼굴 뼈와 피부를 이어주면서 얼굴 피부를 움직이게 함으로써 특정한 모양으로 감정을 전달한다. 특히 언어와 문화권에 따라 다소 미묘한 차이도 있어 밥을 먹는 얼굴, 일하는 얼굴 등 하나의 같은 움직임을 하는 얼굴이라도 그 사람의 심리적 상태에 따라 각양각색의 모습으로 표현될 수 있다.

살아 있는 사람의 얼굴은 다른 말로 표현하면 시시각각 변하는 표정근육의 움직임이다. 마치 시간이 멈춘 듯 미동도 하지 않는 얼굴은 생명은 붙어 있으나 죽은 것과 마찬가지의 상태인 경우가 종종 있다. 사람이 트라우마가 생길 정도의 아주 힘든 일을 겪게 되면 얼굴이 변하는 경우가 종종 있다. 분명 이목구비는 변한 것이 없는데 마치 다른 사람처럼 느껴진다. 이유는 바로 심리적 상황이 얼굴의 표정근육에 반영되어 느낌이 바뀌었기 때문이다. 사건 전과 후의 심리 상태가 완전히 변화했다는 것을 의미한다.

특히 얼굴 표정근육은 몸에 붙어 있는 운동근육과 같이 힘을 주게 되면 근육의 몸통 쪽으로 잡아당겨지면서 수축된다. 볼 부분의 표정근육을 예로 들면 위쪽으로는 눈 밑의 광대뼈(몸통)에 붙고 아래쪽으로는 팔자 주름과 입꼬리의 피부(꼬리)에 붙는다. 이 표정근육이 수축하면 볼 피부를 위쪽으로 잡아당기게 된다. 이때 볼 부분의 볼륨이 증가되고 웃는 모습의 패턴을 만든다. 따라서 이목구비를 제외한 얼굴에 볼륨 시술을 할 때는 반드시 우리 얼굴 피부 아래서 '피부의 움직임'과 '볼륨을 변화'시킬 수 있는 표정근육의 평소 사용 패턴을 고려해야 한다. 가령 볼 정면이 밋밋해 보이는 문제를 필러로 교정할 경우, 표정근육보다 얕은 층에 필러를 과도하게 넣게 되면 웃거나 미소를 지을 때 볼 부분이 너무 크게 보일 수 있으므로 각별한 주의가 필요하다. 따라서 표정습관과 표정근육의 긴장도 등을 고려해서 시술해야만 표정을 지을 때도 그리고

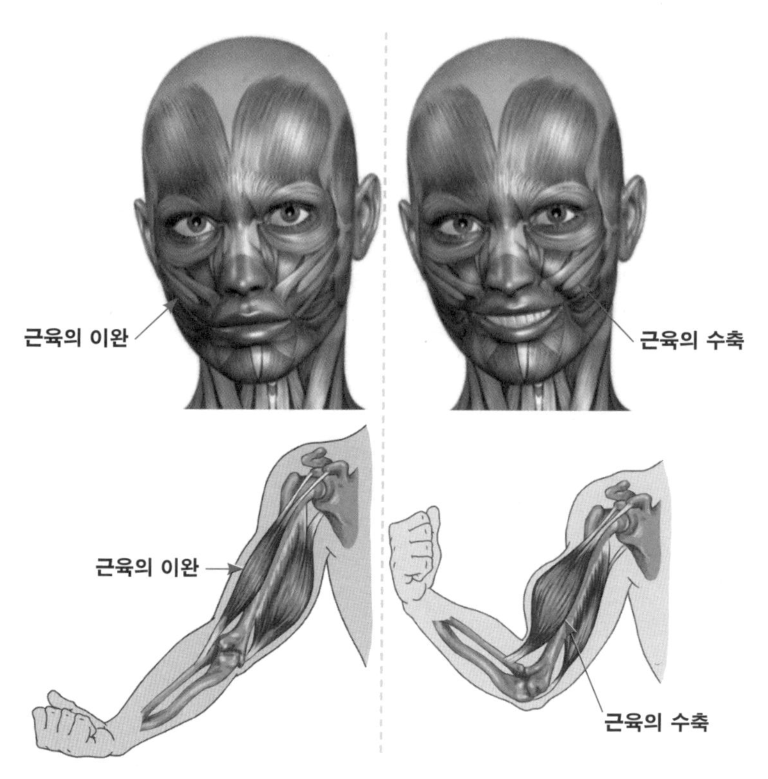

팔뚝에 힘을 주느냐 아니냐에 따라 팔의 모양과 굵기가 바뀌듯 우리 얼굴의 윤곽도 얼굴 표정근육 중 어느 부위를 힘주어 수축하느냐에 따라 그 부위의 근육의 부피가 증가하고 근육의 길이가 짧아지면서 얼굴의 모양과 느낌을 다르게 한다. 예를 들어 볼을 중심으로 보면 무표정하게 얼굴의 힘을 뺐을 때는 볼이 밋밋하고 늘어져 보이지만, 미소를 짓거나 활짝 웃을 때는 볼이 통통해 보이고 위로 올라가 보이므로 완전히 다른 느낌이 된다.

시간이 지나서도 언제든지 어색하지 않는 결과를 만들 수 있다. 결국 미용 시술 이후 무언가 미묘한 어색함을 결정하는 것은 표정근육의 움직임과 걸맞지 않는 윤곽과 볼륨 상태 때문이다. 그런 면에서 수면마취하에서 죽은 듯한 얼굴에서 조화를 맞춘 시술이 과연 살아서 움직이는 자신의 얼굴에도 좋을 수 있을지 한 번 생각해봐야 한다.

세상에 없는 아름다움은 아름답지도 않고 만들어서도 안 된다

우리는 아름다움을 추구하는 과정에서 때론 즐거워하기도, 때론 고통스러워하기도 하다. 하지만 근본적으로 아름다운 것을 찾고 또 아름다워지길 희망하며 사는 존재들이다. 고대 그리스에서는 아름다움의 기준을 비율로 보았다. 얼굴을 상, 중, 하로 구분했을 때 각각의 길이가 같고 얼굴의 폭이 얼굴 길이의 3분의 2일 경우 가장 아름답다고 믿었다. 하지만 절대적인 것은 없는 법이다. 고대 이후에는 시대에 따라 미인에 대한 기준은 계속해서 바뀌어왔다.

아름다움이 개인적인 특성, 취향, 신체 각 부위의 대칭, 분위기 그리고 패션에 이르는 여러 요소가 어우러져 만들어진다고 하지만 미인형 얼굴에는 보편적 기준이 있다. 또렷한 이목구비, 좌우 균형감, 너무 튀어나오거나 각져 보이거나 너무 날카롭게 뾰족하지 않은 자연스러운 윤곽과 나이보다 젊어 보이는 것은 아름다움의 기본 요소이다. 미인의 가장 중요한 필요조건은 자연스러움, 즉 조화이다. 이 기준에서 보자면 현대의 성형미인은 아름다움과는 반대편에 서 있음에 틀림없다.

성형수술을 한 것이 단박에 티 나는 사람들이 있다. 우리는 바로 그 어색함을 알아본다. 설사 우리가 그 사람이 무슨 수술을 했고, 왜 어디가 어색한지 짚어내지 못한다고 해도 우리 뇌는 선천적으로 그리고 학습을 통해 자연스러운 것과 아닌 것을 구분해낸다. 자연스러움 여부를 확인하는 시간은 0.5초면 충분하다.

일례로 사각 얼굴에 뾰족한 턱은 자연에 없다. 턱끝에 필러나 보형물

얼굴의 43개 근육은 단독으로 움직이지 않고 감정을 전달하기 위해 표정을 만들어 유기적으로 움직인다. 그런 미묘한 움직임을 만화로 표현해보면 쉽게 이해된다. 감정에 따른 눈썹과 입의 모양이 미묘하게 차이가 난다.

을 넣어서 아래로 길게 내리는 시술을 하지 않는 한 자연스럽게 만들어지지 않는다. V라인을 위해 턱끝에 보형물을 넣었다는 느낌을 준다. 볼은 빵빵한데 이마가 밋밋한 경우도 드물다. 보통 밋밋한 얼굴은 한 부위만 볼륨감을 갖기 어렵다. 인위적으로 필러를 넣어 팔자 주름을 없애고 볼을 키운 경우는 딱 봐도 이상한 것을 알 수 있다. 이유는 인류는 오랫동안 다양한 나이의 사람들을 봐왔기 때문에 자신도 모르는 사이에 얼굴에 대한 빅데이터를 갖고 있기 때문이다. 표정근육의 움직임에 대한 수많은 데이터는 얼굴의 어색함을 읽어내는 정확한 기준을 제공한다. 모든 것이 우리 머릿속에 심지어는 우리 DNA에 이미 본능적으로 새겨 있다.

얼굴의 43개 근육은 단독으로 움직이지 않는다. 감정을 전달하고 표정을 만들기 위해 유기적으로 움직인다. 표정근육이 움직이는 원리는 간단하다. 놀이터에서 흔히 볼 수 있는 시소게임처럼 하나가 올라가면 하나는 내려가는 식이다. 광대가 올라가면 눈꼬리가 내려가면서 눈이 작아진다. 인상을 쓰면 미간이 좁아지고 동시에 볼에는 힘이 풀린다. 우리는 이런 움직임이 유기적으로 나타날 때 자연스럽다는 느낌을 받는다. 이 패턴에서 벗어나면 자연스러움은 사라진다. 따라서 필러를 넣어서 볼륨감이 부자연스러워지거나 보톡스를 맞아서 마음대로 표정근육이 움직이지 못하면 어색한 느낌을 준다.

안티 에이징 시술에 있어 자연스러움은 평생에 걸쳐 간직해야 할 미의 기준이다. 개성을 지키고 자신의 인상도 지켜야 한다. 큰 변화, 노화의 방향에 역행하는 변화보다는 자연스러운 변화, 노화의 속도를 늦추는 변화들이 바람직하다. 얼굴학자 조용진 교수의 『미인』이라는 책에서 보면 재미난 구절이 나온다.[9] "미인은 특별한 사람이다. 이미 태어날 때 저절로 그렇게 태어났고, 몇 만 명에 하나 정도의 확률이니 그렇고, 시대를 만나야 인정받을 수 있으니 더욱 특별한 사람이다. 그러나 해부학적으로 봤을 때 미인이라고 해서 특별히 다른 종류의 사람이 아니다."

맞는 말이다. 조용진 교수는 여러 가지 이유를 근거로 '미인 얼굴의 특징은 다른 사람에 비하여 덜 성숙하다는 것이다. 말하자면 태아형을 간직하고 있는 얼굴이라고 할 수 있다.'라는 결론을 제시했다. 한마디로 "젊은 것이 가장 아름답다."는 말이다. 타고난 아름다움이 없어도 나이보다 젊어 보이는 것은 언제나 아름답다. 외모에 자신이 없는 모든 사람들이 동안을 열망하는 이유도 나이보다 젊어 보이면 누구나 아름다운 사람이 될 수 있기 때문이다.

그렇다면 '자연스러운 아름다움'의 뜻을 보다 명확히 할 수 있는 표현을 하자면 '세상에 있는 아름다움'이 아닐까 한다. 어색함이 느껴지는 강남 스타일의 비슷비슷한 얼굴은 자연에 없던 것이 만들어진 것이

세상에 있는 자연의 모습이 자연스러운 것이고 인공적인 것은 어색한 것이다.

다. 즉 세상에 없던 모습이기에 자연스러움과도 거리가 있다. 반대로 시술 직후는 물론이고 시술 이후 오랜 시간이 지나서도 어색함이나 이물감이 전혀 느껴지지 않는다면 이것은 세상에 있었고 있을 법한 자연스러운 아름다움이다.

'항노화시술에 있어 세상에 없는 아름다움은 아름답지도 않고 절대로 만들어서도 안 된다.'

50년이 지나도 후회 없는 시술이어야 한다

더 젊어 보이고 좋은 인상이 되기 위해 적극적인 미용 시술을 받는 분들이 많다. 불행하게도 우리는 그중 많은 사람들이 시술을 받으면 받을수록 어색해지는 것을 너무나 많이 경험해왔다. 우리 피부과 역시 다른 병원에서 시술 받고 어색한 결과가 되어 의뢰되거나 어렵게 물어 찾아오는 분들을 거의 매일 접해야 하는 슬픈 현실을 마주하고 있다. 젊은 나이에 단 한번 받은 시술로 인해 당장에는 좋아진 것처럼 보였지만 시간이 지남에 따라 그리고 표정을 지으면 더 어색해 보여서 평생 후회하는 사람들도 많다. 시술 직후는 물론 50년이 지나도 어색하지 않고 자연스러운 그런 시술은 불가능한 것인가? 무엇이 문제이기에 의사는 가해자가 되고 환자는 피해자가 되고 있는 것일까? 이 책이 조금이나마 이런 슬픈 현실에 도움이 되길 바랄 뿐이다.

피부관리만으로는 2%,
아니 점점 그 이상이 부족하다

피부관리를 한다는 여성들은 대부분 다양한 고기능 화장품을 사용한다. 매일 사용하는 만큼 기대도 크다. 하지만 문제는 흡수율이다. 피부 맨 바깥 층인 각질층은 물 샐 틈 하나 없이 피부를 밀폐하면서 보호한다. 어지간한 약물이나 화장품은 각질층을 뚫고 들어가기 어렵다. 비타민 C나 아미노산 몇 개로 구성된 작은 분자는 통과할 수 있지만 정작 필요한 콜라겐 같은 성분은 분자량이 커서 각질층을 통과하기 어렵다. 이 밖에도 다양한 성분들이 낙타가 바늘귀를 통과해야 하는 어려움을 해결하지 못하고 피부 표면에서 겉도는 경우가 많다.

그렇다면 전문 제품과 장비로 전문가의 손길을 서비스받는 피부관리실에서는 어떨까? 좋은 제품과 고성능의 장비를 통한 피부관리는 피부에 충분한 보습을 해주어 순간적으로나마 피부가 수분을 많이 머금고 있게 해준다. 경락 마사지 또한 붓기를 줄여주고 뭔가 피부에 탄력감을 주는 듯하다. 하지만 문제는 기간이다. 목욕탕에 갔다가 돌아왔을 때의 밝고 화사한 피부가 곧 다시 평소 상태로 돌아가듯 피부관리로 공급받은 수분과 영양도 오래 피부에 남아 있지 않는다. 경락 마사지 효과도 길어야 며칠 안에 끝난다. 물론 좋은 피부관리일수록 안 하는 것보다야 꾸준한 관리가 좋겠지만 구조적인 노화현상을 막기에는 확실히 부족하다.

본론으로 들어가, 피부관리가 안티 에이징의 전부라는 잘못된 생각을 바로잡아야 한다. 『나 없이 화장품 사러 가지 마라』라는 베스트셀러로 알려진 화장품 전문가 폴라 비가운Paula Begoun[10]은 일찌감치 "스킨케어만으로 노화를 막는 것은 불가능하다."고 못을 박는다.

"가격을 불문하고 세상에 존재하는 어떤 화장품이나 그 어떤 뛰어난 성분 배합을 지닌 제품들도 우리 피부의 노화나 주름을 막을 수 없다. 아무리 햇볕을 조심하고 아무리 자외선 차단제를 열심히 발라도 자외선 손상은 우리가 어릴 때부터 시작되고 세상에서 가장 좋은 자외선 차단제라 하더라도 햇볕을 완벽하게 막아주지 못하며 치명적인 UVA 광선이 창문을 뚫고 들어오는 것이 현실이다. 그 과정을 늦출 수는 있지만 이런 요소들이 모두 누적된 결과 우리 얼굴에는 노화가 나타난다." 『오리지널 뷰티 바이블』[11]에 나온 말이다.

단순한 스킨케어 혹은 마사지를 넘어 레이저 시술 역시 한계가 있기는 마찬가지이다. 얼굴의 변화는 단순히 피부의 변화가 아니다. 피부가 얼굴 조직에서 차지하는 비중은 뼈, 근육, 지방보다 훨씬 적다. 가장 얇은 조직이기도 하다. 다양한 시술로 탄력을 보강한다고 해도 의미가 없는 것은 아니지만 근본적인 해결책은 되지 못한다. 이것은 마치 피부를 도로 위에 포장하는 아스팔트로 비유해 설명하면 더 쉽다. 아스팔트를 아무리 잘 깔아도 아래 지반이 흔들리거나 꺼지면 여지없이 손상된다.

안티 에이징은 노화의 과정을 이해하고 근본적인 원인에 접근하는 치료법으로 진행해야 한다. 앞서 강조했듯 노화는 얼굴의 모든 조직의 변화로 인한 구조적 문제이다. 피부 한 가지 조직의 문제가 아니라 뼈, 근육, 지방을 포함한 4가지 조직에서 변화가 나타난다. 4가지 조직들의 특징을 이해하고 변화를 이끌 수 있는 해결책을 실행해야 한다.

성형수술이란 단 한 번의 수술로 모양을 바꾸는 것으로 '타고난 미용적 문제'를 해결하는 것이고, 항노화 시술이란 타고난 것이 아니라 '나이가 들면서 누구나 죽을 때까지 계속 진행되는 미용적 문제'를 복원 혹은 예방하는 치료이다. 무無에서 유有를 만드는 성형수술과 세월의 흔적을 유에서 무로 바꾸는 항노화 시술은 그 근본부터 다르다.

성형시술과 항노화 의학미용시술은 근본적으로 다르다

미용시술에는 크게 성형시술Plastic Surgery과 항노화 의학미용시술이 있다. 환자들은 이 두 가지 시술을 쉽게 혼동한다. 아니, 의사들조차 혼동하고 있다. 하나는 '없던 것(예: 쌍꺼풀)을 만드는 시술이고 또 하나는 '없다가 새롭게 생긴 것(예: 주름)을 없애는 시술'이다. 그런데 이를 잘 구분하지 못해 엉뚱한 치료를 받기도 한다.

먼저 성형시술에 대해 이야기해보자. 성형시술은 제1차 세계대전 후 부상병을 치료하는 '재건복원술Reconstructive Surgery'에서 시작됐다. 외과에서 성형외과라는 분과가 분리되어 생긴 것이다. 그러다 보니 없는 것을 만드는 치료가 대부분이었다. 전쟁을 통해 코나 귀나 얼굴의 일부분

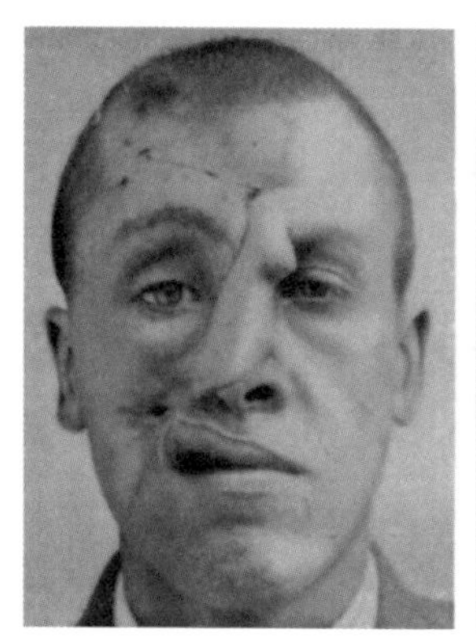

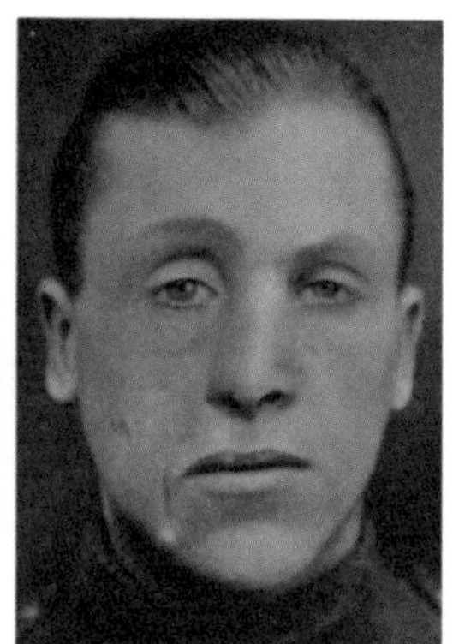

성형수술은 이런 재건수술을 바탕으로 발전했다.

이 사라진 병사들에게 새로운 이목구비를 만들어주는 데서 시작했기 때문이다. 지금은 주로 쌍꺼풀을 만들고 낮은 코를 세우고 작은 가슴을 크게 만드는 것처럼 없던 것을 새로 만들고 결점을 보완하는 시술이 성형의 대표시술이다. 대부분 일생 동안 한 번 받으면 그 효과가 평생 동안 유지되야 하는 수술이다. 한 번 만들어진 것은 노화와 무관하게 본래의 모양을 지키며 자리를 잡아야 한다는 특징이 있다.

하지만 항노화 의학미용시술의 치료 대상은 성형과는 전혀 다르다. 노화는 20세 전후부터 시작되어 죽을 때까지 쉬지 않고 진행한다. 모든 조직의 볼륨 감소로 시작되어 전체 구조가 변화되고 그 결과가 주름, 꺼짐, 늘어짐 등 윤곽 변화로 나타나므로 노화치료의 대상은 '20세 이전에는 없다가 새로 생긴 것', 즉 주름, 꺼짐, 늘어짐과 같은 노화 마크Aging Mark로 인한 윤곽 변화를 복원하고 다시 생기는 것을 예방하는 것이 목표가 돼야 한다. 그런데 아이러니하게도 없는 것을 만드는 수술이나 있는 것을 없애는 수술이 같은 수술로 인식되고 있다. 결국 예뻐지려고 받는 시술이니 같은 미용시술이라는 인식 때문일 것이다. 여기에는 역사적 맥락도 한몫하고 있다. 의사들이 노화 마크에 직접적인 관심을 갖기 시작한 것은 제1차 세계대전 후이다. 전쟁 후 재건복원술을 하며 얼굴을 많이 다루어본 성형외과 의사들이 특정 집단을 대상으로 의료 기법과 기술을 판촉하는 새로운 의료 트렌드를 만들어냈다. 그들이 대상으로 삼은 문제는 노화였고 고객은 구체적으로 중산층의 중년 여성들이었다. '젊음이 곧 아름다움'이라는 만고의 진리를 발판으로 다양한 안티 에이징 시술이 개발되었다. 애초에 뭔가를 만드는 것에 익숙했던 의사들은 칼로 자르고 당기고 꿰매는 방법으로 노화 마크를 해결하려고 했다. 당시로서는 심각한 후유증과 부작용 그리고 흉터가 남았음에도 젊음을 유지하고픈 많은 환자들이 성형외과 의사들을 찾아갔다.

항노화치료를 고민하는 의사들은 흔히 "같은 눈이라도 위쪽은 칼을 대도 되지만 아래쪽은 칼을 대면 안 된다."는 말을 자주 한다. 눈은 성형시술과 항노화 미용시술의 차이가 극명하게 드러나는 곳이다. 중력에 의해 노화는 주로 위에서 아래로 처지는 방향으로 진행된다. 쌍꺼풀은 수술 직후는 어색하고 수술 흔적이 눈에 많이 띄더라도 시간이 지나면 점점 자연스러워진다. 눈꺼풀이 아래로 내려오면서 수술 자국을 많이 가려주면서 눈매가 점점 자연스러워지기 때문이다. 하지만 눈 밑은 전혀 다르다. 대표적으로 하안검 절개술로 눈 밑 아이라인 밑을 절개하고 당겨서 꿰매 놓을 경우, 진한 눈 밑 아이라인 문신으로도 그 수술 흔적을 감추기 어렵다. 설령 처음에는 잘 보이지 않던 수술 자국도 시간이 흘러 중력에 의해 피부가 아래로 내려가게 되면서 수술 흔적은 더 도드라진다.

나중에는 아래 눈꺼풀이 아래로 늘어지면서 "바람이 통한다."고 할

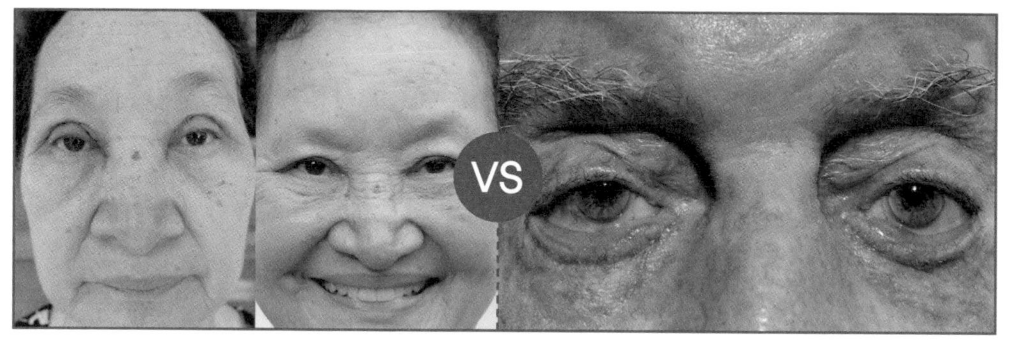

윗눈꺼풀에 칼을 대는 수술인 쌍꺼풀 수술은 처음에는 많이 이상해도 흉터 부위가 피부 안쪽으로 접혀 보이지 않고 시간이 갈수록 자연스러워지긴 하지만 아래 눈꺼풀(하안검)에 칼을 대면 반대로 시간이 갈수록 흉터가 보이거나 피부가 처지는 등의 미용적인 문제가 발생할 수 있다.

정도로 살짝 안구로부터 떨어지면서 안구건조와 눈이 시린 부작용이 나타날 수도 있다. 즉 없던 것을 바꾸는 어느 한 조직에만 국한되는 성형시술은 시간이 지나도 큰 문제가 생기지 않는다. 반면 생긴 것을 다시 없애는 항노화시술은 한번 잘못되면 남은 일생 동안 점점 더 큰 문제를 만든다. 따라서 올바른 항노화시술을 위해서는 남은 일생 동안 진행할 노화의 과정을 충분히 이해하고 고려한 신중한 시술이 필요하다.

이처럼 과거부터 현재까지 성형시술과 항노화 의학미용시술은 분명히 다른 영역임에도 불구하고 마치 같은 분야로 인식돼왔다. 두 영역이 섞이면서 환자들은 큰 혼란을 겪었고 다양한 부작용도 나타났다. 단적으로 없는 걸 만들고 낮은 걸 높이는 형태의 성형수술이 안티에이징에 접목되면서 '처진 것을 한번에 당기고 꺼진 것을 채우고 움직이는 것을 마비시키는' 성형기법을 이용한 항노화시술을 만들어냈다. 얼굴 모든 조직에 종합적으로 진행되는 노화의 문제를 이런 방식으로 치료했으니 부작용에 시달리는 환자들이 속출했다. 노화로 인해 나타나는 여러 변화들과 조화를 이루지 못해 기이한 얼굴이 되기도 했다. 이런 성형기법의 항노화시술 중 가장 대표적인 안면거상술(1901, Hollander)이나 지방이식(1893, Neuber)이 개발될 당시인 100여 년 전의 평균수명은 채 50세가 되지 않은 40대 중반이었다. 시술을 받고 5~10년 이후에 대부분 생존해 계시지 않았을 것이니, 시술로 인한 부작용이나 후유증에 대해 고민이 깊었을 리 없다. 그러나 지금은 기대수명이 80세를 넘어 100세 이상으로 향하다 보니 남은 삶의 시간 동안에 성형에 기초한 항노화시술의 부작용이 점점 더 드러나는 것이다.

성형시술과 항노화 의학미용시술을 명확히 구분하고 노화 문제를 개선시키고자 하는 환자들이 올바른 치료를 받을 수 있도록 지금의 미용 의료계가 크게 반성하고 노화치료에 대한 인식을 새로이 해야 한다.

두 번 당긴 사람은 많아도 세 번 당긴 바보는 없다

기존의 채우고 당기고 마비시키는 성형기법의 항노화시술들은 얼굴의 노화를 전체의 문제로 보지 않고 단순히 피부의 문제로만 보아서 완성된 것들이다. 앞서 보았듯이 얼굴은 4층 건물과 같다. 하늘에서 바라본 옥상은 4층을 이루는 피부일 뿐이다. 따라서 겉모습만 보고 치료한다면 문제를 다 해결하지 못하고 일단 수습만 해놓은 미봉책에 지나지 않는다.

그런데 우리는 오래된 미봉책을 '당연한 정답'으로 간주해왔다. 역사가 길다는 이유에서였다. 채움, 당김, 마비의 접근법은 각각 최고

120년에서 아무리 짧아도 약 50년의 역사를 자랑한다. 전통적이고 고전적인 해법이기 때문에 안전하다는 평가를 내릴 수도 있지만 "120년이나 된 오래되고 낡은 해법에서 한 발짝도 나가지 못했다."는 비판도 있을 수 있다.

먼저 120년 전의 치료법이 세기를 넘어선 현대까지 최선의 치료법으로 뿌리내린 과정을 살펴보자. 노화를 치료하는 미용 성형수술이 최초로 실행된 것은 20세기가 막 시작된 1901년이었다. 폴란드 출신 독일인 외과의사 오이겐 홀뢴더Eugen Hollander가 폴란드 출신 귀족에게 인류 최초로 얼굴 주름 제거 수술을 해주었다. 후에 설명하겠지만 '제거 수술을 했다'가 아니라 '제거 수술을 해주었다'고 표현한 데는 중요한 이유가 있다.

현재는 안면거상술Face Lifting로 대중화된 당시의 주름 절제술은 머리카락이 자라는 얼굴의 가장자리와 귓볼의 뒷부분을 절개하고 소량의 피부를 잘라내 다시 꿰매는 수술이었다. 오이겐 홀뢴더는 귓바퀴 바로 앞에서부터 목에 이르기까지 수직으로 길게 절개하고 늘어진 피부를 절제한 다음 당겨서 봉합하는 시술을 했다. 결과적으로 얼굴의 늘어진 아랫부분을 올려주는 변화를 줄 수 있었다. 수술 결과에 대해서 오이겐 홀뢴더는 '수술의 위험성 대비 미비한 효과' 그리고 '상처에 남은 흉터' 등을 이유로 "형편 없었다."는 자평을 남겼다고 한다. 하지만 수술을 받은 귀족 여성 환자는 자신이 생각한 대로 원하는 수술을 받고 매우 만족스러웠다고 한다.

주목할 점은 오이겐 홀뢴더가 '왜 최초의 주름 절제술을 해주었는가?'이다. 당시 수술의 주인공인 여성은 귀 앞쪽의 피부를 잘라내면 팔

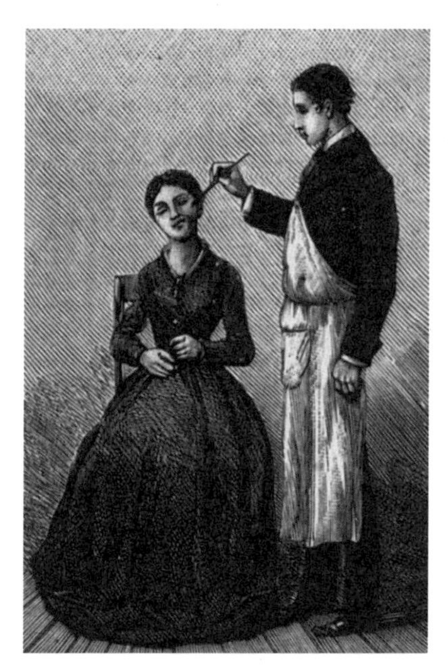

폴란드 출신 독일인 외과의사 오이겐 홀뢴더

자 주름과 양쪽 입가가 얼마나 팽팽해질 것이라며 직접 그림까지 그려와 오이겐 홀뢴더를 설득했다고 한다. 외과의사였던 오이겐 홀뢴더는 일찍이 해본 적도 없고 결과도 알 수 없는 수술을 수차례 거절했지만 결국 환자의 요구에 넘어가고 말았다. 한 중년 여성의 집요하고 매우 구체적인 요구가 오이겐 홀뢴더의 이름을 최초의 안만거상술 시술자로 의학 역사에 올리게 해준 것이다.

생각해보면 손으로 주름 잡힌 부위의 피부를 당겨보는 것은 우리가 거울을 볼 때 한번쯤 해보는 행동이다. 이마나 눈가에 주름이 생길 때 피부를 당기면 주름은 쉽게 사라진다. 오이겐 홀뢴더로부터 최초의 주름 제거술을 받은 여성도 '이만큼의 피부가 없다면 얼굴이 보다 팽팽해 보일 것'이라고 생각했을 것이다. 그리고 이를 실천에 옮긴 최초의 여성이 됐다. 그런데 신기하게도 이후 이러한 착각은 여러 의사와 주저함 없는 환자들에 의해 자주 현실화됐다.

그 이후 다양한 주름 제거술이 소개되면서 노화를 막아주는 대표적인 수술법으로 단연 인기가 높았다. 사실과 달리 굉장히 부담이 적고 회복기간이 짧은 수술로 알려졌다. 심지어 1957년 한 외과 의사는 『굿 하우스 키핑』이라는 주부 대상 잡지에 주름살 제거 수술에 대해 '재봉사들이 늘어진 천을 다시 꼭 맞게 잡아당겨 수선하는 것과 마찬가지'라고 노골적으로 광고하기도 했다.

그러나 이 과정에서 주름제거술이나 안면거상술의 한계 혹은 부작용에 대한 비판은 전혀 제기되지 않았다. 거기에는 두 가지 원인이 있었다. 첫째, 인간의 수명이 길지 않았다. 안면거상술이 실시됐던 초기 1900년대 초반 미국인의 평균 수명은 고작 40대 중반이었다. 오래 살아도 70세를 넘기기 어려웠다. 보통 주름 개선을 위해 안면거상술을 받는 나이가 50세라고 가정하면 길어야 10여 년을 더 살다 사망했을 것이다. 이후에 다시 피부가 늘어지면서 나타나는 부작용을 겪기 전에 사망했을 가능성이 높다.

둘째, 노화의 근본적인 원인에 대한 고민이 부족했다. 생물학적으로 노화 증상에 대한 연구는 계속되었지만 얼굴 노화의 원인이 피부에만 있는 것이 아니라는 주장은 1974년 웁살라 의과대학 출신의 스웨덴 의사 토르드 스쿠그Tord Skoog에 의해 최초로 제기됐다.[12] 토르드 스쿠그는 얼굴 노화의 원인이 피부에만 있는 것이 아니라 피부 밑에 들어 있는 넓은목근Platysma muscle이 처진 이유 때문이므로 피부만 당겨 올리는 수술은 그 효과가 일시적인 것에 불과하다고 지적했다. 당시 토르드 스쿠그의 지적은 노화에 대한 완벽한 정답과는 여전히 거리가 있었다. 하지만 그가 노화 증상의 원인이 피부 아래의 조직에서 시작된다는 점을 처음으로 지적한 것은 매우 진일보한 일이었다. 하지만 토르드 스쿠그의 지적에도 안면거상술의 거대한 흐름은 바뀌지 않았다. 페달을 굴리면 자전거는 그대로 앞으로 나아가듯 수술 후 후유증, 부작용, 흉터가 있음에도 안면거상술은 최선의 치료법으로 인정되었다. 안면거상술을 실행하는 의사와 요구하는 환자가 꾸준히 늘어났기 때문이다.

"당기는 것이 원천적이고 근본적인 해결책이 되느냐?" 이런 질문은 제기되지 않았다. 노화의 주요 문제는 피부 표면의 느낌이 아니라 구조의 변화, 모양의 변화라는 것을 이해하고 근본적인 해결책을 찾고자 하는 노력은 어디에서도 실현되지 않았다.

그렇다면 소위 당기는 수술이 왜 문제일까? 앞서 노화가 되면서 볼륨이 늘어나는 두 곳이 눈 밑과 하안면 턱선 쪽이라고 이야기했다. 이를 해결한다며 개발된 수술이 '하안검 성형술'과 하안면 늘어진 피부를 당겨주는 '안면거상술'이다. 동네 미용실에 중년 여성 네다섯 명이 모이면 그중 두 명은 하안검 성형수술을 했고 한 명은 안면거상술을 했다고 할 정도로 지금은 흔한 시술이 됐다. 하지만 대부분이 두 가지 수술 모두 근본적 치료가 될 수 없는 치명적인 문제점이 있다는 것을 알지 못한다.

한번 시술로 노화에 따른 형태적인 변화는 충분히 교정된 것처럼 보일 수 있을지 모른다. 흔히 하안검 성형수술로 불리는 눈 밑 지방 제거술을 예로 들어보자. 속눈썹 아래에 가로로 절개를 가하고 나서 눈 밑의 볼록한 느낌을 만드는 지방을 일부 제거한 후, 여유분의 피부를 위

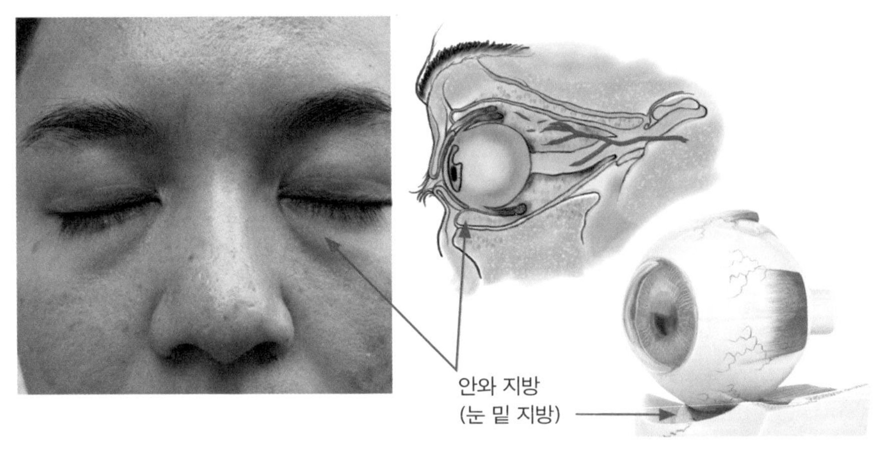

눈 밑의 노화로 인한 변화의 정확한 원인은 하안검의 탄력이 저하되어 눈 밑의 지방(안와 지방)이 앞으로 밀려나와 튀어나와 보이고 볼 정면의 피하지방을 비롯한 볼륨이 감소하여 꺼져 보이면서 눈 밑 부위에 깊은 눈 밑 주름과 울퉁불퉁한 그림자가 생기면서 나이 들어 보이는 것이다. 흔히 눈 밑 지방이라는 안와 지방은 눈 주위 뼈의 안쪽에 있을 때는 거의 보이지 않는다.

쪽으로 당겨서 제거한 후에 다시 속눈썹 밑 피부에 봉합해주는 수술이다. 하안검 안쪽에 있다가 밖으로 돌출된 지방은 원래 충격으로부터 안구를 보호하기 위해 안구 밑에 자리를 잡고 있었던 것이다. 하안검을 이루는 피부와 근육이 탄력을 잃으면서 점점 앞으로 튀어나오게 된다. 눈 밑 피부가 워낙 얇고 나이가 들면서 탄력이 줄기 때문에 지방이 앞으로 밀려나오는 것은 어쩔 수 없어 보인다. 많은 의사가 지방주머니가 불룩해진 것이 미용상 좋지 않으니 제거하고 늘어진 피부를 잘라내면 그만이라고 이야기한다. 그리고 수면마취를 한 뒤 아래 눈꺼풀을 절개해 지방을 꺼내는 수술을 한다. 마취에서 깨어난 환자에게 "지방은 제거됐고, 늘어진 피부는 잘라냈고, 상처는 아물 것이니 아무 문제가 없다."라고 이야기한다. 과연 그럴까?

눈 밑 지방 제거술로 절개하는 곳은 속눈썹 아래다. 속눈썹 아래는

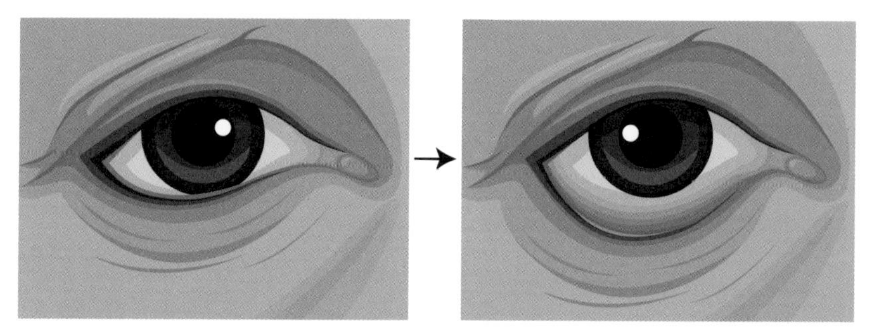

눈 밑의 속눈썹 아래를 절개하면 눈 밑의 만들어주는 눈둘레근육의 윗부분이 손상되므로 애교살이 없어지거나 변형된다. 또한 눈둘레근육이 절개와 봉합 과정에서 손상되므로 눈 밑 피부의 탄력은 더 감소하게 돼 시간이 지날수록 어색한 모습이 된다.

피부와 얇은 근육층이 있고 그 아래 제거의 대상이 된 밀려내려온 지방 덩어리가 있다. 이것은 피부 밑에 고르게 깔려 있는 피하지방이 아니라 안구를 보호하기 위해 안구와 볼의 뼈 사이에 에어백처럼 들어 있는 지방 덩어리다. 당연히 지방을 꺼내기 위해서는 칼로 피부와 근육층을 모두 절개해야만 한다. 절개 후 늘어진 피부를 잘라내고 다시 속눈섭 아래 피부에 붙여서 꿰매면 그만이라고 생각할 수 있으나 피부나 근육은 한 번 칼을 대면 원래의 상태로 돌아가지 못한다. 그런데 이것이 사람의 인상을 좌우하는 것 중의 하나인 눈 밑 애교살을 손상시킬 수 있다. 애교살은 하안검을 이루는 눈둘레근육의 가장 위쪽 부분이 수축해 생기는 것이다.

그런데 한 번 칼을 대서 아래 눈꺼풀을 절개하면 근섬유가 파괴돼 애교살이 약화되거나 손상이 많으면 아예 만들어지지 않는다. 겉 피부는 꿰매면 붙을 수 있지만 안의 조직까지 원래 상태로 복원되지는 않는다. 안의 근육은 손상됐기에 원래의 탄력과 근력을 잃는다. 3~5년 동안은 봉합 덕분에 탄탄해 보일 수 있지만 안쪽에 남아 있는 지방이 다시 튀어나오는 것은 피할 수 없다. 게다가 아무리 잘 꿰매도 흉터는 남는다. 아이라인 문신을 해야 커버가 되는 수준으로 몇 년 뒤 당겨진 피부의 힘이 빠지면 칼자국이 보이는 부위가 늘어져 매우 보기 흉한 모양새가 될 수도 있다. 당장은 눈 밑 지방과 늘어진 피부가 사라져 팽팽해 보일지 모른다. 하지만 내 눈 밑은 시술 이후에도 수십 년간 내가 가지고 살아야 한다. 만약 시간이 지나면서 점점 더 어색해지고 인상이 변할 수 있다면 과연 이것이 처음에 원했던 결과였을까?

안면거상술도 마찬가지다. 늘어진 피부를 잘라내고 피부의 연부 조직층을 당기면 피부가 팽팽하게 될 거라는 기대는 시술자의 바람에 불과하다. 일단 절개를 위해 한 번 칼을 대면 이 조직은 원 상태로 돌아가지 않는다. 아무리 적더라도 흉터가 남게 된다. 그리고 늘어진 얼굴의 피부를 절개하고 당길 때 그냥 당길 수 있는 것이 아니다. 당기기 좋게 조직을 박리, 즉 피부판을 안쪽 조직으로부터 분리해야 한다. 이 과정에서 피부 조직을 서로 연결하고 지지해주는 조직들이 손상되는 것을 피할 수 없다. 따라서 다시 꿰매어 붙여놓았을 때 당장은 팽팽해 보여도 이후 노화가 진행하는 과정에서 비정상적으로 노화의 속도가 빨라진다.

게다가 절개한 피부를 당겨서 연결할 때 조직은 당겨진 만큼 지속해서 상당한 장력을 받는다. 고깃덩어리를 벽에 못을 박아 걸어두고 그 아래를 잡아당기는 그림을 상상해보라. 아무리 단단한 고깃덩어리라도 계속 힘을 주면 벽에 걸린 갈고리가 끊어질 리 없고, 갈고리나 끈이 통과한 부위의 고기가 찢어지는 것은 시간 문제다. 노화에 따른 변화와 중력은 시술 후에도 동일하게 작동한다. 아무리 꿰매어 잘 붙여놓아도 일상생활에서 세안을 하거나, 옆으로 잠을 자는 동안에 봉합 부

고깃덩어리를 벽에 걸린 갈고리에 걸고 아래쪽에는 끈을 꿰맨 후 아래쪽에서 끈을 아래로 잡아당겨보자. 그럼 위쪽의 갈고리가 끊어지거나 아래쪽의 끈이 끊어지는 것이 아니라 갈고리와 끈이 통과한 부위의 고기가 찢어진다.

위에 10킬로그램이 넘는 머리의 무게가 7시간 이상 지속되는 등의 장력에 의해서 다시 늘어지고 변형되는 것은 당연히 예측되는 결과이다. 게다가 한 번 손상을 받은 조직이기 때문에 변형이 안 될 리가 없다. 따라서 성형 기법으로 노화를 치료하는 대표적인 당기고 꿰매는 수술 두 가지는 전혀 근본적인 윤곽 치료가 되지 못한다.

물론 이런 수술 방식들은 100여 년 전에 처음 소개된 이후 외과수술이 전통적인 절개에서 로봇수술까지 혁신적으로 발전한 동안 절개 부위를 최소화하거나 흉터를 줄이는 방향으로 발전은 계속됐다. 하지만 절개, 당김, 자르기, 봉합이라는 원칙이 유지되는 방식이므로 그 한계는 여전한 것이었다. 이 사실을 비전문가인 보통 사람들이 전혀 모르고 있을까? 많은 사람이 말한다. "저는 칼 대는 수술은 싫어요."라고. 그 이유는 수술 이후에는 당분간 드라마틱한 변화가 있겠지만 100세 시대이다 보니 시간이 지나면서 오히려 어색해지는 것을 많이 봐왔기 때문이다. 어디를 수술했건 절개하고 당기는 수술이라면 그 결과는 채 5년을 지속하지 못한다는 게 수술하는 의사들의 솔직한 인정이다. 수술 후 5~10년 후에 노화가 또 진행되고 더 어색해진 얼굴을 교정하기 위해 또 같은 수술을 두 번 세 번 반복해서 할 것인지 고민하게 될 미래를 생각한다면 신중한 선택이 필요하다.

그래서 대한민국 서울의 강남에는 웃지 못할 이런 말이 있다. "두 번 당긴 사람은 많아도 세 번 당긴 바보는 없다." 큰 기대를 갖고 늘어진 얼굴을 확 당겨 올리기 위해 과감한 결정을 했지만 채 5~10년이 지나지 않아 수술 부위의 흉터가 도드라져 보이기 시작하고 팽팽했던 부위는 다시 늘어져 어색해진 모습으로 변하기 시작한다. 왠지 더 빨리 늙는 것 같기도 하다. 그 경우 순진한 환자들은 노화가 더 진행해서 다시 늘어졌거나 하필 내가 받은 시술이 효과가 조금 적어서 그런 것이라 생각한다. 그리고 시술 직후의 그 팽팽했던 옛 시절로 다시 돌아가고 싶어 한다. 한 번만 다시 받으면 왠지 이번에는 평생 잘 유지가 될 것만 같다. 그래서 다시 과감한 결정을 하곤 한다.

그러나 불행한 예감은 어김없이 현실이 된다. 최초의 결심 이후 두 번의 당기는 시술을 해도 겨우 10~15년 이후다. 50대 전후에 처음 당겼다면 60대 중반에 겪을 비극이다. 내부 조직은 이미 큰 손상을 받아서 흉터도 늘어짐도 더 심화되는 것을 막을 길이 없다. 이런 상황에서 여러분이라면 다시 당기는 시술을 받을 것인가? 그런 바보는 없으리라 생각한다. 적어도 이 책을 읽으시는 분이라면 말이다. 그리고 그런 환자들에게 다시 한 번만 당기면 세 번째에는 절대로 후회하지 않고 평생 유지될 것이라고 설득할 수 있는 강심장의 의사 또한 없다. 그래서 세 번 당긴 사람은 좀처럼 만나기 어렵다.

보톡스, 필러, 실리프팅 시술이 정답일까?

이 정도 설명을 하면 환자들은 절개하고 당기는 수술은 부담스러우니 가볍게 받을 수 있는 보톡스, 필러, 실리프팅 이야기를 꺼낸다. 보톡스는 미간 사이 주름이나 눈가 주름 혹은 이마 주름 등을 없애기 위해 수술의 부담감 없이 선택하는 치료법이다. 간편하게 한 번 시술로 길게는 5~6개월까지 유지되므로 주사를 선호하는 환자들도 많다. 보톡스는 특정 근육을 마비시켜 근육의 움직임에 따른 주름을 생기지 않게 함으로써 표정 주름을 예방하는 데는 그 어떤 치료보다 탁월한 효과가 있어서 점점 더 많은 사람이 시술받고 있다. 하지만 나쁜 표정습관 자체를 교정할 수는 없으므로 반복적이고 지속적인 치료가 필요하다는 것과 표정 주름 이외의 꺼짐과 늘어짐이라는 가장 중요한 노화 문제에는 큰 도움이 되지 않는다는 것이 단점이다.

나쁜 표정습관은 사실 표정근육 재활치료인 인상클리닉이 근본적 원인 치료법이다. 물론 이때에도 보톡스를 이용한다. 이때 사용하는 '인상보톡스Image Botox'는 일반적으로 주름에 놓는 '주름보톡스Wrinkle Botox'와는 큰 차이가 있다. 인상보톡스는 단순히 주름을 완화하는 목적이기보다는 얼굴 전체 40여 개 표정근육의 힘의 균형과 재분배를 목적으로 하기에 시술자의 숙련도나 근육에 대한 이해가 남달라야 하고, 시술하는 부위와 테크닉이 다르다. 특히 나쁜 감정을 전달하면서 나쁜 인상을 만드는 하안면 7개 근육의 힘을 약화시키는 것이 가장 중요한 목표이다. 평소 자신도 모르게 과도하게 긴장 상태에 있는 근육의 가장 발달된 부분을 무력화시키는 것이다. 무엇보다 인상보톡스는 표정근육 긴장도의 재분배가 완성되면 졸업할 수 있다. 평생 맞아야 하는 주름보톡스와는 전혀 다름을 알 수 있다.

필러는 말 그대로 채워주는 물질이다. 주름, 함몰된 부위, 여드름 흉터, 얼굴 윤곽 등을 개선 또는 교정하기 위해 피부나 피하 지방층에 주입하는 외부 물질을 통틀어서 필러라고 한다. 역시 주름 개선이나 미용 목적으로 자주 사용된다. 그러나 사용 빈도가 높아지면서 부작용도 많아지고 있다. 필러는 원래 시간이 지나면서 체내에서 분해돼 흡수되도록 안전하게 개발됐다. 하지만 실제로는 체내에서 분해되지 않고 오랫동안 지속되는 경우가 대부분이다. 주입 과정에서 필러가 주위 조직과 만날 수 있도록 고르게 주입되지 않고 모양을 쉽게 만들려는 목적으로 '덩어리' 형태로 주입된다면 피부 안에서 흡수되지 않는 것은 어쩜 너무나 당연한 결과다. 한 번 시술한 결과가 오래 지속된다는 건 좋은 것 아닌가 생각할 수 있다. 하지만 얼굴의 모양은 노화가 진행되면서 지속적으로 변한다. 그런데 과거에 주입한 볼륨이 조직 내부에 변하지 않은 상태로 그대로 남아 있다면 표정을 짓거나 향후 노화가 진행돼서 그 볼륨이 아래로 이동했을 때 결코 자연스러울 리 없다.

실리프팅은 피부 절개를 하는 고전적 거상술의 피해를 극복하기 위해 주로 녹는 실을 이용해 늘어진 연부조직을 위로 당겨 올려주는 시술이다. 탄력을 치료하기 위해 늘어진 조직을 위로 당겨 올리는 모든 노력은 무의미하다. 탄력이 감소한다는 것의 정확한 의미는 다음의 두 가지

보톡스 VS 필러

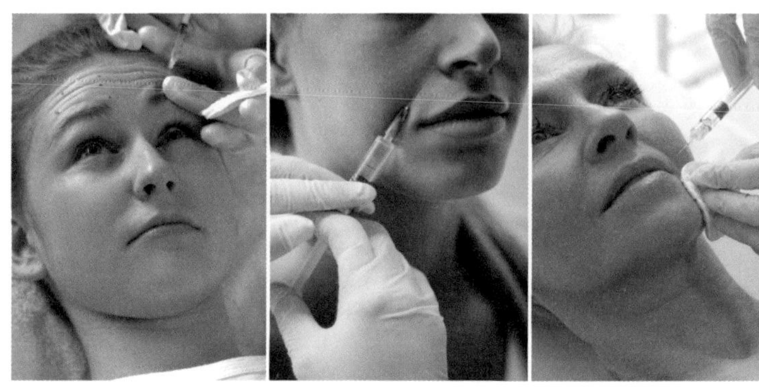

(왼쪽) 이마 보톡스 (가운데) 가운데 팔자 필러 (오른쪽) 입술 필러. 보톡스는 표정을 지을 때 쓰는 표정근육에 보툴리늄균이 만든 근육 마비 성분을 주사하여 근육을 못 쓰게 함으로써 표정 주름을 일시적으로 억제하는 것이다. 필러란 꺼진 부위를 채우기 위한 목적으로 만들어진 물질이다.

다. 첫째, 조직 내부에 탄력을 유지해주는 콜라겐과 같은 탄력 물질들이 감소했다. 둘째, 조직을 지지해주는 구조물들이 느슨해지면서 조직의 탄성이 감소했다. 즉 탄력을 치료해서 탄력을 증가시킨다는 것은 콜라겐 같은 탄력 물질들이 새롭게 많아지거나 조직을 지지해주는 구조물들을 다시 탄탄하게 강화시키는 것이다.

늘어진 조직을 위로 당겨 올린다고 해서 조직 내부에 콜라겐 같은 탄력 물질들이 증가할 리 없다. 단지 실을 이용해 위로 당겨 올린 후 위쪽 단단한 조직에 고정시킨 부위에서 장력을 유지하는 동안만 위로 올라간 느낌이 유지될 뿐 그 고정력이 없어지면 다시 늘어지는 건 시간 문제다. 조직을 길게 절개하고 당겨 올려서 확실하게 봉합하는 거상술조차도 오래 유지가 안 된다. 몇 가닥 실이 그 큰 장력을 버티는 것이 무리라는 건 어려운 예상이 아니다. 감소한 탄력 물질을 다시 재생시키지 않고 단순히 위로 들어올리는 탄력 치료가 무의미한 이유다. 실리프팅은 오래 유지가 안 될 뿐 아니라 오히려 과도하게 당겨진 몇 가닥 실로 인해 어색한 결과가 나타날 수 있다.

2014년도 통계를 살펴보면 우리나라의 보톡스와 필러 사용량은 전 세계에서 3위와 4위를 나타낸다. 인구 대비로 보면 독보적으로 많은 수요가 아닐 수 없다.

앞서 100년 역사를 자랑하는 20세기 스타일의 고전적 항노화시술들에 대해 간단히 언급했다. 누차 강조했듯 당기고 채우는 성형기법을 이용한 노화 시술은 대부분 한계를 드러낸 지 오래다. 시술자의 실력이 없어서, 운이 나빠서, 남달리 노화가 빨리 진행해서 실패한 것이 아니다. 수술이 근본적으로 노화의 해결점이 되지 못했기 때문이다. 그리고 그것들이 정답이었다면 왜 피해자가 생기고 수술을 기피하게 되었겠는가?

항노화시술을 많이 하는 병원의 주요 마케팅 방법은 '뉴스 기사'이다. 보톡스, 필러, 실리프팅 하나의 검색어만 넣어보아도 다양한 기사들을 접할 수 있다. '볼살 처짐과 V라인 위한 실리프팅 효과는?' '필러, 보톡스, 윤곽주사를 이용한 편안하고 좋은 인상 만들기' '피부과, 성형외과 얼굴 실리프팅 시술 시 효과와 가격도 고려해야'와 같은 제목의 기사들은 얼핏 정보를 제공하는 것 같지만 내용을 읽어보면 시술의 장점을 강조하면서 독자를 현혹한다. 그리고 마지막에는 특정 병원을 언급하며 그 병원에 시술을 잘하는 베스트 병원인 양 각인시킨다.

그런데 최근 성형외과적 수술을 홍보하는 온라인 매체에서 많이 다루는 뉴스 아이템이 있다. 바로 잘못된 필러와 리프팅 실을 제거하고 부작용을 해결하기 위해 '이물질 제거수술'을 받으라는 내용의 기사이다. 기사는 '동안과 안티 에이징 열풍으로 미용성형 분야에서 필러, 지방이식, 실리프팅 등의 시술이 성행하면서 부작용으로 인한 얼굴 이물질 제거수술에 대한 관심도 높아지고 있다'며 부작용 피해 사례로 얼굴 변형, 비대칭, 통증을 동반하고 심한 경우 궤양이나 주위 혈류 차단으로 인한 피부괴사 등을 언급한다. 이어서 '이물질 제거수술'을 소개한다. 주로 이마 필러, 코 필러, 영구 필러, 지방이식 후 부작용, 얼굴의 어색해진 리프팅 실 제거 등을 한다고 안내한다. '얼굴 이물질 제거술은 주변 피부 조직에 퍼지면서 피부 조직이 전반적으로 단단해진 것들을 신경과 혈관을 피해 안전하게 제거하는 고난이도 테크닉을 요한다'는 친절한 설명 후에 15년 이상 다양한 이물질 제거 수술을 했다는 한 성형외과 원장을 소개한다.

이런 광고성 뉴스를 접하면 씁쓸한 마음이 든다. 필러나 실리프팅에 의해 부작용을 경험하는 환자들이 얼마나 많으면 이를 해결하는 수술이 각광을 받게 되었는가 하고 말이다. 후유증 복원 수술을 해서까지 부작용을 해결해야 할 환자들이 이렇게 넘쳐나 하나의 미용시장을 형성했다는 건 미용강국 대한민국의 참으로 슬픈 현실이다. 그럼에도 불구하고 기존 시술을 멈추려는 시도는 하지 않고 있다. 20년간 이 문제를 고민하고 애써온 사람으로서 무력감마저 느껴진다. 부작용을 해결하기 위해 고민하는 환자들까지 미용시술 '고객'으로 유치해 '이물질 제거수술'을 받게 하겠지만 이 역시 효과는 기대에는 미치지 못하리라는 점에서 착잡하기만 하다.

2016년 한국의료분쟁조정중재원은 최근 3년간 한국소비자원 소비자상담센터를 통해 접수된 보톡스와 필러 등 미용시술 후 접수된 심각한 피해 상담이 연평균 415건으로 집계됐다고 발표했다. 물론 이런 부작용 때문에 스스로 보톡스, 필러, 실리프팅 치료를 그만두는 의사들도 점차 늘고 있다. 가장 피해를 본 사람들은 시술 의사들이 경험이 적은 초기에 기꺼이 환자가 되어준 의사의 가족들과 병원의 직원들이었을 것이다.

이제라도 각종 부작용을 양산하고 애초의 치료 목적에 부합한 효과를 내지 못하는 20세기의 고전적 안티 에이징 치료는 근절되어야 한다. 영화「벤자민 버튼의 시간은 거꾸로 간다」처럼 치료를 통해 자연스러운 시간의 역주행이 가능한 21세기에 걸맞는 치료법을 위해 100년 전에 소개된 20세기 치료법들은 이제 폐기 처분에 들어가야 한다.

팔자 주름에 필러를 넣는 것은 정답이 아니다

30대 중반이 넘어서 팔자 주름이 생기면 꺼진 부위에 필러를 넣는 치료를 많이 받는다. 그런데 신중히 판단하고 주의해서 시술하지 않으면 문제가 될 수 있다. 뭔가를 채워넣는 것은 그 부분이 꺼진 것이 원인이라는 것을 전제로 한 해결책이다. 그런데 팔자 주름은 엄밀히 말하면 꺼진 것이 아니라 중안면의 피부판이 팔자 주름 방향으로 늘어진 것이다.

팔자 주름은 중안면의 내부를 이루는 지방은 물론이고 근육과 뼈까지 볼륨이 감소하면서 기둥과 같은 프레임(틀) 자체가 약해져서 그 위에 걸쳐 있던 연부조직이 늘어지는 것이 그 원인이다.

이때 볼살이 늘어지는 방향은 세 방향이다. 콧망울 방향으로 늘어진

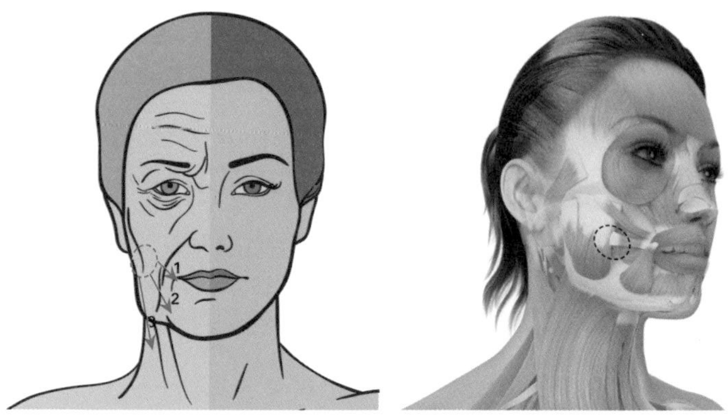

중안면 내부 조직의 볼륨이 감소하면서 기본 틀이 약화되고 피부의 탄력이 떨어져 세 방향으로 늘어지면서 세 가지 주름을 만든다. 1) 팔자 주름, 2) 입꼬리 주름, 3) 턱선의 늘어짐. 즉 팔자 주름은 그 부위가 단순히 함몰되어 생기는 것이 아니라 중안면의 피부 안쪽 뼈와 지방이 줄고 근육의 탄력이 줄어들면서 늘어져서 생기는 문제다. 따라서 꺼져 보이는 팔자 주름 부위를 채우는 것은 근본적인 원인을 해결하는 방법이 될 수 없다. 중안면의 볼륨의 문제와 피부의 탄력을 증가시키고 무엇보다 퇴화된 중안면 미소근육을 발달시키는 것이 근본적인 해법이다.

것이 팔자 주름을 만들고(1번 방향), 입꼬리 방향으로는 심술 주름을 만들고(2번 방향), 수직으로는 볼과 턱선의 처짐을 만들게 된다(3번 방향). 다시 말해 팔자 주름은 파인 것이 아니라 늘어져서 주름이 깊어진 것처럼 보일 뿐이다. 따라서 노화가 현저히 진행하기 시작하는 35세 이후에 볼살이 늘어지면서 생긴 팔자 주름에 뭔가를 채워 넣어서 시술할 때에는 여러 가지 상황을 고려해야 한다.

우선 몇 년 이내에 녹아서 없어진다는 안전한 필러를 팔자 주름에 넣었다고 가정해보자. 이 주름선에 주입한 필러는 주름선이 지속적으로 마치 '경첩의 움직이는 부위'처럼 움직이면서 주입된 필러를 주름선의 위아래 방향으로 밀어내는 힘이 생긴다. 팔자 주름의 아래쪽은 윗입술 조직이다. 이 부위는 탄탄한 근육 조직이기에 필러 물질이 내려올 수 없는 공간이다. 팔자 주름의 위쪽은 피하 지방층이 있는 조직이라 조직이 느슨하다. 그래서 주름선의 접힘에 따라 주름선에 주입된 필러는 조금씩 주름선 위쪽으로 이동할 가능성이 있고 실제로 상당량 이동한다. 그 경우 주름선 위쪽이 더 불룩해지면서 오히려 팔자 주름이 두드러져 보일 수 있게 된다.

이렇게 필러가 주위 조직으로 이동하는 것을 막기 위해서는 이동 가능성이 적은 좀더 단단한 성질의 필러를 주입하기도 한다. 이 경우에는 비교적 단단하게 그 부위에서 고정돼 분포하므로 손으로 만졌을 때 만져지는 경우가 많다. 이것도 불편함이 될 수 있다. 또 단단한 필러는 간혹 쉽게 녹지 않는 경향이 있다. 시간이 1년쯤 지나면서 볼 연부조직이 추가로 내려오는 과정에서 남아 있는 필러 물질을 만나게 되면 피부판이 그 필러 물질을 타고 넘어서 내려오다 보니 팔자 주름의 바깥쪽이 더 튀어나와 보이는 경우가 흔히 발생한다. 이 경우 더 어색한 결과는 당연하다.

물론 어차피 시간이 지나면서 모두 없어지는 필러를 주입한 것이니 녹아 없어지고 나면 별문제가 될 것은 없다. 그러나 만일 녹아 없어진다는 필러가 실제로 녹지 않고 일부가 남는다면? 그 이후는 어떻게 될까? 실제로 임상에서는 일정한 시간이 지나면 100% 녹아 없어지는 필러를 주입했음에도 녹지 않고 일부나 혹은 상당량이 남는 경우를 자주 본다. 왜일까? 동물실험이나 실험실 조건에서는 100% 녹았겠지만 실제 살아 있는 조직에서도 100% 녹아 없어지기 위해서는 주입할 때 까다로운 조건이 필요하다.

필러 물질을 내 몸에서 완전히 분해시키기 위해서는 필러 물질이 내 조직과 고르게 접촉해서 분해반응이 일어날 수 있어야 한다. 그런데

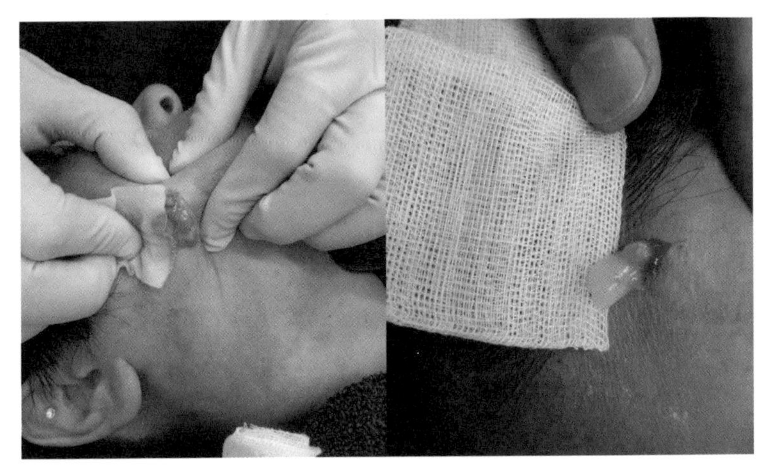

덩어리 형태로 주입되어 피부 안에서 흡수되지 않은 채 남아 있는 필러를 제거하는 모습이다. 녹는 필러라고 시술을 하는 경우가 대부분이지만, 그중에는 녹지 않고 이렇게 덩어리채 남아 얼굴을 인위적으로 보이게 하거나 울퉁불퉁하고 딱딱하게 만들기도 한다.

꺼진 부위를 채우는 과정에서 어느 부위에는 많은 양이 덩어리 형태로 들어가는 경우를 피하기는 쉽지 않기 때문이다. 작건 크건 덩어리 형태로 들어간 필러의 내부는 정상 인체 조직과 접촉이 어려우므로 쉽게 녹지 않으면서 시간이 지나면 필러 주위에 경계가 생기면서 덩어리 형태로 남게 되는 일이 자주 생긴다. 이렇게 녹지 않는 필러 덩어리로 인해 이물감은 물론이고 그 이후 노화 과정에서 어색한 변형이 생길 수 있다. 또 표정을 지으면서 지속적으로 움직이는 부위에 있는 덩어리 느낌이 주위 조직을 눌러서 보기 싫은 변형이 생기는 일은 너무나 흔하다. 쉽게 생각하고 주입한 팔자 필러 때문에 가장 예쁘게 보여야 할 웃는 모습이 웃을 때마다 어색해진다면 당신은 그 스트레스를 견딜 수 있을 것인가?

물론 나중에 약품을 이용해 필러를 녹일 수도 있다. 하지만 남아 있는 필러 물질만을 100% 녹이기도 쉽지 않다. 또 덩어리 형태가 갑자기 녹아 없어지면서 그 부위에 또 다른 형태적 변화가 생기는 것도 큰 문제다. 결국 대수롭지 않게 생각하고 받은 팔자 필러 시술이 평생의 후회 거리가 되는 것이다. 따라서 노화에 따른 변화를 치료할 때는 원인에 맞는 정확한 치료를 선택해야 한다. 또한 시술 직후는 물론 50년 이후에도 남은 일생에 문제가 되지 않을 '후회 없는 시술'이 되도록 더 많은 고민과 세심한 시술을 해야 한다.

맥 라이언, 미키 루크, 멜라니 그리피스……

맥 라이언, 미키 루크, 멜라니 그리피스의 공통점은? 첫째, 지금 젊은 세대는 모르겠지만, 적어도 1980년대 이전 출생자들에게는 이름만 떠올리면 바로 알 수 있는 유명한 영화배우였다는 것이다. 둘째는 이들 모두 성형 수술 부작용으로 또 한 번의 유명세를 겪었다는 것이다.

우리 모두에게는 젊음과 아름다움을 추구하는 마음이 있다. '이렇게 하면 더 좋아 보일 거야.'라고 생각하는 이상향도 가지고 있다. 하지만 정작 현실에서는 성형에 실패한 연예인들처럼 어떻게 해야 젊고 아름다워지는지 잘 모르는 경우가 많다. 사실 대부분의 의사도 잘 모른다.

쌍꺼풀을 만들고 코를 살짝 올리는 것을 '자기계발'로 봐줄 수 있는 것은 '내가 원하는 대로 나를 만들어갈 수 있는 일생에 한 번뿐인 기회'를 활용했을 때의 이야기다. 한 번에서 두 번으로, 두 번에서 세 번으로 그렇게 연거푸 얼굴에 칼을 대고 당기고 채우고 꿰매는 일을 반복하다

극에서 극으로 이미지가 변한 미키 루크, 맥 라이언, 멜라니 그리피스의 모습. 그는 권투 후유증 때문에 성형수술을 여러 번 하다 보니 예전의 얼굴을 모두 잃었다. 물론 배우로서는 젊었을 때와는 전혀 다른 악역이나 강한 캐릭터로 성공을 했다. 하지만 배우가 아니라 평범한 일반인이라면 어땠을까?

보면 어느 순간 '이것은 내가 원했던 것이 아니다!'라는 것을 깊이 깨닫게 된다.

18세기 프랑스의 계몽주의 사상가인 드니 디드로Denis Diderot의 『나의 옛 실내복과 헤어진 것에 대한 유감』이라는 에세이에서는 사소한 욕심이 어떻게 인간을 막다른 골목에 이르게 하는가를 잘 묘사하고 있다.[13] 이야기는 이러하다. 어느 날 디드로는 친구로부터 진홍색 비단으로 만들어진 아주 우아한 실내복을 선물받는다. 디드로는 낡았지만 편안한 옛 실내복을 버리고 선물받은 최신의 멋진 실내복으로 갈아입는다. 그런데 붉은 빛을 은은하게 내뿜는 실내복을 입고 집안을 돌아보니 문득 자신의 잠옷과 책상이 어울리지 않는다는 생각이 든다. 얼마 후 디드로는 실내복에 어울리는 책상을 장만한다. 그런데 이번에는 서재의 벽걸이 장식이 초라해 보인다. 얼마 후 벽걸이 장식을 새것으로 바꾸었다. 그런데 욕심은 여기서도 그치지 않는다. 디드로는 옷장과 의자 등 서재의 모든 것을 차례차례 바꾸고 만다. 그리고 문뜩 정신을 차렸을 때 작은 탄식을 내뿜었다고 한다.

"나도 모르는 사이에 정든 것들을 다 떠나보내고 말았구나."

일명 '디드로 효과Diderot Effect'라는 용어는 우리가 우리의 욕망을 어느 선에서 멈춰야 하는가에 대한 진지한 고민을 하게 만든다. 많은 환자들이 안티 에이징을 포함한 각종 미용의료에서도 디드로 효과를 누리다 자포자기한 지경에 이른다. 환자들은 한 번의 시술로 어딘가를 고치고 나면 만족이 되지 않는 다른 한 부위가 보인다고 말한다. 처음에는 단지 눈가와 이마의 주름살만 없으면 좋겠다고 이야기한다. 그러다가 눈가와 이마의 주름살을 보톡스와 필러로 없애고 나면 볼과 턱이 이상해 보인다. 이마와 눈가는 팽팽한데 볼과 턱이 처져 있으니 이상해 보이는 것이 당연하다. 이번에는 볼과 턱을 위해 또 다른 시술을 고려한다.

이렇게 차례차례 얼굴에 손을 대다 보면 어느 순간 자신이 가졌던 개성과 인상을 잃고 많다. 이 상태에서 멈추면 다행이지만, 10년이 더 흐르면 부자연스러움과 세월의 흔적이 더해져 그야말로 기이한 상태가 돼버린다. 눈가와 이마에 넣었던 필러는 사라지지 않고 피부 안쪽에 울퉁불퉁 자리를 잡는다. 사라지지 않는 보형물을 넣은 흔적은 시간이 갈수록 또렷해진다. 볼과 턱을 당겨 이마와 귀 뒤에서 꿰맸던 장력은 점차 늘어진다. 처음에는 보이지 않던 흉터는 점점 더 넓이를 더한다. 볼과 턱의 팽팽함은 중력을 이기지 못하고 늘어진다. 자연스럽게 만들어졌어야 할 주름들은 굴곡지고 변형돼 얼굴을 기형으로 만든다. 자연스럽게 늙었다면 세월의 흔적으로 여유 있고 멋스럽게 나이들 수 있었겠지만 모두 지나간 과거의 일이다.

"아마 30대 중반이었던 것 같아요. 둘째 아이를 낳고 이제 막 주름이 생기기 시작했어요. 그런데 아이들만 보고 집에 있으려니 너무 우울한 거예요. 시간 날 때마다 인터넷으로 서핑을 하다가 각종 미용 시술에 대한 글들을 봤어요. 그때는 정말 꼭 하고 싶더라고요. 뭐라도 해서 좀 달라지고 싶더라고요. 그런데 광고를 보고 찾아갔던 병원에서 얼굴을 살짝 땅기면 지금보다 훨씬 어려 보일 거라고 하셨어요. 자국도 거의 보이지 않는다는 말에 용기를 내게 되었어요.

그땐 몰랐어요. 내가 20세에서 30대 중반이 됐으니까, 15년 동안 서서히 얼굴이 변하는 걸 봤는데도. 한 번 수술을 받으면 20대 모습으로 평생 살 수 있을 줄 알았어요. 어리석게도 한순간에 확 바뀌고 나면 다시는 나이가 안 든다고 생각을 했던 것 같아요. 이제 10년밖에 안 됐는데 거울을 보는 게 너무 힘들어요. 친구들보다 더 나이 들어 보이고 어색해진 제 자신이 너무 싫어요."

이런 슬픈 이야기의 주인공은 이제 우리 주위에서도 너무나 흔하게 보고 듣는 이야기가 되었다. 미용적 수술을 권하는 의사들은 수술 후 환자가 경험하게 될 '드라마틱한 변화'를 강조한다. 수술의 결과가 5~10년 후 삶에 어떤 영향을 미칠지는 이야기하지 않는다. 현재에 멈춰 있기는 환자들도 마찬가지다. 당기고 채우고 꿰맨 후 큰 변화가 나타나길 기대하면서도 지금의 선택이 노화에 어떤 악영향을 끼칠지는 환자도 의사도 생각하지 않는다. 한 번 파괴되고 손상되어 변형된 조직은 원래대로 돌아가지 않는다. 그 돌이킬 수 없는 시술의 피해 앞에서 하게 될 후회를 생각하면 잘못된 시술을 권하는 의사들과 큰 고민 없이 시술을 받고 있는 환자들의 10년 후, 20년 후가 두려워지는 것이 사실이다. 특히 요즘 20대 젊은 친구들이 너무나 쉽게 정답이 아닌 시술들에 노출되는 것이 안타까울 뿐이다. 이들의 미래가 벌써부터 걱정이다.

올바른 노화치료의 해법은 얼굴에 있다

노화란 단순히 주름이 아니라 윤곽의 변화라는 것은 아무리 강조해도 지나치지 않다. 이유는 아직도 많은 사람들이 얼굴 내부 4층 조직의 변화를 생각하지 않고 단순히 맨 위 4층에 해당하는 '지붕-피부'의 변화만 잘 관리하는 것이 안티 에이징이라고 생각하거나 이렇게 변화하는 것을 다시 복원하기 위해서는 필러로 간단히 채우거나 피부를 잡아당기는 단순한 접근방식의 시술이 필요하다고 생각함으로써 피해를 보는 경우가 많기 때문이다.

어느 층에 어떤 변화가 있는지 정확히 파악해서 그 변화를 복합적으로 치료해야 함은 너무나 당연하다. 그 부위가 왜 꺼지고 변화된 것인지 그 피부 밑 구조의 변화나 그 꺼진 부위와 다른 얼굴 부위와의 밀접한 연관성은 무엇인지 파악하지 못하고 단순히 겉으로 보이는 문제만을 해결하려 미용시술을 하는 경우가 많다. 현재 한국에서 진행되는 동안성형이나 미용시술의 현주소인 것이다.

노화로 인한 미용 문제도 원인에 따른 종합적인 접근이 필요하다. 그래야 100세까지 후회 없는 자신의 가치를 배가시킬 수 있는 얼굴을 유지할 수 있다. 하안검성형술도 안면거상술도 보톡스도 필러도 실리프팅도 어느 한 가지 방법으로는 근본적인 치료가 될 수 없다면 윤곽을 바꾸기 위해 어떻게 치료를 해야 할까? 어떤 원칙들이 필요할까? 조직의 손상을 거의 주지 않는 수술 방법은 없는 것일까? 아니, 이미 진행된 노화를 교정하는 근본적인 윤곽 치료가 가능하기는 할까?

이런 고민들은 나를 '정확한 원인에 맞는 근본적인 치료 방법'에 집중하게 만들었다. 노화로 인한 눈 밑지방의 돌출과 늘어짐 그리고 하안면의 넓어지고 늘어진 볼살과 턱선은 가장 나이들어 보이게 만드는 대표적인 변화들이다. 이 문제들을 근본적으로 해결하기 위해서는 수술적인 방법을 피할 수 없다. 단, 그 과정에서 조직의 손상을 최소화하기 위해 칼을 쓰지 않는 비절개 원칙과 수면마취를 하지 않는 비수면 원칙을 지키며 신경외과 의사가 뇌혈관 수술을 하듯 극도의 섬세한 시술을 발전시켰다. 그 노력 속에서 완성된 시술이 바로 '충분하고 완전한 레이저 눈 밑지방 제거술'과 '시크릿 윤곽술'이다. 이 두 가지 시술이 완성되기까지 5년이 넘는 무수한 시행착오와 손 끝의 미세한 움직임을 위한 단련의 기간이 필요했다. 천만 다행스럽게도 이 두 가지 시술은 노화의 문제를 복원하고자 하는 20대 이후의 누구라도 일생에 단 한번만 받으면 되는 노화 예방은 물론 근본적 복원을 가능하게 해준 제이에프의 가장 중요하고 기본적인 시술로 자리매김을 하게 되었다.

그 이후에는 노화로 인한 가장 큰 변화인 얼굴 전체 4층 조직의 볼륨 감소 문제에 대한 올바른 해법을 모색했고, 그 결과 '윤곽볼륨교정'이라는 전혀 새로운 볼륨치료의 개념을 정립하게 되었다. 그러나 이렇게 많은 새로운 치료법들을 통해서도 해결되지 않는 안타까운 그 무엇이 있었다.

볼륨의 감소, 탄력의 감소, 주름의 출현, 윤곽의 변화를 한꺼번에 해결하거나 최소한 이 모든 문제들을 개선하거나 예방하는데 가장 근본적인 영향을 줄 수 있는 그런 치료 방법이 필요했다. 기존의 모든 치료가 해결할 수 없었고, 그것이 바로 얼굴의 임상적 노화의 핵심적인 원인 치료가 될 수 있는 전혀 새로운 치료법이 필요했다.

다시 근본으로 돌아가보자. 앞서 설명했듯 얼굴의 중앙부가 꺼지고 볼살 늘어짐이 나타나는 것은 바로 얼굴의 뼈, 근육, 지방의 감소 때문이다. 입체적이던 얼굴이 밋밋해지고 넓어지는 이유와 같다. 그런데 얼굴 중앙부의 광대 부위에서 가장 감소량이 많은 조직은 지방이 아니라 광대뼈 자체의 볼륨 감소와 광대뼈를 감싸고 있는 표정근육들이다. 여기까지가 우리가 이해하고 있는 윤곽 변화의 원인이다. 그렇다면 윤곽 복원을 시작해야 할 곳은 어디일까? 정답은 바깥이 아니라 안쪽에 있다. 단순히 늘어진 피부를 잘라내 당기는 것이 아니라 피부 속에서 사라진 볼륨을 스스로 채워줄 수 있으면서 그것이 늘어진 볼살까지 다시 위로 올려줄 수 있어야 한다. 윤곽 변화의 가장 중요한 원인을 되돌릴 수 있는 방법이어야 한다. 그렇다면 이후에도 진행될 노화를 오랫동안 억제할 수 있을 것이다. 그런 치료법이 필요하다.

물론 이러한 치료는 부작용이 있어서는 안 되고 누구에게나 적용할 수 있어야 한다. 바로 우리 몸에서 스스로 존재하는 것이어야 한다. 나는 여기까지 생각이 미치자 그것이 노화치료에서 가장 중요한 부분이 되리라는 것을 직감적으로 알았다. 그깃은 바로 4층 구조인 얼굴의 2층에 해당하는 표정근육이었다. 그때가 2004년도 무렵이었다. 남은 것은 변형된 표정근육을 젊고 어렸을 때 처럼 복원하는 치료의 방법을 수립하고 실천해서 치료했을 때 윤곽의 변화가 실제로 나타나는지를 확인하는 과정이었다.

표정근육 재활치료가 모든 노화치료의 가장 기본이 되는 새로운 영역으로 자리매김하고, 변형된 표정근육을 다시 예전처럼 복원하지 않고서는 절대로 자연스러운 결과를 얻을 수 없을 것이라고 예상했다. 그러한 예상은 15년이 지난 지금 정확하게 현실이 되었다. 이 치료가 완성된 이후 나는 이 치료만으로도 10여 년 이상 늙지 않고 오히려 더 생기 있게 젊어져 보인다는 평가를 받고 있다. 이 책을 읽는 여러분은 지금 제가 15년간 걸어왔던 그 길의 시작점에 서 있다.

노화치료의 최종 목표는 윤곽 복원이다

얼굴의 노화를 얼굴 등고선으로 설명하면, 이마의 정점은 점점 낮아지고 볼의 정점 역시 점점 낮아지면서 아래로 이동하는 과정이다. 쉽게 이야기하면 입체감이 떨어지는 것이다. 대신 얼굴의 아래 부분 턱선의 볼륨은 오히려 계속 늘어난다. 정리하면 나이가 들면서 얼굴 윤곽이 변한다는 것은 미세한 입체감이 계속해서 떨어져 평평하고 밋밋

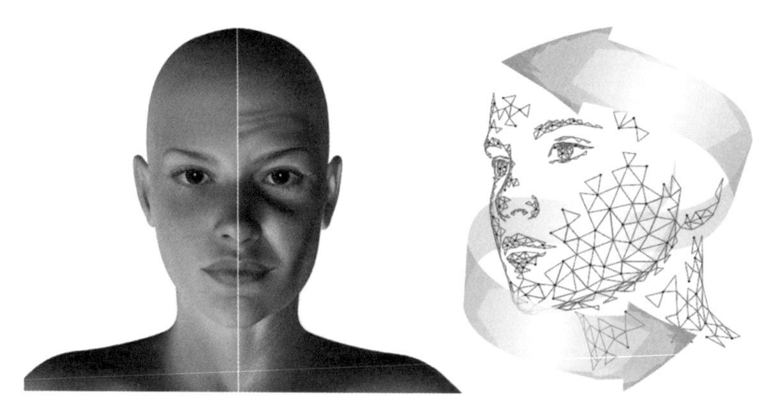

노화치료란 바로 윤곽을 복원하는 것이다.

한 얼굴로 변해가는 것이다. 역으로 이야기하면 좋은 항노화 미용치료는 젊었을 때처럼 연지 곤지를 찍던 부위가 강조되도록 얼굴 전체의 십자윤곽을 복원해 입체적인 볼륨감을 되찾아주어야 완성될 수 있다. 물론 자꾸 불룩해지는 눈 밑이라던가 늘어나는 턱선의 문제를 해결하는 근본적인 방법이 선행되어야 한다.

얼굴을 상, 중, 하로 나눴을 때 어느 부위가 가장 중요하냐고 고객분들에게 묻는다면 어느 한 부위도 소중하지 않은 곳이 없다고 할 것이다. 전체적인 조화가 가장 중요한 이유다. 그럼 나이 들면서 이 조화를 가장 많이 깨면서 변하는 부위는 어디일까? 사람들은 대부분 눈 부위를 생각하겠지만 나이 듦에 따라 가장 많이 변형되는 부위는 바로 하안면의 턱선이다. 하안면은 입 주변, 턱선, 그리고 턱과 목을 이어주는 입체적 부위를 일컫는다. 그래서 하안면의 윤곽 변화를 복원하는 것은 노화치료에서 가장 중요한 문제다. 하안면의 변화는 노화도를 느끼게 하는 가장 중요한 부위이면서 항상 숨길 수 없이 그대로 드러나기 때문

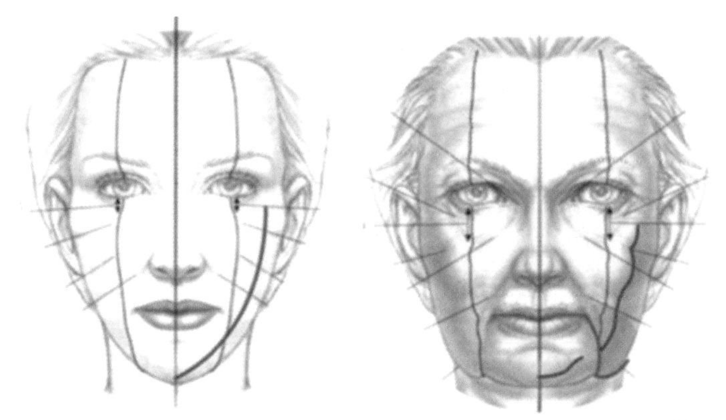

중안면의 볼륨과 탄력의 감소는 볼살 늘어짐의 주된 원인이다. 이 늘어짐이 하안면의 변화에 직접적인 영향을 준다. 이런 이유로 부드럽고 매끈했던 윤곽이 울퉁불퉁 굴곡이 많아진다.

이다. 사실 상안면 이마는 꺼지고 주름지면 머리로도 살짝 가릴 수 있고, 눈이나 볼의 경우에도 안경이나 화장으로나마 약간은 개선시켜 보이게 할 수 있다. 하지만 하안면은 그렇지 못하다. 눈 주변의 변화가 경증 노화에서 느끼는 문제라면 하안면의 변화는 중증 노화에서 느끼는 문제다.

그래서 하안면의 문제를 한 번 문제로 인식하고 스트레스를 받기 시작하면 여간 신경 쓰이는 부분이 아니다. 특히 이 부위의 문제를 느끼기 시작할 때는 이미 중안면의 볼륨 감소와 늘어짐까지 함께 동반하여 진행된 상황이므로 복원 계획에는 반드시 중안면과 하안면을 함께 포함해야 한다. 만일 하안면 복원을 하지 않은 상황에서 중안면의 볼륨 교정만을 하게 된다면 얼굴이 커 보이는 것을 피할 수 없다. 중안면의 변화와 맞물려 하안면이 변화되는 것이다. 그 해결 과정에 하안면 복원 없이 중안면만 복원하는 것은 그 자체로 앞뒤가 맞지 않는다. 어색함은 당연하다.

무엇보다 하안면의 노화는 중안면의 볼륨 저하와 볼 부위 표정근육의 긴장도 저하에 의해 피부가 늘어지고 입 주변부의 7가지 표정근육을 쓰는 나쁜 습관이 결부된 경우가 대부분이다(195P참고). 따라서 평상시 표정습관을 교정하여 표정근육의 힘을 상안면과 하안면으로부터 어린아이처럼 다시 중안면을 중심으로 변화시키지 않고서는 채우고 당기는 시술만으로 자연스럽게 윤곽을 교정한다는 것은 불가능하다. 나이가 든 사람일수록 그리고 평상시 표정습관이 나쁜 사람일수록 더욱 그렇다.

Image

2장

표정근육을 알면 젊고 예뻐진다

표정은 표정근육이 만든다

'근육' 하면 팔뚝이나 허벅지의 단단한 조직을 먼저 떠올릴 것이다. 그래서 어떤 분들에게는 얼굴의 '표정근육'이라는 용어가 다소 생소할 수도 있다. 아니, 얼굴은 마치 근육은 하나도 없이 부드러운 피부만으로 만들어진 것처럼 착각하는 분들도 꽤 많다. 그러나 우리의 얼굴에는 상당히 다양한 근육이 존재한다. 그 수만 해도 40여 개 가까이로 분류할 수 있다.

표정근육은 팔 다리에 붙어 있는 운동근육과는 근육으로서는 같은 특징을 가지고도 있지만 전혀 다른 특징도 가지고 있다. 우선 팔다리의 운동근육은 뼈에서 시작해 인접한 다른 뼈에 붙어 있으면서 '수축'과 '이완'을 하게 되면 뼈가 관절을 중심으로 굽어지거나 펴지는 등의 움직임을 만들어낸다. 하지만 얼굴 표정근육은 뼈에서 시작해서 뼈가 아니라 '피부'에 붙어 있기 때문에 수축하면 뼈는 움직일 수 없으니 피부가 뼈에 붙어 있는 쪽으로 끌려 움직이게 된다. 가령, 이마의 이마근

얼굴 표정근육과 신경

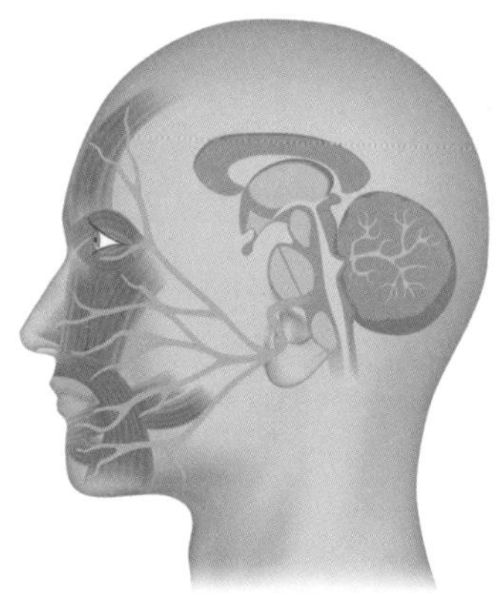

얼굴의 표정근육은 뇌 신경과 감정의 영향을 받아 얼굴의 수천 가지 표정을 다양하게 조절할 수 있다.

은 이마의 뼈와 아래쪽 눈썹의 피부에 붙어 있으므로 수축을 하면 눈썹이 이마 쪽으로 끌려 올라가게 된다. 특히 표정근육은 뇌 신경과 감정의 영향을 받아 얼굴의 수천 가지 표정을 다양하게 조절할 수 있다.

표정근육의 3가지 구분과 종류

우리 얼굴은 크게 눈과 이마가 위치한 상안면, 눈 밑과 입 위까지의 중안면, 입 아래 부분인 하안면의 3파트로 나눌 수 있다. 이 책에서는 주로 찡그릴 때 사용되는 미간과 이마 근처의 상안면 근육을 '찡그리기 근육', 웃을 때 주로 사용되는 중안면의 근육을 '미소근육', 입을 다물 때 많이 움직이는 하안면의 근육을 '입다물기 근육'으로 정의해 설명하겠다.

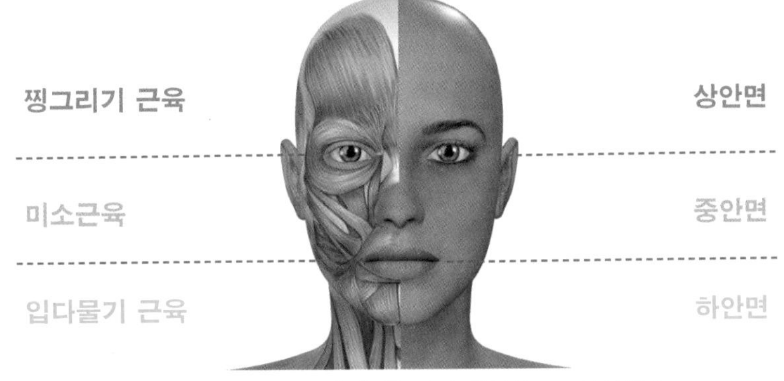

이 책에서는 얼굴 전체 부위를 크게 상, 중, 하의 세 부분으로 구분한다.

우리가 나이가 들면서 점차 얼굴 볼살이 꺼지고 자꾸 늘어지는 것 같은 느낌이 들게 하는 결정적인 역할을 하는 것이 바로 중안면에 있는 4개 근육, 좀 더 구체적으로 설명하면 이 4개 근육의 긴장도 감소 현상 때문이다(140, 141페이지 그림 참고). 해부학적으로는 1번 근육은 위입술콧방울 올림근, 2번은 위입술 올림근, 3번은 작은 광대근, 4번은 큰 광대근이라 한다. 통상 이들이 웃을 때 사용되는 근육이다 보니 중안면 '미소근육'이라고 부르는 것이 친근하고 쉽다. 앞으로는 각각의 근육을 코 옆에서부터 미소근육 1, 2, 3, 4로 번호를 붙여 설명하겠다.

다시 해부학적으로 4개의 중안면 미소근육이 어떻게 생겼는지 한번 살펴보자. 위쪽으로는 눈둘레근보다 안쪽에 있는 광대뼈에 붙어 있고 아래는 입둘레근 주위의 팔자 주름이나 입꼬리 부위의 피부에 붙어 있다. 그래서 중안면 근육에 힘을 주면 위쪽의 광대뼈에 붙은 부위는 뼈가 움직일 수 없기에 피부에 붙어 있는 아래쪽 팔자 주름선이나 입꼬리 부위의 피부가 위로 당겨 올라가게 된다. 그래서 웃을 때 볼이 마치 팔에 알통 튀어나오듯 봉긋하게 솟아 오르는 것이다. 중요한 것은 모

얼굴근육(표정근육)

몸을 움직일 때 쓰는 팔다리 근육과 달리 얼굴 근육은 보이지 않는 감정을 상대방에게 전달하는 기능을 가지고 있어서 표정근육이라고 한다.

상안면

찡그리기 근육

눈살근 procerus
눈썹의 안쪽 부분을 아래로 당겨서 미간(콧등) 부위에 가로주름을 만들어줌

눈둘레근 orbicularis oculi
눈꺼풀을 조임(눈을 감는 움직임)

중안면

미소근육

위입술콧방울올림근 levator labii superioris alaeque nasi
위입술올림근보다 코에 가깝게 붙어서 윗입술과 볼을 코 쪽으로 위로 올림

위입술올림근 levator labii superioris
-윗입술을 볼 정면 수직 방향과 바깥쪽으로 올림
-콧구멍을 넓힘

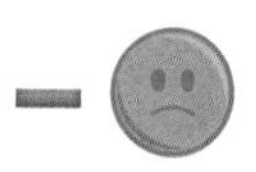

하안면

입다물기 근육

깨물근*(저작근) masseter
음식을 씹거나 입을 다물 때 턱관절을 닫음

입꼬리당김근 risorius
입꼬리를 옆으로 당김

넓은목근 platysma
볼 아래와 턱선을 내림

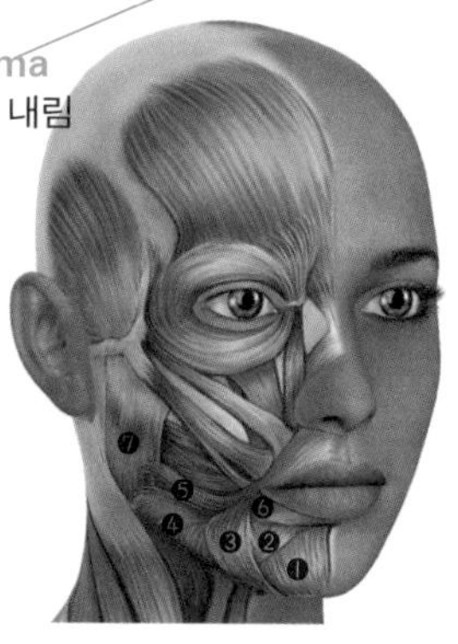

입둘레근 orbicularis oris
-위아래 입술을 오므려 입을 닫게 함
-입술을 앞으로 내밂

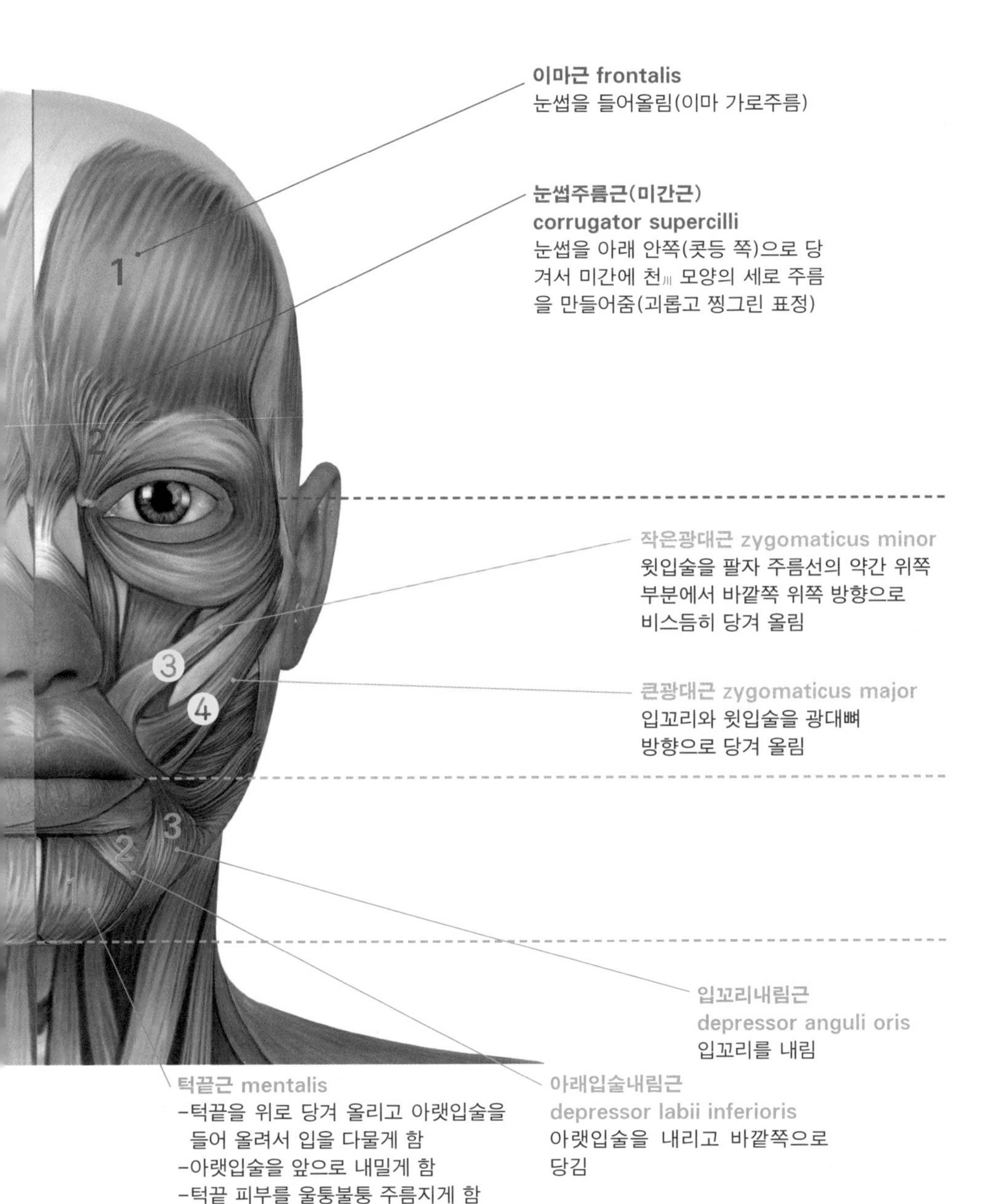

* 하안면 입다물기 근육 7번, 깨물근은 뼈와 뼈에 붙어 있으므로 뼈와 피부에 붙어 있는 표정근육은 아니다. 얼굴 표정 및 윤곽 결정에서 중요한 역할을 하므로 함께 언급한다.

두 힘을 주면 위로 올라가는 특징을 가지고 있어서 '엘리베이터 근육'이라는 별칭이 붙어 있다. 이 특징 때문에 아래로 늘어지는 노화현상을 이길 수 있는 항노화치료의 핵심 재료가 될 수 있는 것이다.

우리가 꼭 알아야 할 표정근육의 특징

그럼 구체적으로 표정근육은 팔다리 근육과 무엇이 같고 무엇이 다를까?

첫째, 표정근육은 팔다리 근육처럼 내가 움직이고 싶은 대로 손쉽게 움직일 수 있다. 이런 근육을 수의근Voluntary Muscle이라고 한다. 따라서 표정근육은 스트레칭은 물론 재활 운동도 가능하다.

둘째, 표정근육도 팔다리 근육과 같은 근육이기에 쓰면 쓸수록 강해지고 안 쓰면 퇴화한다. 라마르크[14]의 용불용설用不用說을 들어본 기억이 있을 것이다.

근육은 철저히 사용한 시간과 강도의 영향을 받는다. 누구나 근육을 많이 사용하면 키울 수 있고 사용을 줄이면 퇴화시킬 수도 있다. 보디빌더들은 보통 사람들의 서너 배를 능가하는 팔뚝을 자랑한다. 80세가 넘은 보디빌더가 우람한 근육을 자랑하는 것도 그리 놀랄 만한 일이 아니다.

마찬가지로 표정근육도 잘 훈련하면 남들보다 탄력 있고 수축력이 강한 근육으로 만들 수 있다. 거꾸로 오랫동안 쓰지 않는 근육은 한없이 퇴화된다. 다리 깁스를 6개월 한 후에 약해지고 가늘어진 근육을 본적 있는가? 뇌졸중이나 사고로 다리에 마비가 오신 분들을 보면, 마비된 후 3개월이 지나면 크고 탄탄했던 근육이 말랑말랑해지고 6개월만 지나도 다리 근육의 절반이 줄어든다. 1~2년이 지나고 나면 근육은 심하게 퇴화해 거의 뼈만 남는다.

바로 이런 근육의 특징 때문에 표정근육이 항노화치료의 핵심 재료가 되는 것이다. 중안면 얼굴을 구성하는 피부, 지방, 근육, 뼈 중에 유일하게 자신의 의지에 따라 건강해지고 젊어질 수 있는 조직이기 때문에 그렇다. 근육만은 내 의지대로 얼마든지 키울 수 있다. 현재까지의 의학적 연구결과를 종합하면 근육은 팔다리 근육이건 표정근육이건 내인성 노화가 거의 없다는 것이 밝혀졌다. **즉 근육은 늙지 않는다.** 따라서 표정근육을 잘 활용하면 중안면의 볼륨 감소를 원천적으로 예방할 수 있을 뿐 아니라 이미 진행된 노화 역시 되돌릴 수 있다.

셋째, 표정근육은 '기본 긴장도Basal Tonicity'가 있다. 기본 긴장도란 의식하지 않고 힘을 주려고 긴장하지 않아도 우리 몸의 모든 근육에는 어느 정도의 힘이 유지된다는 것이다. 우리 몸의 모든 근육은 평상시 힘을 빼도 어느 정도의 긴장이 항상 주어지게 돼 있다. 쉬운 예로 테니스 선수들은 운동하지 않을 때도 심지어는 잠자는 순간에도 팔 근육이 단단하다. 기본 긴장도는 근육을 사용한 시간과 강도에 따라 결정된다. 운동을 많이 한 보디빌더들은 평균의 수십 배로 기본 긴장도가 강하게 유지된다. 반면 근육을 전혀 사용하지 못하는 마비 환자의 기본 긴장도는 거의 소실된다.

이 현상은 표정근육에도 동일하게 적용된다. 중안면 미소근육을 예로 들어보자. 평상시에 얼굴의 미소근육을 많이 사용하는 표정습관이

표정근육은 팔다리 근육처럼 내 마음대로 움직일 수 있기 때문에 한쪽 눈 근육만 움직여 윙크를 할 수 있다.

표정근육 역시 몸의 근육처럼 많이 쓰면 힘이 커지고 부피가 늘어나지만 반대로 쓰지 않으면 퇴화한다.

있었다면, 미소근육의 기본 긴장도가 점점 강해져서 평상시에도 수축 상태를 유지하게 된다. 그 결과 그 미소근육은 그 길이가 짧게 유지되면서 볼을 위로 들어올려 준 상태를 유지하게 될 것이다. 이렇게 위로 올려진 미소근육으로 인해 볼 부분의 앞광대 부위는 마치 볼륨이 증가된 것처럼 보일 뿐 아니라 근육의 수축 때문에 탱탱함까지 유지될 것이다. 반면에 미소근육을 좀처럼 사용하지 않는 표정습관이 있다면 기본 긴장도는 점점 약해져서 수축력을 유지하지 못하고 늘어진 상태로 있게 된다. 이것은 볼을 아래로 늘어지게 만드는 가장 중요한 원인이 되는 것이다. 또한 앞광대 부위의 볼륨은 감소할 것이고 볼 피부의 탄성 또한 낮아지게 된다.

이처럼 우리는 특별히 의식하지 않아도 각자의 표정습관에 따라 얼굴 표정근육 전체에 다양한 정도의 기본 긴장도를 유지하고 있다. 그런데 표정근육의 기본 긴장도에는 재미있는 공통점이 있다. 바로 여러분의 평상시 모습을 상상해보라. 모든 성인은 평소에 하안면 입다물기 근육과 상안면 찡그리기 근육에 기본 긴장도가 집중되고 중안면 미소

일상생활 중에서도 일반인과 테니스 선수의 팔의 기본 긴장도에는 차이가 있다. 얼굴 근육 역시 사람마다 부위마다 차이가 있다.

표정근육은 의지뿐만 아니라 감정에 의해 본능적으로 움직인다.

근육의 긴장도는 약해져 있다는 점이다.

그렇다면 아이들은 어떠할까? 하루에 수백 번씩 방긋방긋 웃는 아기들을 생각해보면 기본 긴장도는 단연 중안면 미소근육에 집중되어 있음을 알 수 있다. 우리 모두는 처음에는 그랬다. 자라면서 언제부턴가 입을 다물기 시작하는 것이다.

표정근육 재활치료, 즉 인상클리닉의 목표는 바로 자신도 모르는 사이에 기본 긴장도가 중안면 미소근육에 있던 것이 입다물기 근육과 찡그리기 근육으로 옮겨진 것을 다시 중안면 미소근육으로 되돌리는 것이다.

넷째, 표정근육은 팔다리 근육과 달리 자신의 의지 이외에도 마음속 감정의 영향을 받는다. 이 특징은 사실 팔다리 운동근육들과는 다른 표정근육만의 고유한 특성이다. 생각해보자. 슬픈데 입을 크게 벌리고 깔깔 웃는 사람은 없다. 기쁜데 눈물을 펑펑 흘리며 대성통곡을 하는 사람도 없다. 인간은 표정근육의 움직임을 통해 감정을 표현한다. 억지로 하면 연기도 되고 어느 정도 가짜 표정도 지을 수 있다. 하지만 이는 엄연히 예외적인 경우다. 우리의 인체는 표정과 감정이 1대 1로 매칭되도록 프로그램되어 있다.

짧게 정리하면 표정근육은 우리가 임의대로 움직일 수 있으며 쓰면 쓸수록 볼륨과 힘이 커진다. 사용한 시간과 운동 강도에 따라 모든 표정근육은 각각의 기본 긴장도가 결정되고 감정의 지배를 받는다. 따라서 표정근육 역시 팔다리의 재활훈련 같은 트레이닝을 거치면 원하는 대로 변화시킬 수 있다.

결론적으로 얼굴 표정근육 중에서 나이가 들면서 점차 필요 이상으로 과도하게 발달해 힘이 커지는 '입다물기 근육'이나 '찡그리기 근육'은 힘을 뺄 수 있도록 훈련시킨다. 반대로 우리는 힘이 너무나 약해진 중안면 '미소근육'을 강화하는 트레이닝을 한다면 표정근육을 통해 보다 좋은 얼굴의 모습과 느낌을 만들 수 있을 것이다.

표정근육은 감정에 따라 움직인다

얼굴의 각 부위 표정근육은 두 가지 작동원리로 움직인다. 일단 얼굴 근육은 의지, 즉 뇌의 명령이 있으면 움직일 수 있다. 하지만 기본적인 작동원리를 볼 때 얼굴 근육은 의지보다는 감정에 의해서, 즉 자신도 모르는 사이에 자연발생적으로 움직이는 경우가 많다. 얼굴 근육을 팔다리와 같은 운동근육이라고 하지 않고 감정을 전달하는 표정을 만드는 표정근육이라고 부르는 이유다.

표정근육은 상대방과의 커뮤니케이션에서 중요한 역할을 한다. 미

우리가 상대의 감정을 읽을 때 가장 중요한 정보는 상대의 표정과 동작이라는 것이다.

국의 심리학자인 앨버트 메라비언Albert Mehrabian[15]은 대면 커뮤니케이션에서 상대방에 대한 호감 또는 비호감을 느끼는 데에는 상대방이 하는 말의 내용이 차지하는 비중은 7%로 그 영향이 미미한 반면 말을 할 때의 표정, 태도, 자세나 목소리 등 말의 내용과 직접적으로 관계가 없는 요소가 93% 영향을 미친다는 '메라비언의 법칙The Law of Mehrabian'을 발견했다. 우리가 상대의 감정을 읽을 때 가장 중요한 정보는 상대의 표정과 동작이라는 것이다.

그런데 표정으로 상대에게 감정을 전달하는 커뮤니케이션에는 공통적인 규칙이 있다. '감사' '기쁨' '호의' 등의 긍정적인 감정을 나타내는 커뮤니케이션에는 중안면 표정근육, 즉 미소근육이 독립적으로 움직인다. 반면 부정적인 감정은 미간의 찡그리기 근육과 입가의 입다물기 근육이 연동해서 같이 움직인다. 즉 활짝 웃으면서 동시에 미간을 찡그리거나 입을 다무는 것은 불가능하다. 마찬가지로 언짢으면 미간을 찡그리고 동시에 입을 다물게 되는데 이런 상황에서 동시에 중안면의 미소근육을 위로 올리는 것은 불가능하다. 다시 말하면 '밝음'과 '어두움'이 공존할 수 없듯이 한 얼굴에서 긍정적인 감정을 전달하는 중안면과 부정적인 감정을 전달하는 상·하안면은 동시에 움직일 수 없다.

하안면과 상안면 근육을 많이 사용하다 보면, 즉 평소에 입을 비교적 꾹 다물고 있는 습관이 있다면 미간에도 힘이 많이 가게 된다. 미간에 힘을 준 시간만큼은 동시에 중안면 근육으로는 힘이 가지 못하기 때문에 자연스럽게 중안면 미소근육의 힘이 빠져버린다. 반면 평소에 중안면 미소근육을 많이 사용하는 사람은 미소근육에 기본 긴장도가 많아져서 더욱 생기 있게 된다. 그리고 그만큼 상안면 찡그리기 근육과 하안면 입다물기 근육에는 힘이 줄어들기 때문에 미간과 입가에 나쁜 주름도 예방된다. 그 결과 동안 윤곽과 좋은 인상을 동시에 손에 넣을 수 있게 되는 것이다.

표정근육은 표정습관에 따라 달라진다

표정근육은 감정의 지배를 받는다는 점을 제외한다면 팔다리 운동근육과 기본적으로 동일한 특성이 있다. 앞에서 설명한 '용불용설'과 '기본 긴장도'는 근육의 노화 패턴에 결정적인 역할을 한다. 한편 근육을 단련하면 근육이 가지는 힘, 즉 근력도 커지게 된다. 이를 '기본 긴장도'가 커진다고 표현한다. 반대로 근육을 잘 사용하지 않으면 기본 긴장도가 떨어지면서 힘도 줄어든다. 이렇게 근육은 많이 쓰면 쓸수록 커지고 발달하고 안 쓰면 안 쓸수록 약해지면서 기본적인 힘인 기본 긴

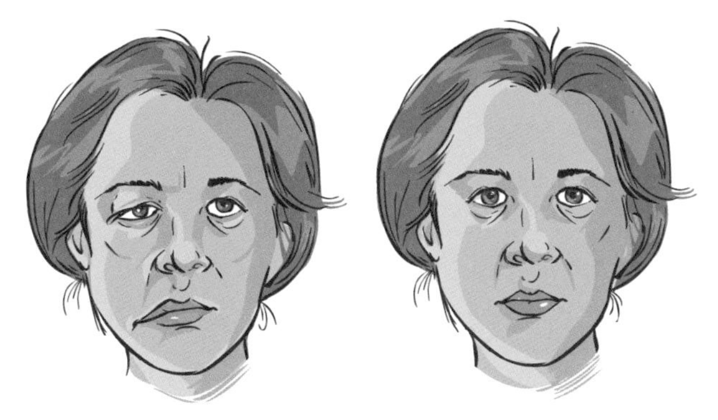

안면마비로 한쪽 표정근육을 못 움직이게 되면 마비된 쪽 표정근육의 힘이 작아지고 약해지는 퇴화 현상이 일어나 마비된 쪽의 피부판 전체가 아래로 심하게 늘어진다. 즉 노화로 인한 중안면의 늘어짐은 피부나 지방층이 아니라 중안면 근육의 약해짐이 주된 이유이다.

장도 역시 떨어진다.

그래서 근육의 발달과 퇴화의 정도는 나이에 따른 패턴보다는 사람마다 자주 사용하는 표정근육이 어디인가에 따라 다르게 나타나게 된다. 2014년 소치동계 올림픽에서 500미터 스피드 스케이팅 부분 금메달을 딴 이상화 선수는 날씬한 상체에 비해 허벅지와 하체 근육이 보기 좋게 발달해 있다. 다리를 쓰는 운동을 하면서 평상시에 다리 근육을 단련하기 때문이다. 축구선수 중에는 허벅지둘레가 허리둘레보다 두꺼운 선수들이 많은 것도 같은 원리이다. 반면 장애가 있어서 휠체어에 앉은 사람을 보면 대개 다리에 근육이 거의 붙어 있지 않다. 오랫동안 사용하지 않아 근육들이 퇴화했기 때문이다.

얼굴에 있는 표정근육 역시 마찬가지이다. 그런데 사람들은 얼굴 모양이 표정근육의 사용패턴에 따라 얼마나 많은 영향을 받는지 잘 깨닫지 못한다. 흔히 한쪽 얼굴이 마비된 환자는 얼굴 좌우의 모양이 심하게 비대칭인 경우가 많다. 한쪽 얼굴은 안 쓰면서 퇴화돼 볼륨이 줄어들고 힘도 빠져서 늘어지게 되는 반면에 반대쪽 얼굴은 상대적으로 너무 힘이 들어가 근육이 과도하게 발달하면서 얼굴 좌우가 한쪽은 축 늘어지고 한쪽은 과도하게 당겨지기 때문이다. 얼굴 근육 전체에 들어가는 힘이 10이라고 하면 좌우가 똑같이 5씩 들어가야 한다. 그런데 한쪽에는 힘이 들어가지 못하니까 다른 한쪽으로 과도하게 힘이 실리면서 한쪽 근육만 과도하게 발달하게 돼 얼굴이 짝짝이가 되는 것이다.

평소에 잘 웃지 않는 사람들은 본인은 의식하지 못하지만 찡그리기 근육과 입다물기 근육에 지속적으로 힘이 들어가고 있다. 이 때문에 시간이 흐를수록 그 부위 근육의 기본 긴장도가 커지면서 가만히 있어도 미간에 힘이 들어가고 턱끝은 위로 올라가고 입꼬리는 밑으로 처지게 된다. 또한 이런 사람들은 미소근육이 퇴화하면서 기본 긴장도 역시 떨어지므로 볼이 밑으로 처지게 되는 얼굴 모양을 가지게 된다. 그 결과 볼 정면은 밋밋하게 꺼져 보인다.

왜 좋은 인상을 가져야 하는가

타고난 외모보다 인상이 더 중요하다. 내가 살아온 과거의 느낌을 전해주고 사회적으로 많은 의미를 갖는 인상이 좋다면 단지 주위 사람들에게 호감을 주는 것 이외에 구체적으로 무엇이 더 좋을까? 인상이 만들어지는 과정 속에 그 정답이 있다.

인상은 표정습관이 굳어져서 만들어진다

인상은 어떻게 만들어지는 것일까? 쌍꺼풀 수술을 하고 코를 높인다고 인상이 좋아질까? 쌍꺼풀이 있건 없건 상대방이 나의 얼굴에서 받는 느낌, 즉 인상은 바뀌지는 않는다. 앞서 말한 것처럼 외모(얼굴 생김새)와 인상은 전혀 다른 이야기이다. 인상印象의 사전적인 정의는 '어떤 대상에 대해 마음속에 새겨지는 느낌, 즉 대상물이 사람의 마음에

인상印象의 사전적인 정의는 '어떤 대상에 대해 마음속에 새겨지는 느낌, 즉 대상물이 사람의 마음에 강하게 남아 오랫동안 잊혀지지 않는 느낌'을 말한다. 영어로는 '임프레션Impression'이 가장 적합한 단어이다.

강하게 남아 오랫동안 잊혀지지 않는 느낌'을 말한다. 영어로는 '임프레션Impression'이 가장 적합한 단어이다.

외모는 눈, 코, 입 등의 생긴 모양과 얼굴 전체의 수치적인 조화를 지칭하는 움직임을 고려하지 않은 정적인 개념이다. 반면 '인상印象'이란 누군가를 기억할 때 전달되는 동적인 이미지로 평소에 그 사람이 가장 많이 짓고 있는 '기본표정'을 의미한다. 다시 말해 그 사람의 오랫동안 누적되어온 '표정습관이 굳어져 평상시에 드러나는 표정'이 인상이다. 표정습관은 의학적인 용어로 설명하면 '표정근육에 배어 있는 평상시의 긴장 및 이완 정도가 고착화된 상태'라고 정의할 수 있다. 사람은 평상시에 가장 많이 쓰는 부위(근육)가 어디인가에 따라 그곳의 긴장도가 가장 높아진다. 앞서 설명한 것처럼 이것은 마치 팔 근육을 많이 사용하는 테니스 선수가 평소는 물론 의식하지 않고 잠을 잘 때에도 팔 근육의 긴장도를 높게 유지하고 있는 것과 같은 의미이다. 즉 평소에 얼굴의 어느 부위 표정근육을 많이 사용했는지에 따라 본인이 의식하지 못하는 순간에도 그 근육으로 긴장도가 집중되기 때문에 느껴지는 특정한 패턴이 있다. 그것이 표정습관이다. 이 표정습관이 굳어져 드러나는 것이 인상이다. 인상이 나쁜 사람도 아주 기쁜 상황에서는 환하게 웃을 수는 있다. 하지만 그런 순간은 극히 짧은 시간에 불과하다. 대부분의 시간 동안에 굳은 표정을 지었던 이유로 만들어진 나쁜 인상이 한두 번 크게 웃는다고, 혹은 어제 오늘 오랜만에 즐거웠다고 밝은 인상이 될 수는 없다. 즉 인상은 긴 세월 동안에 누적되어 만들어지는 표정습관의 결과물이다.

인상이 인생에 아주 중요한 영향을 미친다

인상은 인생에 아주 중대한 영향을 미친다. 인상의 차이에 따라 노화도의 차이가 생기고 수명에까지 영향을 미친다는 사실을 밝혀낸 연구 논문들도 무수히 많다. 2015년 덴마크에서 70세 쌍둥이 8,276명을 대상으로 연구한 「수명은 얼굴에 씌어 있다Mortality is Written on the Face」는 논문이 발표됐다.[16] 이 연구에서는 덴마크에 거주하는 70세 이상의 일란성 쌍둥이들 사진을 촬영해 진짜 나이를 모르는 40여 명의 사람에게 몇 살로 보이는지 물었다. 같은 나이에도 외모에서 풍기는 나이가 달라 보이는 이유는 삶과 생활습관이 얼굴에 드러나기 때문이며 흡연, 햇빛 노출, 우울증과 가난이 더 나이 들어 보이는 얼굴을 만든다고 보고했다.

또한 연구팀은 그 후 7년이 지난 후 생존 여부를 확인했더니 그동안 사망한 675명 대부분이 실제보다 나이 든 인상이라는 평가를 받은 사

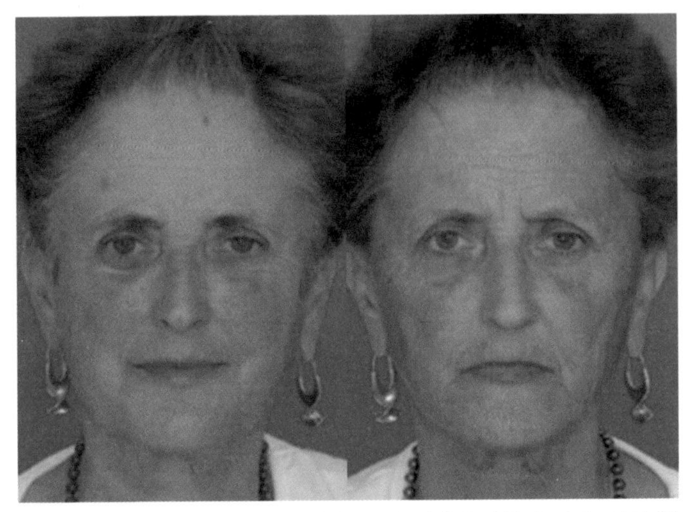

2010년 발표된 프랑스 논문에 실린 69세 일란성 쌍둥이 사진. 엄마 뱃속에서 한 날 한 시에 나온 쌍둥이였지만 생활환경과 표정습관에 따라 노화도의 차이가 많음을 알 수 있다.

람들이었다. 엄마 뱃속에서 한 날 한 시에 나온 쌍둥이였지만 동안으로 보이는 쌍둥이가 상대적으로 7년 이상을 더 오래 살았다. 즉 동안과 장수가 유의미한 연관이 있다고 발표했다. 이 연구보다 앞선 2012년 영국에서는 쌍둥이는 아니지만 더 나이 들어 보이는 사람의 수명이 더 짧다는 연구결과가 발표된 바 있다.[17]

미국에서도 2010년에 이와 비슷한 결과를 얻은 연구가 있다. 미국 웨인 주립대의 마이클 크루거Micheal Kruger 교수팀[18]은 「사진 속 미소의 강도로 수명 예측하기」 논문에서 1952년 발매된 야구잡지 『베이스볼 레지스터』에 실린 메이저리그 선수 230명의 사진을 사용해서 표정과 수명에 관한 연구를 했다. 연구팀은 사진 속 선수들의 표정을 무표정, 만들어진 웃음(입가만 웃고 있는 표정), 자연스러운 웃음(활짝 웃고 있는 표정)으로 나누어 분류한 후, 몇 살까지 살았는지를 추적 조사해서 세 그룹의 평균수명을 계산했다. 결과 '무표정' 그룹의 평균수명은 72.9세, '입가만 웃고 있는 표정' 그룹의 평균수명은 74.9세, '활짝 웃고 있는 표정' 그룹은 평균수명이 79.9세로 나왔다. 무표정한 얼굴과 자연스러운 웃는 표정의 평균수명이 7세나 차이가 나는 것을 밝혀냈다. 그러니까 긍정적인 표정습관이 드러나는 미소 띤 얼굴은 우리의 인상과 인생까지 긍정적으로 변화시켜 생명까지 연장시키는 힘이 있는 것이다.

한국인은 잘 웃지 않는다

이른 아침 출근길 누구나 남을 신경쓰기보다는 출근 시간에 맞춰 걸음을 재촉하기 바쁘다. 그런데 재미있는 것은 이 많은 사람들이 이목구비도 다르고 옷도 다르지만 모두 한 가지 표정을 하고 있다는 것이다. 지하철에서 앞자리에 앉아 있는 사람들의 표정을 유심히 보면 쉽게 알 수 있다. 대부분 무표정한 채 입을 꾹 다물고 굳은 표정을 하고 있다. 만약 그중에 밝은 표정을 한 사람이 있으면 눈에 딱 띈다.

'한국 사람은 표정이 별로 없다. 그리고 잘 웃지 않는다.'

물론 한국 사람이 태어나면서부터 무표정에 잘 웃지 않았던 것은 아닐 것이다. 부모들은 아기들이 얼마나 잘 웃는지 경험적으로 안다. 하루에도 수백 번 웃던 아이가 초등학교를 들어가고 학업에 치이면서 슬슬 입을 다물기 시작한다. 보통의 사람들은 학창시절을 지나 사회에 나오기까지, 아니 그 후로도 오랫동안 자신의 표정을 돌아볼 새 없이 살아간다. 그렇게 수십 년간 입을 다물고 살아온 어르신들이 특별히

입을 꾹 다물고 미간에 힘을 주며 마치 화난 것처럼 보이는 할아버지와 할머니. 하지만 이분들은 화가 난 것이 아니다. 그냥 가만히 있는 표정이다. 평소 나쁜 표정습관이 굳어져서 그렇게 보이는 것이다.

피부과를 찾게 되는 시기가 있다. 바로 자식들의 결혼식 혹은 손주 녀석의 재롱을 볼 때쯤이다. "결혼식에서 시아버지(시어머니) 자리 인상 험악하다는 소리 들으면 어쩌나 해서 찾아왔지." "글쎄, 손주 녀석이 나만 보면 자꾸 우네. 혹시 내가 좀 무섭게 생겨서 그런가?" 어르신들의 이야기를 들으면 안타깝고 짠한 마음이 든다. 이마와 입가에 자리잡은 주름은 그분들이 얼마나 오랜 시간 동안 이마와 턱에 힘을 주며 살아왔는지를 짐작하게 한다.

앞서 설명했듯이 중안면이 주로 웃거나 기쁜 감정일 때 위로 당겨 올라가는 엘리베이터 근육이라면 상안면과 하안면은 흔히 부정적 감정을 노출하는 표정에서 긴장도를 높인다. 흔히 심각하게 생각에 집중하거나 멍 때린다고 하는 표정은 대부분 미간에 힘이 들어가고 입을 다물고 있는 표정이다. 입을 벌리지 않는 표정 자체가 얼굴의 노화도를 촉

진한다고 봐야 한다. 손주 녀석에게 무서운 할아버지로 비치고 싶지 않아서, 늙어가며 인상 고약하다는 소리를 듣고 싶지 않아서 진료실을 찾은 어르신들은 대부분 좋지 않은 표정습관을 가져온 분들이었다.

이 책을 집중해서 읽고 계실 독자 여러분의 지금 표정 상태가 궁금하다. 혹시 입을 꾹 다물고 미간에 힘을 주고 있는 것은 아닌가요?

치료보다 예방! 20대부터 표정근육 관리를 시작하자

표정습관에 따른 노화는 이미 20대 이전부터 시작된 경우가 많다. 따라서 표정근육 관리는 사회생활을 시작하는 20대부터 시작하는 것이 좋다. 표정근육이 노화의 속도와 방향을 결정한다. 노화의 방향이 결정되고 가속도가 붙기 전에 시작하면 그만큼 젊음을 오래 변형 없이 유지할 수 있다. 물론 노인이라고 노화를 되돌릴 수 없는 것은 아니다. 노화된 체형의 상징이었던 꼬부랑 할머니가 우리 주위에서 예전보다 많이 사라졌듯 주름이 깊게 파인 할머니와 할아버지가 사라질 날도 머지않은 것으로 보인다.

다 알다시피 예전에는 나이가 들면 허리가 휘는 것을 당연하게 여겼다. 노랫말에도 있지 않은가. 할머니의 허리는 휘어있는 것이 너무 당연하듯 꼬부랑 할머니가 꼬부랑 고갯길을 넘어간다는 것을 즐겁게 노래하는 동요가 있었으니 말이다. 하지만 의료 기술이 발전하면서 꼬부랑 할머니에게도 '편평등 증후군'이란 병명이 따라붙고 치료법도 제시됐다. 이제 우리는 나이가 들어서 당연히 허리가 휘는 것이 아니라 허리를 휘게 만드는 생활습관과 뼈를 약하게 하는 식습관을 내버려둬서 허리가 휘는 것이란 것을 안다. 마찬가지로 나이가 들면서 얼굴의 윤곽이 변형되고 '고약한' 주름이 생기는 것은 당연히 일어나는 것이 아니다. 좋지 않은 표정습관이 오랜 시간 지속하면서 나타나는 얼굴 변형의 흔적은 내인성 노화로 인한 변화보다 몇 배 이상의 노화를 가속한다. 좋은 표정습관을 들이면 노화의 속도를 늦추고 방향도 전환시킬 수 있다.

허리도 얼굴도 일찍부터 돌보는 것이 중요하다. 삶이 힘들고 바쁘다는 핑계로 허리를 돌보지 않다가 젊은 나이에 허리로 고생하는 이들이 많다. 마찬가지로 세상이 나를 힘들게 한다는 이유로 항상 인상을 쓰고 살다가, 삶의 조건이 좋아졌지만 오랜 시간 스스로 더욱 나쁘게 만들었던 '고약한' 주름과 얼굴 윤곽의 변형으로 노안老顔을 걱정하는 분들도 여럿 보았다. 이보다는 평상시 표정습관과 노화도의 관계를 모른 채 누가 시키지도 않은 나쁜 표정습관을 오랫동안 유지해 나이보다 훨씬 더 나이 들어 보이고 인상까지 나빠지는 분들이 더 많을 것이다. 늦은 나이에 고치려고 하면 무엇이든 배 이상의 힘이 든다. 수십 년의 세월을 무심코 흘려 보낸 뒤에 뒤늦게 되돌리려 한다면 그 자체로 삶이 고단해질 수 있다.

좋은 표정습관을 하는 것이 미용적으로, 특히 절대동안을 만드는 데 얼마나 큰 영향을 미치는지 다음 연구를 봐도 알 수 있다. 2015년 영국의 한 연구팀은 지금 그대로의 얼굴로도 2~3세는 어려 보일 수 있는 비법이 있다며 자신들의 연구결과를 소개했다. 긍정심리학자 미리암 아크타르Miriam Akhtar 박사는 일반인 2,000명에게 실제 나이 28~69세 여성 12명의 얼굴 사진을 보여주고, 그들의 나이를 알아맞히게 하는 실험을 했다. 한쪽은 슬픈 표정의 사진을 제시하고 한쪽은 웃는 사진을 제시했다. 실험결과 피실험자들은 웃는 얼굴의 사진을 실제 나이보다 평균 두 살 더 어려 보이게 평가했다. 반대로 슬픈 얼굴은 한 살 더 늙어 보이는 것으로 평가했다.[19]

웃음의 긍정의 효과는 다양한 연구에서 밝혀졌다. 생리학적으로만 보아도 웃는 얼굴은 얼굴 근육을 처지지 않게 하고 혈색도 좋게 한다. 사람들은 웃는 얼굴에서 행복하다는 인상을 받고 높은 사회성과 활기찬 자신감도 느낀다. 웃음은 스트레스를 완화시키고 쾌감을 주는 엔도르핀 분비도 왕성하게 만든다고 밝혀졌다. 이러한 작용은 신체 근육을 이완시켜 마음을 편안하게 해주고 삶을 더 활기차게 만든다.

그렇다면 입을 다무는 표정, 즉 무심코 짓는 '무표정'과 어두운 표정은 얼굴에 어떤 영향을 줄까? 우선 입을 다무는 근육을 강화하고 턱끝에 힘을 주게 해 흔히 '자갈턱'이라고 하는 긴장된 모습을 연출한다. 이렇게 턱끝에 힘이 계속 들어가면 턱끝 근육이 쭈글쭈글해지고 턱끝이 점점 짧아진다. 다음으로 입꼬리가 아래로 땅겨지면 팔자 주름 옆에 주름 많아지고, 입꼬리 옆에 심술 주름도 만들어진다(198페이지 1 : 3 현상 참고). 이러한 자극은 상안면과 하안면 표정근육은 강화하고 중안면의 근육은 퇴화시켜 노안을 앞당긴다.

흔히 '일소일소一笑一少 일노일노一怒一老'라고 이야기한다. 한 번 웃으면 한 번 젊어지고 한 번 화를 내면 한 번 늙는다는 오래된 이야기다. 아주 단순하게 이야기하면 둘 중에 일소일소보다는 '일노일노를 하지 않는 것'에 더 집중하는 것이 보통 사람들에게는 더 중요하다. 하지만 적어도 이 책을 읽으시는 분들은 보다 적극적인 방법을 원할 것이다. 노

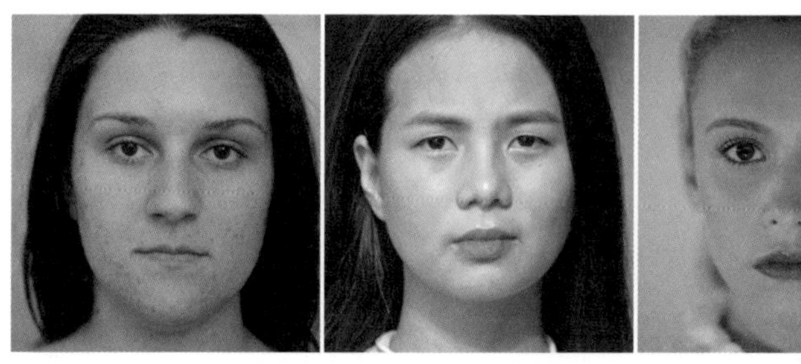

'작은 웃음'이 미소微笑라면, 무표정은 '작은 노여움' 미노微怒라고 할 수 있다.

화를 막는 가장 좋은 표정은 그냥 웃는 것이 아니라 다름아닌 쥬빌런트 페이스Jubilant Face, 즉 기쁨과 행복이 가득한 얼굴을 자신의 얼굴에 안착시키는 것이다.

그러나 안타깝게도 현실에서 우리가 그런 미소를 지을 수 있는 시간은 많지 않다. 어린이는 하루에 400번 정도 웃지만 어른은 하루에 10번도 힘들다. 이럴 바에는 노화를 가속시키는 가장 나쁜 표정인 무심코 중안면을 축 늘어뜨리고 입을 꽉 다물고 있는 '무표정'을 하지 않는 것이 더 현실적이다. 그래서 '일노일노를 하지 않는 것'에 집중하라는 것이다.

표정근육을 관리하며 젊고 생기있어 보이는 표정습관을 들이면 젊음과 아름다움을 오래 유지할 수 있다. 노화가 시작되는 20대부터 시작하자. 평상시 입을 꽉 다무는 습관을 버리고 중안면 미소근육을 많이 사용하자. 그런 표정습관은 그 자체로 우리를 2~3년은 젊어 보이게 할 뿐만 아니라 긴 시간이 지났을 때 나이보다 10년 이상 젊고 생기 있고 좋은 인상으로 보이게 만드는 가장 중요한 '항노화의 무기'이다.

입체적 느낌이 있는 얼굴 윤곽이 망가지는 것을 막으면서 그 자체로 젊음을 오래 유지하게 해주는 것이 바로 좋은 표정근육을 바르게 사용하는 좋은 표정습관이다.

주름과 윤곽 변화는 어떻게 생기는가

노화를 결정짓는 얼굴 변화 중 가장 쉽게 확인 가능한 것이 주름이다. 주름에는 건조에 의한 주름, 자외선에 의한 주름, 피부가 늘어져서 생긴 주름, 그리고 표정에 의한 주름이 있다. 이 중에서 우리가 가장 신경 쓰는 주름은 '표정 주름'과 '늘어진 주름'이다. 두 주름의 형성과정에는 평소 표정근육의 움직임이 전적으로 중요하게 작용한다. 이렇듯 노화와 가장 연관이 있는 윤곽 변화를 만드는 데도 표정근육의 움직임이 주도적으로 기여한다.

표정 주름은 표정습관에 따라 만들어진다

표정 주름이란 반복적으로 표정을 짓는 과정에서 피부에 접힌 흔적이 남아서 생기게 된다. 젊고 탄력 있는 피부는 표정이 원래대로 되돌아오면 피부의 접힌 부분도 쉽게 복원된다. 그러나 나이가 들수록 피부의 탄력과 복원력이 떨어지면서 표정에 의해 접힌 자리 피부가 위축되면서 깊은 골짜기처럼 파인 주름이 나타나게 된다.

표정 주름에는 이마를 들어올릴 때 생기는 이마 주름, 미간을 찡그릴 때 생기는 미간 주름, 눈을 가늘게 뜨거나 활짝 웃을 때 생기는 눈가 주름, 그리고 입을 오므리거나 다물 때 생기는 입가 주름, 입다물고 웃을 때 생기는 입가 주름 등이 있다. 건강하고 젊어 보이는 삶을 추구하는 현대인들에게 어떤 주름인들 반가운 주름이야 없겠지만, 웃을 때 생기는 눈가 주름은 상대방에게는 좋은 인상을 전달하는 좋은 주름이다. 반면 우리가 보통 화를 내거나 찌푸리는 등의 부정적인 표정을 만들 때 생기는 입가 주름과 미간 주름은 남들에게도 부정적인 감정을 느끼게 한다. 그래서 나쁜 주름이다. 즉 상대방이 나의 주름을 보고 느끼는 감정에 따라 좋은 주름과 나쁜 주름을 구분할 수 있다. 물론 자기 스스로에게는 어느 주름이건 기분 좋을 리 없는 노화의 흔적이겠지만 말이다.

입을 중심으로 하는 하안면의 입다물기 근육과 이마와 미간을 중심으로 하는 상안면의 찡그리기 근육을 키우지 말고 자꾸 퇴화시켜야만 나쁜 주름을 근본적으로 예방할 수 있다. 반면 볼에 있는 중안면의 미소근육을 많이 쓰면 근육 자체의 힘이 강해지면서 얼굴에 보기 좋고 탱탱한 볼륨감은 물론 볼이 늘어지지 않고 위로 당겨 올려진 느낌이 된다. 평상시 중안면에 살짝 힘을 주는 상태인 미소를 오래 유지하거나 강하게 올려주는 상태인 웃음을 자주 지을 수 있다면, 나아가서 이 책의 「4장 J. F. 표정근육 트레이닝」을 통해 평소에 기본 긴장도를 중안면에 집중시키는 표정습관을 가질 수 있다면 좋은 인상은 물론 노화나 나쁜 주름을 근본적으로 막는 가장 강력한 절대동안의 해법이 될 수 있을 것이다.

미소근육이 노화의 속도와 방향을 결정한다

앞서 영국에서 소개된 웃는 표정이 더 젊어 보인다는 연구[19] 외에도 '미소를 짓고 있으면 더 젊어 보인다.' 라는 사실을 입증하는 또 다른 연구가 있다. 2012년 독일에서 발표된 논문 결과다.[20] 사람들은 미소를 머금고 있는 사람을 더 젊게 인식한다. 너무 당연해 보이지만 왜 이런 결과가 나왔을까?

얼굴 노화현상의 가장 중요한 원인은 볼륨의 감소이며 그중에서 중안면 볼륨의 감소는 볼꺼짐과 늘어짐의 가장 큰 원인이다. 이 중안면에서 감소하는 볼륨이 100이라면 그중 대략 40% 정도를 차지하는 것은 미소근육의 긴장도 감소로 인해 볼이 늘어지면서 앞광대에 볼륨이 감소한 것처럼 보이는 현상이다. 그런데 웃음을 지으면 상대적으로 앞광대의 볼륨이 살아나고 피부가 위로 당겨 올라간다. 미소를 머금은 인상이 더 젊어 보이는 이유다. 그러다 보니 미소근육의 기본 긴장도를 높게 유지하는 것은 노화를 막는 데 있어 너무나 중요하다.

중안면 미소근육의 기본 긴장도가 얼굴 노화현상에 미치는 영향을 극명하게 보여주는 상황이 있다. 바로 얼굴의 한쪽이 마비되는 안면마비환자의 경우이다. 얼굴은 바깥쪽부터 피부, 지방, 근육, 뼈의 4층 구조로 되어 있다. 그런데 안면마비는 얼굴 표정근육을 움직이게 해주

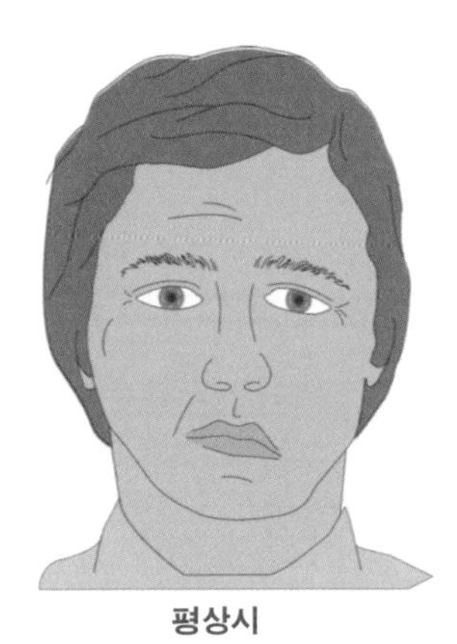
평상시

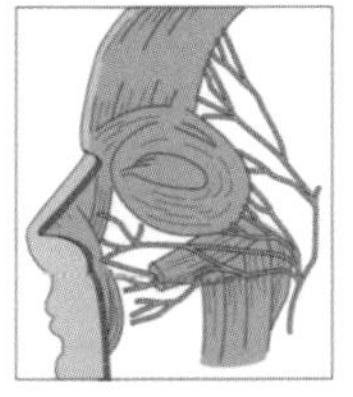
이마와 볼의 안면신경 분포

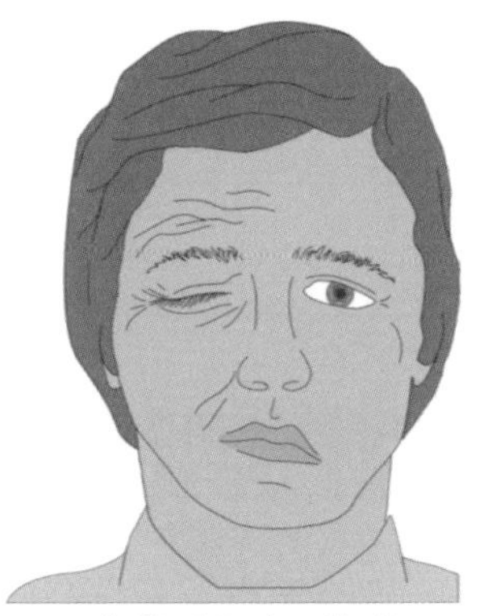
눈을 감으려고 할 때

마비에 의해서 볼의 미소근육의 긴장도가 감소하면 볼이 늘어진다. 따라서 미소근육 긴장도의 감소는 볼처짐의 가장 큰 원인임을 알 수 있다.

는 운동신경의 기능에 문제가 생겨서 근육이 수축력을 잃어버리는 것이 그 원인이다. 마비는 대부분 급작스럽게 발생한다. 따라서 어제까지 정상이던 표정근육이 오늘 갑자기 힘이 0에 가깝도록 떨어지는 상황이다. 4층 구조 중에서 마비로 인한 이상은 근육층에만 발생했을 뿐이다. 그런데 임상적으로는 사진에서 보이는 것처럼 마비된 쪽의 볼 부위 볼륨이 심하게 감소되어 있고 볼이 늘어지면서 입꼬리 역시 아래쪽으로 많이 내려와 있다. 볼 꺼짐과 볼 늘어짐이라는 이 두 가지 현상은 노화의 결정적인 증상이다.

생각해보자. 중안면 미소근육의 긴장도가 없다는 이유만으로 단 하루 만에 두 가지 노화의 증상이 생긴 것이다. 근육층을 제외한 나머지 세 개의 층은 아무 이상이 없는데도 말이다. 그렇다면 볼이 꺼지고 볼이 늘어져서 노화되어 보이는 현상의 가장 핵심적인 이유가 무엇이겠는가? 바로 볼을 위로 들어 올려주는 중안면 미소근육의 기본 긴장도가 좋고 나쁜 정도에 의해서 노화의 정도가 결정적으로 다르게 보인다

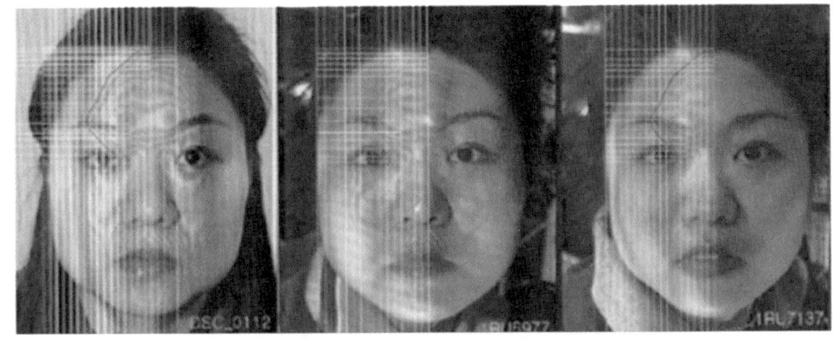

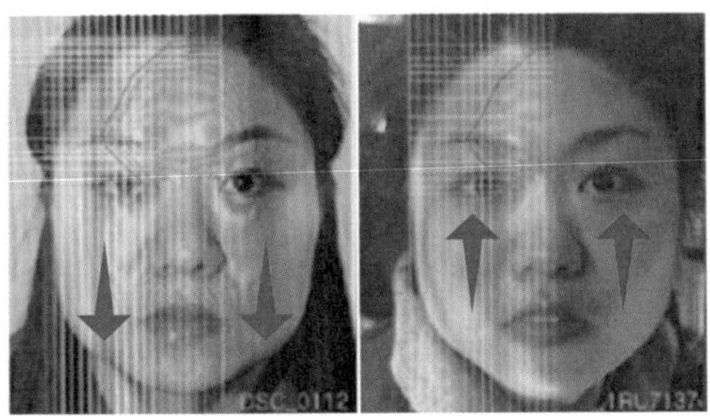

윗입술과 중안면 볼륨이 위로 올라가면서 십자라인으로 입체감이 상승되어 얼굴형이 그 이전에 비해 상대적으로 갸름하게 보인다.

는 것을 알 수 있다.

또 하나의 중요한 사실이 있다. 마비 현상이 중안면에만 왔을 리 없다. 하안면이나 상안면에도 영향이 있을 것이다. 그런데 왜 유독 볼의 엘리베이터 근육의 힘이 없어진 결과만 심하게 보이는 것일까? 그 이유는 이렇다. 만일 하안면 입다물기 근육과 상안면 찡그리기 근육에 힘이 빠지게 되면, 평소에 나쁜 느낌과 나쁜 주름을 만들고 입꼬리를 내리는 힘이나 눈썹을 내려주는 힘이 없어지므로 오히려 임상적으로는 더 좋아 보일 수 있다. 그러다 보니 그 영향이 두드러져 보이지 않고, 오직 중안면 미소근육의 긴장도 감소로 인한 꺼짐과 늘어짐 현상만 눈에 띄는 것이다.

우주미인 이소현 씨의 얼굴 변화 사진을 다시 한 번 살펴보자. 무중력 상태인 우주에서는 윗입술이 살짝 들려 위로 올라가고 앞 광대의 가장 중심 부위인 가장 높은 부위가 눈가 쪽으로, 즉 위로 이동한 것을 알 수 있다. 그 결과 지구에서보다 더 젊어져 보인 것이다. 이런 상태는 중력이 있는 지구에서 만들려면 중안면 엘리베이터 근육을 위로 힘을 주어 들어올려야 한다. 그럼 이때 이 중안면 미소근육과 붙어 있는 윗입술이 위로 같이 들려 올라가서 입을 살짝 벌리게 되는 것이다.

이 동작은 마치 우리가 웃을 때 얼굴의 움직이는 모습과 비슷하다. '중안면 엘리베이터 근육에 힘이 들어가서 위로 올라간다'는 것은 작게라도 미소를 짓고 있을 때나 웃을 때다. 극단적으로 가정하면 평생 입을 벌리고 미소를 짓거나 웃을 일이 없어서 입을 꾹 다물고 살았다면 중안면 미소근육이 발달할 시간이 거의 없다는 이야기이다. 그리고 살아가면서 미소나 웃음을 지을 기회가 어려서보다 상대적으로 적어진다는 것은 당연히 중안면 근육이 퇴화한다는 의미인 것이다. 이것이 바로 노화의 과정인 셈이다.

표정근육의 네 번째 특징을 떠올려보자. 표정근육은 감정에 따라 움직인다. 긍정적이고 기분이 좋아서 잘 웃을 수 있다면 중안면 근육이 위로 당겨 올라가 있는 시간도 길어질 것이다. 웃음이라는 습관을 지닌 사람은 중안면 근육을 긴장하고 단련시킬 기회가 많다. 따라서 입체감 있는 동안 얼굴을 유지할 가능성도 커진다. 생활환경은 우리의 감정에 지대한 영향을 미친다. 긍정적인 마인드, 원만한 대인관계, 안정적인 직업 등은 우리가 자주 웃을 수 있는 기본 환경이 된다. 이러한 요건을 가진 이들이 더 젊은 얼굴을 갖게 된 것은 당연하다. 중안면 미소근육은 이처럼 노화의 속도와 방향을 결정하는 가장 중요한 요인이다. 그렇다면 한 번 각자 거울을 보고 그 위치와 길이를 확인해보자. 중안면 네 개의 미소근육은 보통 본인의 새끼손가락보다 짧거나 비슷한 길이다. 볼에 새끼손가락을 가져다 대보라. 보통 눈에서 입까지의 길이에 해당된다. 미소근육의 평상시 두께는 새끼손가락 두께의 5분의 1 이하다. 미비하게 느껴질 수도 있지만, 볼 정면의 볼륨을 결정하는 데 있어서 미소근육 자체의 볼륨과 긴장도는 상당한 비중을 차지한다.

표정이란 엄밀히 말하면 평상시 우리가 쓰는 표정근육이 만들어내는 패턴이다. 우리의 표정은 표정근육의 사용 방향과 빈도에 따라 굳어진다. 쉽게 말해 일과중 가장 오랜 시간 동안 지었던 표정은 인상으로 굳어진다. 한 번 점검해보자. 여러분은 어제 하루 24시간 동안 그리고 오늘 책을 읽는 지금 이 시간까지 어떤 표정으로 얼마의 시간을 보냈는가? 중안면 근육을 들어올려 미소근육을 강화시킨 시간은 얼마인지, 입을 꾹 다물고 미소근육에는 100% 힘을 뺀 상태로 입꼬리를 끌어내리면서 지낸 시간은 얼마인지, 자기도 모르게 미간을 찌푸리고 지낸 시간은 얼마인지, 정확히 기억하는 사람은 거의 없을 것이다. 시간을 많이 들인 표정, 즉 자주 경험했던 표정의 방향으로 표정근육은 하나의 흐름을 형성하게 된다.

그런데 살다 보면 특별히 화가 나거나 짜증이 나지 않았는데도 부정적 감정이 있을 때 움직이는 미간에 인상을 쓰고 있는 사람들이 많다. 이런 현상은 마치 보디빌더들이 평상시에도 근육의 힘을 풀지 못하는 것과 비슷하다. 그 근육의 힘이 너무 발달해서 평소에도 힘을 풀 수가 없는 것이다. 그런 사람을 우리는 흔히 '인상이 좋지 않은 사람'이라고 부른다. 그러나 정작 본인은 자신이 어떤 표정으로 지내고 있는지 모르는 경우가 많다. 자기의 얼굴이 평소 어떤지 가장 쉽게 아는 방법은 의식하지 않고 있는데 얼떨결에 찍힌 사진의 얼굴을 보면 된다. 그것이 사실 진짜 당신의 얼굴, 다른 사람들이 기억하는 당신의 인상이다.

노화라는 거대한 강줄기를 떠올려보자. 강물의 속도는 어떨 때는 천천히 어떨 때는 빨리 흐른다. 물줄기가 휘어 가기도 하고 곧게 뻗어 가기도 한다. 우리가 표정근육을 좋은 방향으로 잘 단련시키는 것은 노화의 유속을 떨어뜨리고 방향도 바꾸어 놓는다. 거듭 강조하지만, 중앙면 표정근육이 발달하면 얼굴의 동안 윤곽이 살아나면서 늘어짐도 줄어들어 그 어떤 치료보다 강력한 항노화 효과가 있다.

4장에서 소개하는 J. F. 표정근육 트레이닝은 헬스클럽에서 하는 P.T.처럼 여러분들의 표정습관을 바꾸어 줄 것이다. 하루에 30분이라도 운동을 열심히 하는 사람과 따로 운동할 시간을 내지 않는 사람의 몸은 확실히 다르다. 하지만 운동을 할 시간을 못 내는 사람도 평상시 계단을 이용하고 바른 자세를 유지하는 습관을 갖는다면 그렇지 않은 사람보다는 좋은 몸 상태를 유지할 수 있다. 마찬가지로 평상시 표정습관을 좋은 상태로 유지하면 보다 젊어 보이는 좋은 인상을 얻을 수 있다. 좋은 표정습관이야말로 표정근육을 잘 단련하는 기본 중의 기본 과정인 셈이다.

미소근육의 힘을 키우면 우주미인이 될 수 있다

앞서 1장에서 우주미인에 대해 소개한 바 있다. 지구에 살면서 피할

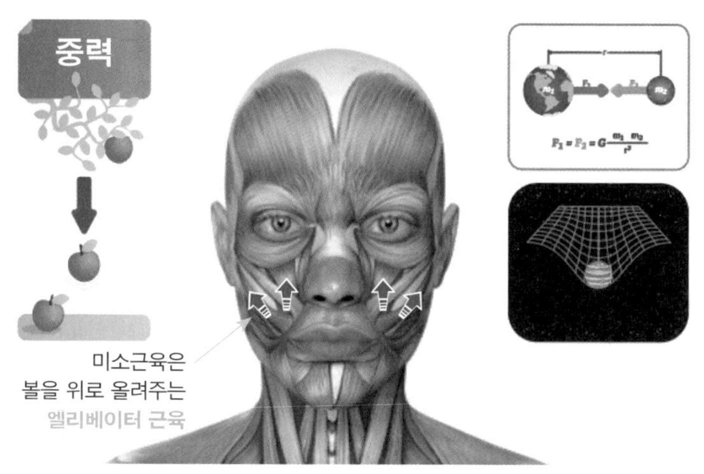

뉴턴의 만유인력 법칙에 따라 아래로 향하는 중력의 영향을 피할 길이 없다. 얼굴 미소근육은 중력의 방향에 거슬러 볼을 위로 들어올려주는 엘리베이터 근육이다.

수 없는 중력의 힘이 우리 얼굴의 노화현상에 막대한 영향을 준다는 사실이다. 그렇다면 지구에 살면서 얼굴에 중력의 영향을 덜 받을 방법은 없을까?

우선 아랫배가 내려오는 것을 생각해보자. 아랫배가 앞으로 밀고 나와 처지지 않게 하기 위해서는 체중조절과 운동도 중요하지만, 평소 아랫배의 근육을 긴장시켜 안쪽으로 끌어당기는 힘을 항상 느끼는 것이 중요하다. 늘어지는 방향과 반대되는 방향의 힘을 이야기하는 것이다. 배가 나온 사람이 사람들 앞에서 아랫배에 힘을 주어 배가 덜 나온 사람처럼 보이려 애쓰는 것을 생각하면 이해가 쉽다. 그런데 얼굴은 중력에 의해 아래 방향으로 힘이 작용하고 그래서 아래로 처진다. 그런데 얼굴의 표정근육 중에서 작동 방향이 얼굴의 연부조직을 모두 잡고 위쪽으로 향하는 근육이 있다. 바로 중안면 미소근육 4개가 그렇다. 모두 볼을 위로 힘껏 올려주는 역할을 한다. 그렇다면 이 엘리베이터 근육의 긴장도를 중력의 힘만큼 유지해서 볼을 아래로 당기는 중력의 힘을 상쇄시켜 버린다면 볼 부위의 연부조직은 마치 무중력 상태가 되는 것이다. 중력의 힘이 크다고는 하지만 내 의지로 움직일 수 있는 표정근육의 수축력(볼을 위로 올리는 힘)은 매우 큰 힘까지 발휘할 수 있으므로 미소근육의 수축 긴장도를 아주 조금만 유지해도 중력을 이기기에는 충분하다. 오히려 조금만 기본 긴장도를 유지하더라도 중력의 힘을 이기고도 남게 되므로 볼이 살짝 위로 올라가게 된다. 잠잘 때는 누워 있으니 중력의 영향을 받지 않는다. 그러나 깨어 있는 동안에 미소근육의 긴장도를 중력을 이길 만큼 유지하는 표정습관을 갖는 것이 좋다. 이것이 바로 지구에서도 우주미인보다 더 미인이 될 수 있는 비결이다.

어디 그뿐인가? 이마에서도 이마를 위로 올려주는 이마근을 살짝 긴장시키면 이마와 눈썹을 내려주는 중력의 힘을 이길 뿐 아니라 눈썹을 기준으로 눈썹을 아래로 내려주는 '미간근'을 비롯한 근육들의 힘이 빠지게 되므로 눈썹과 위 눈꺼풀 늘어짐도 예방할 수 있다.

무표정은 나쁜 주름을 만드는 주범이다

나쁜 주름을 예방하기 위해 찡그리거나 화를 내지 않는 것보다 더 주의해야 할 표정습관이 있다. 바로 '무표정'이다. 목을 앞으로 쭉 빼고 오래 컴퓨터를 하면 거북목이 되는 것처럼 무표정을 오래하면 얼굴이 나쁘게 바뀐다.

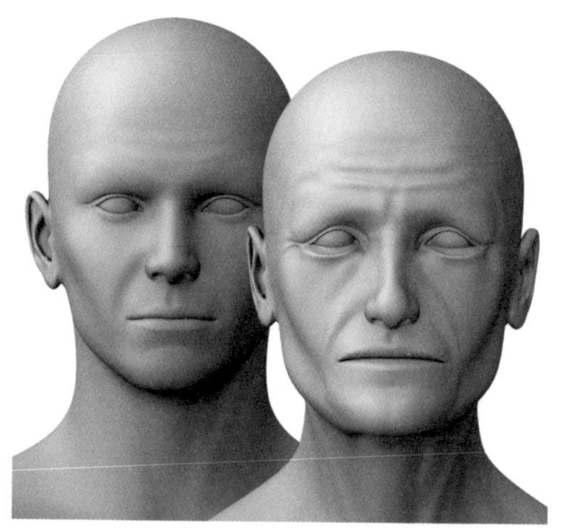

우리가 흔히 아무런 감정을 드러내지 않는다는 무표정은 주로 기분이 나쁘거나 화날 때와 같이 부정적 감정을 드러낼 때 쓰는 '미간' 찡그리기 근육과 '입가' 입다물기 근육에 살짝 힘을 주고 있는 상태다. 미소微笑가 작은 웃음이라면, 무표정은 작은 노여움, 미노微怒라고 볼 수 있다.

우리가 흔히 '무표정'이라고 하는 표정은 아무런 감정을 전달하지 않는 그러니까 아무 표정을 짓고 있지 않은 상태가 아니다. 글자 그대로만 보면 '무표정'의 의미는 '표정이 없다'는 뜻이지만, 살아 있는 사람의 얼굴에서 표정근육에 마비가 있지 않고서야 상중하 얼굴 전체 표정근육의 힘을 모두 빼는 말 그대로의 '무표정'은 가능하지 않다. 말 그대로의 무표정은 사람이 죽은 후에 모든 표정근육의 기본 긴장도가 사라져 긴장도가 0이 된 후에야 볼 수 있다(185페이지 참고). 즉 살아 있는 사람이라면 평소의 표정습관에 의해 굳어진 각 표정근육의 기본 긴장도 이하로 힘을 빼는 것은 애써 노력해서 빼지 않는다면 거의 불가능한 일이다. 따라서 아무 생각 없이 있을 때 이렇게 힘을 빼려 애쓰지 않을 것이므로 소위 '무표정'은 표정근육의 힘이 전혀 없는 상태가 아니라 그 사람의 평소의 표정습관에 따라 굳어진 근육의 기본 긴장도의 패턴

어린 아이들조차 책을 보거나 집중하는 일을 할 때는 쉽게 무표정 혹은 이마와 턱에 힘을 주는 표정을 하게 된다. 입다물기는 인류의 오래된 습관 때문이다(272~273페이지 참고). 실제로 웃는 표정을 지으면서 책을 읽거나 영화를 보며 몰입하기는 쉽지 않다.

대로 표정을 짓고 있는 것이다. 그것이 그 사람의 인상이라고 앞서 설명한 바 있다.

그렇다면 대부분의 성인들이 평소에 아무런 감정을 전달하지 않고 아무런 표정을 짓고 있지 않다고 믿는 상태의 표정은 어떤 표정일까? 소위 '무표정'한 상태에서는 입가 부위에 지속적으로 약하게 힘이 들어가고 미간에도 힘이 들어가게 된다. 이 표정근육들이 부정적인 감정을 나타내는 찡그리기 근육과 입다물기 근육이다. 아무런 감정이 없는 상태가 아니라 사실은 엄밀히 이야기하면 부정적인 감정을 표현하고 있는 것이다.

다만 부정적인 감정의 정도가 약해서 우리가 그 부정적인 감정을 인식하지 못할 뿐이다. 따라서 무표정한 상태를 오랫동안 유지하고 있으면 점점 이마, 미간, 입 주변에 주름이 많아지게 된다. 아무 생각 없이 멍하니 있을 때 짓고 있는 무표정한 모습이 나이 들어 보이는 주름을 만들고 계속 악화시킬 것이라는 슬픈 사실을 아는 사람은 아마 거의 없을 것이다. 이 책을 읽는 독자 여러분들만이 그 비밀스러운 진실을 알아가는 세상 유일한 사람들일지도 모른다.

찡그리는 습관에 의해 생긴 주름들은 보톡스를 이용한 주름 치료 이후에 어느 정도는 개선될 수 있다. 하지만 찡그리는 표정습관이 개선되지 않는 한 보톡스 치료 후에도 쉽게 주름은 재발할 것이므로 마치 밑 빠진 항아리에 물을 채우는 것과 다를 것이 없다. 제자리걸음이면 차라리 좋겠지만 원인 치료 없이 인위적으로 주름을 펴놓는다면 그 이후 지속적인 습관에 의한 움직임과 과도한 힘이 작용하면서 오히려 치료하기 전보다 더 어색해지는 것은 당연한 일이다.

그뿐만 아니라 깊게 주름지고 움푹 들어가는 나쁜 주름을 없애기 위해서 주름을 채워주는 필러시술을 하는 것은 열이 나는 사람에게 해열제만 처방하는 치료와 비슷하다. 근본 원인을 알아내서 치료하는 방법이 반드시 병행돼야 한다. 평소에 입가의 힘을 빼고 중안면 미소근육으로 힘을 전환하는 습관을 키우면 미간의 찡그리는 근육은 자연스럽게 힘이 빠지게 된다. 이처럼 평상시 나도 모르게 짓고 있던 소위 '무표정'의 표정습관을 교정하는 것만이 나쁜 주름을 없애는 근본적인 치료가 될 수 있다.

지금까지 모르고 있었던 표정습관을 바꾼다는 것이 결코 쉽지 않다. 내가 눈으로 직접 볼 수 있고 확인할 수 있는 젓가락질 습관을 바꾸는 것도 어렵다. 하물며 눈에 보이지도 않고 오랜 시간 변형되어 내 마음대로 움직이지도 않는 표정근육 습관을 바꾼다는 것이 쉬울 리 없다. 그래서 나쁜 표정 주름에서 자유롭고 싶다면 수시로 무표정과 나쁜 표정에서 벗어날 수 있는 생활 속 작은 계기를 통해 스스로를 자주 환기시키는 것이 필요하다. 그래서 우리는 인상클리닉이나 강의를 할 때 핸드폰이나 거울에 붙일 수 있는 스마일 스티커를 함께 나눠주고 있다. 스티커를 볼 때 마다 스스로 표정을 점검하고 입 주위에 힘을 빼는 '은 자세(325페이지 참고)'를 유지하고 살짝 미소를 만들어 입 주위에 긴장된 표정을 풀어주라는 잔소리도 덧붙인다. 실제 스마일 스티커는 감정의 무드를 바꾸는 방아쇠와 같은 역할을 한다. 꼭 우리의 그것이 아니어도 된다. 어떤 스마일 스티커나 이미지이든 생활 속에서 자기 자신에게 '계기'를 만들어준다면 그 어떤 것이든 대환영이다.

중요한 것은 그 '각성'을 통해 부정의 무드에서 빠져나와, 나쁜 표정을 짓는 일만 멈추어도 부정의 표정근육들이 힘을 잃게 된다. 다물었던 어금니를 살짝 떼고 윗입술을 올려주면 상안면과 하안면에 집중된 힘이 중안면으로 옮겨간다. 약간의 힘을 더하면 밝은 미소가 만들어지면서 중안면의 미소근육이 강화된다.

우리는 잘 웃지 않는다. 웃을 일이 점점 줄어드는 게 우리의 삶인지도 모르겠다. 그렇게 우리는 자신도 모르게 노안을 부르는 부정의 무드로 살아간다. 부정의 무드에서 긍정의 무드로 전환시키는 것, 이것이야말로 밝은 인상을 만드는 아주 간단한 실천법이다.

24시간 어떤 표정으로 지내는가

이쯤에서 우리 스스로의 표정습관과 인상이 어떠한지 한 번 생각해 보자. 자기 스스로의 표정습관을 자각하기란 쉽지 않다. 아니, 좀 더 정확히 이야기하면 대부분 실제보다 크게 과대평가하고 있다. 그럼 누구도 부정할 수 없는 나 자신의 표정습관을 솔직하게 들여다보자.

내가 아는 나의 인상은 과대평가되어 있다

"전 평소에 찡그리거나 화난 표정을 짓지 않는데요? 뭐가 문제라는 거죠?"

얼굴이 늘어지면서 밋밋해지고 주름이 생기는 것이 신경 쓰여 내원한 40대 초반의 여성은 자신의 평소 표정습관이 절대 나쁘지 않다고 단언했다. 어떻게 그렇게 단언하느냐는 질문을 던지자 자신 있게 대답

우리는 거울을 볼 때 자신이 좋아 보일 수 있는 표정으로 살짝 변한다. 따라서 거울을 통해서 보는 나의 표정은 평상시 나의 표정습관과는 거리가 있다.

했다.

"거울이나 사진을 보면 당연히 알잖아요. 전 평소에 표정이 전혀 나쁘지 않아요. 주위에서 웃는 모습이 예쁘다고 늘 듣고 있다고요. 아무래도 이 문제는 제 표정과는 상관없는 거 같은데요?"

물론 미간과 입가에 힘을 주고 미소근육은 축 늘어뜨리고 말이다. 그녀뿐 아니라 많은 사람들이 거울 앞에 앉아서 자신을 응시하면 꽤 괜찮은 것 같다고 느끼곤 한다. 셀카 속에 비친 자신의 표정이나 친구들과 찍은 사진을 봐도 표정이 이상하지 않고 인상도 나쁘지 않다고 확신한다. 그런데 거울이나 사진 속에 있는 당신의 얼굴이 진짜 당신의 평소 표정일까?

사진을 찍을 때는 당연히 표정이 밝아진다. 고민이 있다가도 사진을 찍겠다고 카메라를 들이대는 순간 우리 얼굴은 자연스럽게 밝은 표정으로 바뀌어버린다. 우리는 뼛속까지 사회적 존재인 인간이기에 본능

당신의 인상이 좋다고 생각된다면 출퇴근길의 지하철이나 버스 안에 앉아 있는 사람의 표정을 떠올려보라. 그들의 표정이 좋다고 느낀 적이 있는지 생각해보면 쉽게 깨달을 수 있다. 우리가 출퇴근길에서 마주치는 사람들의 얼굴 중 밝은 표정을 짓고 있는 얼굴이 얼마나 될까?

적으로 그렇게 반응한다.

그렇다면 거울 속의 나의 모습은 어떨까? 역시 같은 이유로 거울을 볼 때도 스스로를 '의식'하게 된다. 우리는 깨닫지 못하지만 거울을 볼 때도 '나를 만날 준비'를 하고 자신이 좋아 보일 수 있는 표정으로 살짝 변하고 거울을 들여다보는 것이다. 따라서 거울을 통해서 보는 나의 표정도 나의 평상시 표정습관과는 거리가 있다. 그렇다면 평소의 나를 언제 볼 수 있을까? 내가 의식하지 못한 채 우연히 찍힌 사진 속에 비친 나의 모습 정도가 진짜 내 평소 모습이다. 거리에서나 지하철에서 흔히 마주치는 내 또래 사람들의 평균적인 표정이 내 표정과 크게 다를 리 없다.

당신의 인상이 좋다고 생각된다면 출퇴근길의 지하철이나 버스 안에 앉아 있는 사람의 표정을 떠올려보라. 그들의 표정이 좋다고 느낀

적이 있는지 생각해보면 쉽게 깨달을 수 있다. 우리가 출퇴근길에서 마주치는 사람들의 얼굴 중 밝은 표정을 짓고 있는 얼굴이 얼마나 될까? 대부분은 무표정하거나 스마트폰을 내려다보면서 이마와 입가에 힘을 주고 있지 않은가? 당신 역시 그들 중 하나라는 사실을 명심해야 한다.

우리들의 평상시 표정습관이란 별다른 것이 아니라 표정근육의 사용 패턴이 고착화된 상태다. 다시 말해 하루 중 가장 많이 사용하고 힘을 주었던 곳이 어딘가에 따라 그 표정근육의 기본 긴장도가 변화하면서 만들어지는 것이다. 따라서 내가 하루 24시간 동안에 어떤 표정을 짓고 있었던가를 추적해보면 나의 표정습관을 유추해낼 수 있다. 우리는 과연 24시간 동안 어떤 표정을 짓고 있을까? 단언컨대 생각보다 우리는 밝은 표정으로 하루를 보내지 않는다.

하루 중 누군가를 향해 활짝 웃기 50초

잔잔한 미소가 아니라 정말 활짝 얼굴을 펴고 웃는 시간이 성인은 얼마나 될까? 통계를 보면 20대 성인남녀가 크게 웃는 횟수는 하루에 10번 남짓이라 한다. 신생아는 하루에 200~500번을 웃는다고 하고 생후 7세까지는 하루 50번 전후로 웃는다고 한다. 중학생의 경우에는 감수성이 가장 예민한 시기이다. 그러다 보니 여자 중학생은 일시적으로 웃는 횟수가 늘어나지만 남자 중학생은 급격하게 줄어든다고 한다. 이후 점점 웃는 횟수가 줄어들면서 성인이 되면 평균 10회 이하로 줄

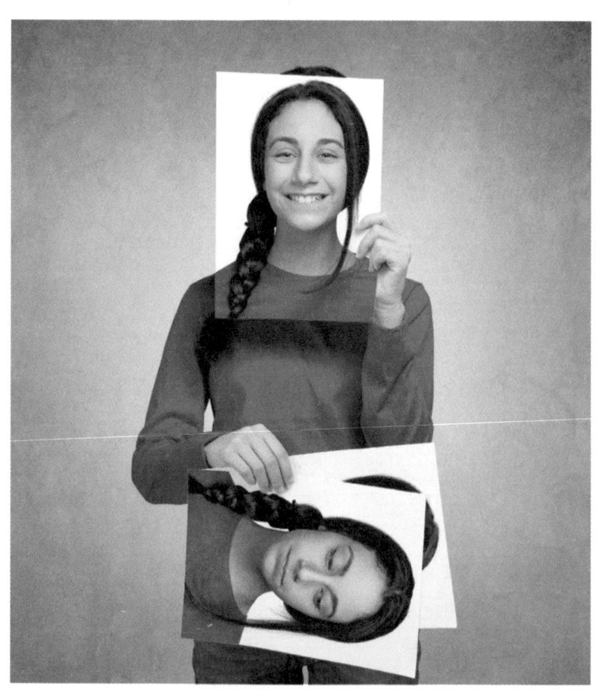

사람은 감정이 생기면 얼굴로 이를 피드백하여 표정으로 표출한다. 하루 중에 우리는 어떤 감정 상태를 피드백하며 살고 있는지 생각해보자. 그리고 자신이 가장 많이 피드백하고 있는 상태, 즉 표정을 생각해보고 자신이 하루 중 어떤 감정으로 사는지 생각해 보자.

어드는 것이다.

그럼 한 번 크게 웃을 때 볼 근육은 얼마 동안 올라가 있을까? 책을 읽는 독자들도 한 번 웃어보길 바란다. 아마 5초 이상 볼을 들어올리고 있기가 쉽지 않을 것이다.

하루에 크게 웃는 횟수 10회 x 5초= 50초

따라서 중안면 미소근육을 활짝 들어올리고 있는 시간은 하루에 한

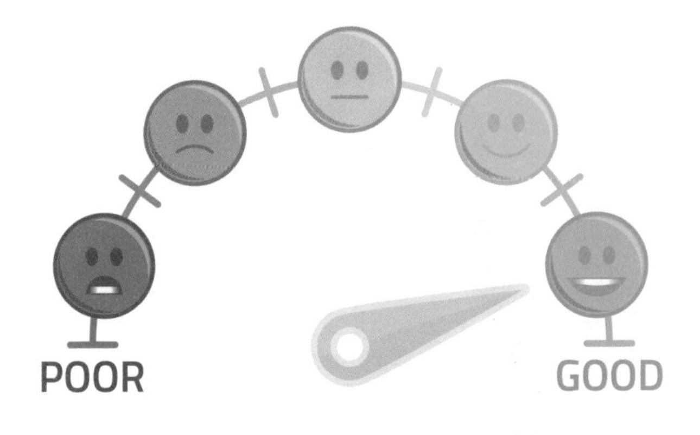

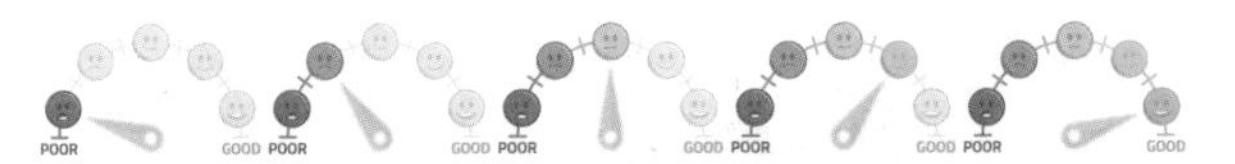

감정 계기판. 자동차의 상태를 나타내는 계기판처럼 내 감정의 상태를 시시각각 계기판으로 표현한다면 하루 종일 내 감정의 계기판은 어떤 상태에 있을까? 잘 모르겠다면 내 일상을 몰래 카메라 찍듯 의식하지 않고 찍어서 그 표정을 계기판으로 옮겨보면 된다. 표정이 곧 감정이다.

번에 5초에 10회, 즉 50초 정도라는 계산이 나온다. 하루에 1분이 채 안 된다는 이야기다. 정말 야박한 시간이 아닐 수 없다.

하루 중 누군가와의 대화 3~4시간

그렇다면 살짝 미소를 짓고 있는 시간은 얼마나 될까? 직업이나 생활 패턴에 따라 크게 다를 것이다. 사람을 상대하는 직업을 가진 사람은 가짜 미소라도 밝은 표정을 짓는 시간이 많을 것이고 혼자 일하는 사람은 그보다 적을 것이며 전업주부라면 훨씬 더 적을 것이다. 혼자가 아니라 누군가와 함께 있어야 상대를 의식하고 그나마 밝은 표정을 지을 수 있다. 직장에서 사람들과 어울려 생활하는 직장인이라면 동료와의 잡담 시간, 식사 시간 등을 합쳐 하루에 서너 시간 정도는 되지 않을까? 손님들을 상대하는 서비스업 종사자들이라면 그보다 더 길 수도 있다. 바쁜 현대인들이 누군가와 편안한 대화를 나누면서 볼근육을 살짝 들어올릴 수 있는 시간은 하루 서너 시간 정도에 불과하다.

결국 좋은 표정을 만들고 나를 즐겁게 만드는 미소근육이 사용되는 시간은 아무리 후하게 쳐도 하루에 4시간 남짓이다. 그럼 나머지 20시간의 우리 모습은 어떤 모습일까?

하루 중 무표정한 표정 12~14시간

깨어 있는 16~18시간 중에서 미소근육을 살짝이라도 긴장시켜서 들어올리고 지내는 시간이 4시간 남짓이라면 나머지 12~14시간 동안에는 어떤 표정을 짓고 있을까? 일에 몰두하고 있거나, 길을 걷거나, 운전을 하거나, 아무 생각 없이 우두커니 있는 동안에 어떤 표정을 짓고 있을까? 아마도 그 시간 동안에 내가 어떤 표정을 짓고 있을지 아는 사람은 많지 않을 것이다. 현대인은 혼자 있는 시간이 절대적으로 많다. 특히 요즘처럼 '나홀로족'이 유행하는 사회에서는 종일 혼자서 생활하는 사람도 생각보다 많다. 이런 사람들이 상대에게 호감을 느끼게 하는 웃는 표정, 밝은 표정을 하루에 얼마나 지을 수 있을까?

독자 여러분도 한 번 생각해본다면 하루 24시간 중에 밝은 표정을 짓는 시간은 생각보다 짧다는 사실을 알게 될 것이다. 우리가 수면 시

버스나 지하철 같은 대중교통을 이용할 때 자신의 얼굴표정을 잘 모르겠다면 건너편에 앉아 있는 또래의 얼굴을 보면 쉽게 짐작할 수 있다.

길을 걸을 때 무심코 짓는 내 표정은 흔히 아무런 감정이 없는 무표정이라 한다. 그렇다면 그 무표정에서는 긍정의 감정이 느껴질까 부정의 감정이 느껴질까? 그리고 당신의 감정은 어떤 상태일까?

간과 웃는 시간을 제외한 12~14시간 동안 짓는 표정은 웃는 표정이나 밝은 표정이 아니다. 앞서 말한 대로 하루 중 가장 많이 짓고 있는 기본 표정이 우리의 인상을 결정한다. 그런데 좋은 표정을 짓고 있는 시간이 고작 4시간 남짓이라면 우리의 인상이 좋을 이유는 전혀 없는 것 아닐까?

잠을 자는 시간엔 어떤 표정을 지을까?

낮 동안 많이 쓴 표정근육은 저녁에 잘 때까지도 우리의 표정근육에 기본긴장도로 남아 영향을 미친다. 아기들의 자는 모습을 보면 우리 얼굴에서는 저절로 미소가 떠오른다. 두 눈을 살포시 감고 윗입술이 약간 올라간 아기들의 자는 모습은 얼핏 웃는 모습처럼 느껴진다. 아기들은 종일 웃고 있었기 때문에 미소근육의 힘이 강해서 잘 때도 마치 웃고 있는 것처럼 보인다. 아기들은 태어나는 순간부터 중안면 미소근육이 많이 발달해 있으므로 평소에도 볼이 위로 수축돼 있을 뿐 아니라 잠잘 때에도 입을 다물지 못하고 살짝 윗입술이 위로 올라가 있다. 이와는 반대로 종일 입을 다물고 인상을 잘 쓰는 표정습관을 가진 성인, 특히 노인들은 잘 때도 어금니를 꽉 깨물고 입을 다물고 미간에는 인상을 쓰면서 잔다. 비염이나 구강과 치아의 구조 문제만 없다면 말이다.

잘 때는 의식하지 못하지만 화난 표정으로 자는 사람들이 있고 편안한 표정으로 자는 사람들도 있다. 우리가 낮 시간에 하루 종일 어떤 근육에 힘을 주고 있느냐, 어떤 표정근육을 사용하고 있느냐에 따라 기

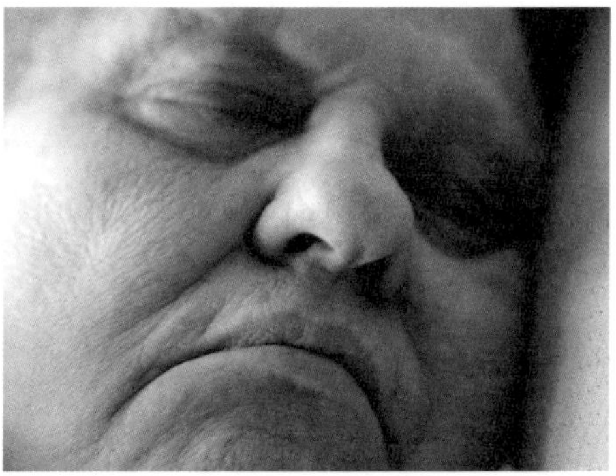

웃고 있는 듯 행복한 표정으로 자고 있는 아기와 화가 난 듯 불만스러운 표정으로 자고 있는 중년 여인

본 긴장도가 강해진 표정근육이 잘 때까지 우리 얼굴 표정은 물론 감정을 지배하는 것이다.

결론적으로 잠잘 때의 표정습관은 낮 시간의 표정습관이 결정하는 셈이다. 그러다 보니 우리는 하루 24시간 중에서 무려 20시간 동안 좋지 않은 표정습관을 유지하고 있는 것이다. 이것이 부정할 수 없는 우리의 모습이다.

이 표정습관을 부정이 아닌 긍정의 모드로 전환시키는 것은 분명 우리의 인상은 물론 인생까지 바꿀 수 있는 중요한 열쇠가 될 것이다. 하지만 그 과정이 결코 쉽지만은 않다.

입다물고 있으면 미워지고 늙어 보인다

입을 다무는 습관은 본인은 비록 살짝 다물고 있는 것처럼 생각돼도 결코 작은 힘을 주고 있는 것이 아니다. 이미 여러 차례 강조해왔다. 사람이 사망하면 어떻게 될지 생각해보자. 우선 모든 근육의 기본 긴장도가 다 풀리면서 살아 생전과 사뭇 다른 얼굴이 된다. 독일의 사진작가 발터 셸스Walter Schels는 특이하게도 죽은 사람의 모습을 카메라에 담는 것으로 유명하다. 그는 사람들이 죽음에 대해 품고 있는 두려움을

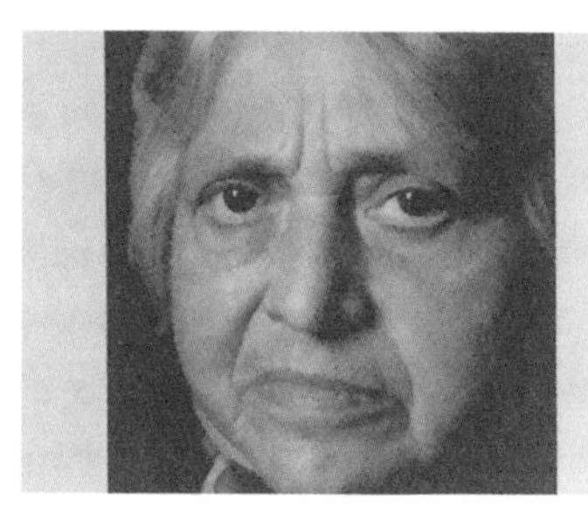

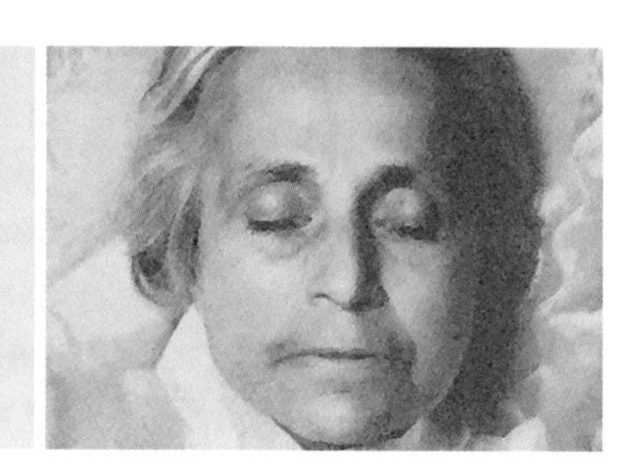

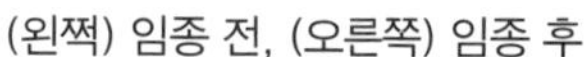

(왼쪽) 임종 전, (오른쪽) 임종 후

없애기 위해 가족들의 동의를 얻어서 죽은 지 몇 시간이 지난 사람들의 얼굴을 찍어 발표하고 있다.

그의 작품에 등장하는 죽은 사람들의 모습은 한결같이 온화한 모습을 하고 있다. 임종 전 사진과 비교하면 더욱 확연하게 차이가 난다. 그래서 우리는 이 모습을 보고 고인이 편안하게 가셨다고 한다. 그런데 이것을 근육으로만 설명하면 얼굴의 모든 근육에서 힘이 빠진 상태, 즉 기본 긴장도가 0이 된 상태다. 힘든 삶을 마치고 영면하셨으니 이제 시름과 고통 역시 사라진 이유일까? 인상을 찌푸리게 만드는 나쁜 근육의 힘의 상태가 모두 0이 된 것이 마치 온화한 모습처럼 보인 것이다. 예전에 장례지도사를 부르기 어려울 때는 집에서 수건을 말아서 고인의 턱밑에 대어주고 높은 베개를 받쳐주었다. 목이 뒤로 떨어지고 턱이 아래로 빠지지 않게 하기 위해서이다.

인간이 죽어서 힘이 빠지면 입이 벌어지면서 아래턱이 떨어진다. 바꾸어 말하면 입을 다물고 있는 모습은 편안한 게 아니라 근육에 힘을 꽉 주는 모습이란 것이다. 또 우리가 흔히 무표정이라고 하는 것은 죽은 후에야 비로소 가능한 것이다. '표정이 전혀 없는 상태' 다시 말해 그 어떤 표정근육에도 힘을 주고 있는 상태를 의미하는 것이기 때문이다. 따라서 살아 있는 사람이 무표정(!)을 짓기란 쉽지 않으며, 입을 다문 모습을 의미하기 때문에 이미 무표정이란 표현은 틀린 것이다.

한국인은 입다물기 대표 선수들이다

한국인들은 활짝 웃지 못한다. 한국인과 서양인들의 표정습관이 얼마나 다른지는 단체사진을 보면 쉽게 알 수 있다. 무거운 주제로 만난 단체가 아니고 동네 꽃놀이 모임이나 결혼식 단체 사진만 확인해봐도 그 많은 사람 중에 입을 벌리고 환하게 웃는 사람의 수가 많지 않다. 물론 예전에 비하면 많이 밝아지고 입을 벌리며 웃는 사람들의 수가 늘어나고 있긴 하다. 하지만 모임의 연령대가 높아지면 높아질수록 여전히 입을 꾹 다물고 무표정하게 사진을 찍는 사람들이 더 많다. 반면 서양인들의 단체사진에서는 오히려 입을 다문 사람을 찾기가 쉽지 않다.

다음은 한국과 미국의 대학 졸업 사진이다. 사회를 향한 첫발을 내딛는 기쁜 현장에서 환하게 웃고 있어야겠지만 한국인은 환하게 웃기보다는 입을 다문 채 다소 어색하게 웃고 있는 학생이 많다. 한국에서는 여권이나 비자 사진은 물론 증명사진을 찍을 때조차 사진관에서 입

서양인과 동양인의 단체 사진을 비교해보면 확실히 동양인들이 입을 벌리고 웃는 경우가 적다는 것을 알 수 있다.

특히 한국인들의 경우에는 졸업식같이 좋은 날에도 입을 벌리고 사진을 찍기보다는 입을 다물고 찍는 경우가 더 많다.

을 다물라고 주문하는 경우를 흔히 경험한다.

한국 사람들은 왜 활짝 웃을 수 있는 자리에서도 활짝 웃지 못하고 웃는 모습이 어색할까? 특히 입을 다물고 웃는 사람이 많은 이유는 무엇일까? 이것은 문화적 차이에서 오는 표정습관의 차이 때문이다. 서구 문화권에서 생활해본 사람들이 처음에 가장 적응하기 어려운 것 중 하나가 모르는 사람과도 자연스레 웃으면서 인사하고 대화를 나누는 것이다. 서양인들은 길에서 낯선 사람과 스쳐 지나갈 때도 눈이 마주치면 "하이Hi" 하며 웃음을 지어 보인다. 같은 아파트에 사는 주민들과 눈인사조차 나누지 않았던 한국 사람들이 서양인의 이런 인사 문화에 익숙해지기 위해서는 꽤 오랜 시간이 걸린다.

한국과 서양의 문화 차이를 바로 느끼게 하는 재미있는 이야기가 있어 소개할까 한다. 어떤 학생이 처음으로 미국에 유학을 가서 겪은 경험담으로 인터넷을 통해 널리 알려진 얘기다. 처음 미국에 도착해 아파트로 이사 가서 엘리베이터를 탔다고 한다. 마침 여러 사람이 타고 있었는데 모두 자신을 포함해서 서로에게 환한 눈인사 혹은 하얀 치아를 드러내고 반갑게 웃더란다. 그 학생은 낯선 사람들이어서 약간 긴장한 상태로 그냥 구석에서 멀뚱멀뚱 쳐다보며 무표정한 상태로 있었다.

그런데 10분 후 자기 집에 경찰이 들이닥쳤다고 한다. 그는 깜짝 놀라 손짓 발짓 해가며 안 되는 영어로 이유를 물어보니 아파트 주민이 이상한 사람이 아파트에 들어왔다고 신고했다는 것이다. 내심 자신을 동양인이라고 무시하는 것인가 기분이 상해 자초지종을 정확히 알아보았다. 그랬더니 그 이유가 한국인으로서는 참으로 황당했다고 한다. 미국은 워낙 넓고 인종이 다양하다 보니 좁은 공간이나 길에서 서로 마주치는 사람들에게 누구라 할지라도 눈을 마주치고 환하게 인사를 하지 않으면 소위 적 혹은 이방인으로 간주한다는 것이다. 서부개척 시대에 황야에서 저 멀리 다가오는 누군가를 만난 상황을 상상해보면 적대감이 없음을 빨리 표현하는 것이 나의 안전을 위해 얼마나 중요한 일인지 이해할 수 있다.

그래서 웃음과 인사를 통해 내가 당신에게 적대감이 없는 당신 편이라고 표현하는 것이 역사적인 생활방식이라고 한다. 그렇지 않으면 언제 총을 맞을지 모르니까. 그래서 그 유학생은 적응하는 데 시간이 걸렸지만 보는 사람마다 항상 미소를 짓게 되었다고 한다. 그런데 1년 후 잠시 한국에 들러 자기 집 엘리베이터를 타서는 이미 미국식 인사 문화에 익숙해진 상태라 아무렇지 않게 낯선 아주머니나 아저씨에게 반갑게 웃고 인사를 했다고 한다. 그랬더니 이게 웬일! 그 아주머니가 웬 이상한 사람이 자기를 보고 마구 웃고 희롱하는 것 같다고 경비실에 신고해 경비가 쫓아오는 작은 소동이 났다고 한다.

한국인의 인상이 나쁘다는 것은 그릇된 고정관념이다

지구상에 '제법 살 만한' 나라들 중에서 한국사람이 비교적 표정이 밝지 않고 감정 표현을 잘 못한다는 것은 잘 알려진 사실이다. 그렇다면 한국인의 인상이 원래 그랬을까?

프랑스의 동양학자로 초대 주한 프랑스 공사관의 통역관을 역임한 모리스 쿠랑Maurice Courant은 1890년부터 약 2년 간 조선에 머문 경험을 토대로 『한국서지韓國書誌』를 출간했다. 그는 회고록에서 한국인의 인상에 대해 다음과 같이 기술하고 있다.

"한국인의 인상은 매우 밝았다. 저자가 오랜 시간 함께 지내며 지켜본 중국인과 일본인에 비해 더할 나위 없이 빈번한 웃음을 짓고 있었다. 외세의 침략에 많이 고초를 당한 민족이라지만 그들의 미소지음은 분명 세계적인 것이었다. 유럽인의 웃음은 자기방어적인 측면이 강하지만, 한국인의 웃음은 그렇지 않았다. 그들은 고된 노동을 하면서도 웃

단원 김홍도가 그린 단원 풍속도첩의 왼쪽부터 「벼타작」「대장간」「빨래터」「씨름」 부분. 씨름을 즐기는 서민들의 표정뿐만 아니라 벼타작이나 대장간 일을 하는 서민들의 얼굴에서도 밝은 느낌이 묻어난다.

고 노래하기를 즐겨했으며, 눈을 마주칠 때마다 서슴없이 나오는 미소의 속도와 느낌은 이루 말할 수 없이 아름다운 것으로 세계 그 어느 나라의 민족에서도 경험한 적 없는 미소였다. 무엇이 그들을 이토록 미소 짓게 할 수 있었는지 처음 그들의 미소를 본 이후부터 궁금하였는데, 어느새 나도 동화되어 그들의 미소를 따라 짓고 있었다. 이 미소가 내게는 한국을 다른 동양과 구분하는 기준이 되었다."

한국인은 원래 미소가 없고 무거운 인상이라는 고정관념이 130년 전에는 그릇된 것이었음을 외교관 쿠랑은 말하고 있다. 그 외에도 고려시대의 문학작품이나 조선의 회화繪畫 속에는 익살과 미소를 머금은 우리 민족의 일상이 고스란히 담겨 있다. 이처럼 우리 민족에게 미소는 역사적으로 습관 그 자체였던 것이다.

한국인의 인상이 애초부터 밝지 않았다는 고정관념은 그릇된 인식에 불과하다.

입다물기를 강요하는 문화는 바뀌어야 한다

그렇다면 그 어느 민족보다 밝은 미소 습관을 지녔던 우리 민족이 지금에 와서는 '입다물기 대표선수'라는 오명을 갖게 된 이유는 무엇일까? 왜 유독 한국 사람들은 미소에 인색할까? 왜 항상 자신의 감정을 숨긴 채 입을 꾹 다무는 습관을 갖게 된 것일까?

한국의 대표적인 전통문화인 유교儒敎는 동양사상의 근간으로서 인간의 내면에 대한 깊은 성찰을 통해 자신의 조화로운 삶이 타인에게 덕을 미치게 된다는 겸양謙讓의 미덕美德을 강조한 철학이다. 유교사상 자체는 인간 사회의 질서 있는 어울림을 위한 윤리와 도덕의식 함양에 지대한 공헌을 한 훌륭한 철학이자 교육이념이라 할 수 있다.

그런데 이 유교가 조선시대에 와서 국가를 지배하기 위한 지배논리와 함께 결합하면서 신분과 위계질서를 강조한 '성리학'이라는 정치사상으로 변질되었다. 특히 당시에는 수많은 정쟁政爭과 당쟁黨爭으로 말 한마디만 잘못해도 멸문지화滅門之禍를 당하는 혼탁한 상황이 이어지면서 '좋아도 안 좋은 척, 싫어도 안 싫은 척' 내면의 감정을 겉으로 표현하지 않는 것이 미덕이며 남자는 입이 무거워야 한다는 인식이 팽배하게 됐다. 이런 인식은 조선시대 상류층을 중심으로 시작되어 해학과 생활 속 밝은 미소가 습관이었던 서민과 하층민에 이르기까지 사회 전반을 지배하는 문화로 자리잡게 되었다.

이렇게 변해버린 우리 민족의 정서는 안타깝게도 구한말의 혼란과 암울했던 일제 강점기, 해방, 6.25전쟁과 군부 독재 시절을 거치면서 더 나아질 기회를 얻지 못한 채 현재까지도 이어지고 있었던 것이다.

글로벌 시대에 맞는 교육은 아이들이 자신의 의견과 감정을 마음껏 발산할 수 있도록 하는 것이다. 그런 관점에서 우리의 밥상머리 교육은 이제는 달라져야 한다.

우리가 흔히 밥상머리 교육이라고 하는 조상들로부터 내려온 가르침이 그것이다. "남자는 입이 무거워야 한다." "치아를 드러내고 웃는 것은 경박하다." "얼굴에 감정을 드러내지 마라." 등 과묵함과 감정의 절제를 강조하는 어른들의 가르침이다. 그 때문에 우리 국민은 어느새 입을 다문 과묵한 언행이 미덕인 양 생각하게 됐고 웃을 때조차 입을 꼭 다물어야 한다는 의식이 자리잡게 된 것이다.

오스트레일리아나 뉴질랜드 같은 영국 문화권에서는 선생님이나 부모가 아이를 야단칠 때 모습이 우리나라와 너무나 다르다는 사실을 알게 돼 소개한다. 뉴질랜드에서는 선생님이 아이들을 야단칠 때는 우선 "나를 봐Look at me."라고 하며 아이의 시선을 자신에게 주목시킨다. 그리고 지적한 사항에 대해서 아이들에게 설명을 요구하면서 아이들의 잘못된 생각을 바로잡아준다. 그런데 우리의 모습은 어떠한가? 아이를 야단치면서 어른을 똑바로 바라보면 "어딜 똑바로 쳐다봐!"라고 한다. 또 지적한 것에 대해 자신의 의견을 이야기하면 "뭘 잘했다고 어른한테 말대꾸야!"라며 아주 버릇없는 행동이라고 가르치고 있다. 현재 한국의 30대, 40대 부모들도 이런 교육을 받았겠지만, 설마 자녀들에게 지금도 이런 교육을 하고 있는 것은 아닌지 생각해봐야 한다. 입을 다물지 말고 자신의 의견과 감정을 마음껏 발산하도록 유도하는 것이 글로벌 시대에 맞는 교육법이라고 생각된다.

한국인이 입을 다무는 습관을 가진 두 번째 이유는 발성의 차이라는 언어적 이유를 들 수 있다. 영어는 [r]이나 [l]처럼 소위 혀를 높이 들고 굴리는 발음이 많다. 러시아어, 프랑스어, 중국어에도 이와 같이 우리나라 사람이 좀처럼 따라 하기 어려운 발음이 많다. 발음을 만드는 입 모양이 우리말과는 너무 다르기 때문이다. 이들 언어들은 입안의 후방(뒤쪽)을 가능한 한 크고 높게 만들어서 혀끝을 말아 올려야 하는 발음이 많다. 그런데 한국어에는 이런 발음이 없어서 쉽게 따라하기 어려운 것이다.

우리말은 특히 많이 쓰는 '~습니다' '~합니다'를 비롯해 '자, 차, 카, 타'처럼 짧고 낮은 발음이 많다. 이런 발음은 혀가 입의 전방(앞쪽)으로 오기 때문에 고음을 내거나 후방 공간을 넓고 높게 만들 필요 없이 입 앞쪽에서 발음할 수 있다. 다시 말하면 우리말에서 주로 사용하는 발음이 입을 다물거나 입의 전방 공간만을 사용하는 것들이 많다 보니 자연스럽게 입을 벌릴 필요가 없어진 것이다.

그런데 입 전방을 많이 쓰거나 입을 다무는 습관은 문화적인 요인에서 기인한 것으로 특별히 비난받아야 할 이유는 없다. 하지만 입을 꾹 다물고 있는 습관이 긴 시간, 다시 말해 노화와 만나면 자신의 인상은 물론 감정 상태 그리고 누구도 원하지 않은 미용상의 여러 문제까지 만들게 되므로 피하는 것이 상책이다.

7가지 입다물기 근육이 노화를 만났을 때

강의에서나 진료 중에 입 다무는 평소 습관이 나쁘다는 설명을 할 때 사람들의 어김없는 반응이 있다. "평소에 입을 다물고 있어야죠. 입을 다물지 말라고 하면 입을 '헤~' 벌리고 있으란 말인가요?" 어떤 분들은 어처구니가 없다고 드러나게 웃으시는 분도 있고 당혹스러워하는 분도 있다. 아마 이 책을 읽으시는 여러분 중에도 이런 분이 있을 것이다. 이 책에서 하고 싶은 말은 입을 벌리고 있으라는 것이 아니라 지나치게 강한 힘을 주어 입을 꾹 다물고 있지 말라는 것이다.

많은 성인이 평소에 아주 강한 힘으로 입을 다물고 있음에도 본인은 전혀 의식하지 못한다. 나쁜 표정습관으로 입 주위나 미간에 힘이 많이 들어간 상태로 오랜 시간을 지내면서 스스로 많은 주름을 만드신 분들의 경우를 예로 들어보자.

한국 음식 중에서 비교적 강한 힘으로 깨물어 씹어 먹어야 하는 대표적인 것은 마른 오징어일 것이다. 단단하게 마른 오징어를 씹을 때 깨물근을 포함한 7가지 입다물기 근육 전체에 들어가는 힘을 100이라고 가정해보자.

그럼 평소에 입다물기 근육과 찡그리기 근육에 힘을 많이 주는 분들이 아무 생각 없이 입을 다물고 있을 때 7가지 근육에는 대체 어느 정도의 힘을 주는 있을까? 이렇게 질문을 하면 대부분 10이나 그 이하를 생각한다. 그러나 현실은 전혀 그렇지 않다. 본인은 살짝 다물고 있다고 생각하는 사람들도 최소 30 이상인 경우가 대부분이고 눈에 띄게 턱끝근(입다물기 근육 1번)에 힘을 주는 사람들은 40~50의 힘을 주고 있는 경우도 많다. 이 정도라면 살짝 다물고 있는 것이 절대 아니다. 이런 입다물기 습관이 노화를 만나면 어떤 일이 벌어질까?

자, 이제부터 7가지 입다물기 근육에 힘을 주는 표정습관이 노화와 얼굴 모양의 변화에 어떤 영향을 주는지 자세히 알아보자.

① 입다물기근육1번(턱끝근)–턱을 짧고 뭉툭하게 그리고 울퉁불퉁하게 만든다

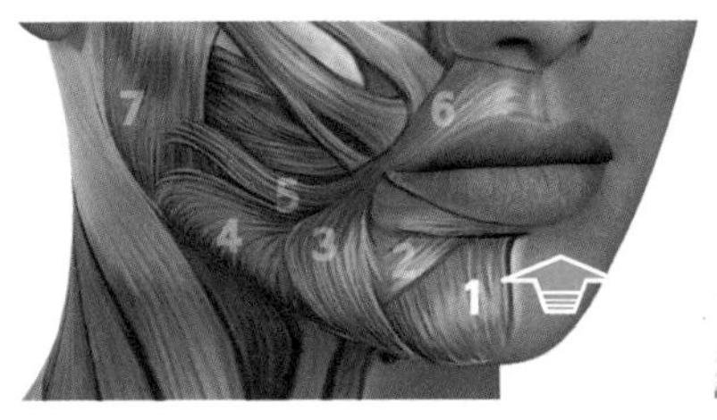

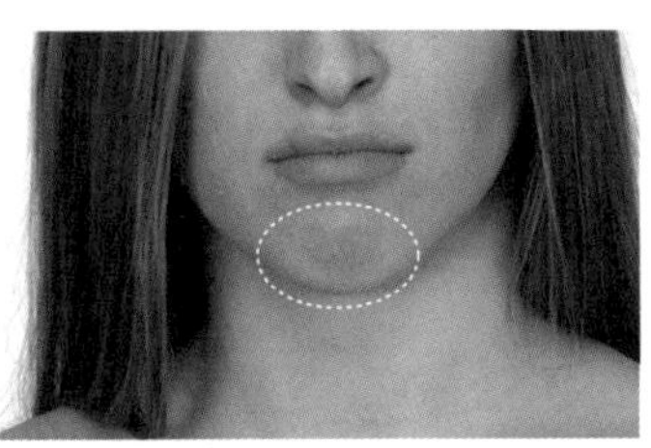

턱끝에 붙어 있는 강력한 근육으로 수축하면서 턱을 끌어올려 입을 닫게 한다. 이 근육이 발달된 사람의 턱은 마치 울퉁불퉁한 호두표면처럼 보기 흉하고 턱끝이 위로 끌려 올라가면서 턱이 짧아 보이고 아래 입술과 턱끝 사이에 깊은 가로 방향의 주름과 반달 모양의 그림자가 만들어진다. 이 턱끝근육은 얼굴의 하트 윤곽의 아래쪽 꼭짓점을 결정해주는 아주 중요한 기능을 한다. 이곳이 변형되면 얼굴 윤곽이 크게 나빠진다.

②와 ③ 입다물기 근육 2번(아랫입술내림근)과 3번(입꼬리내림근) – 입꼬리 주름을 만든다

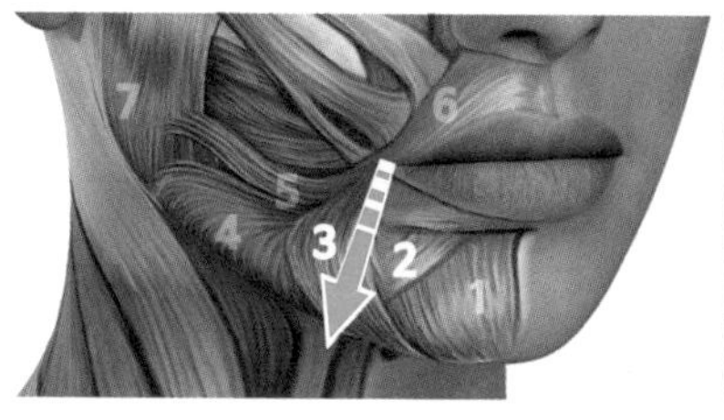

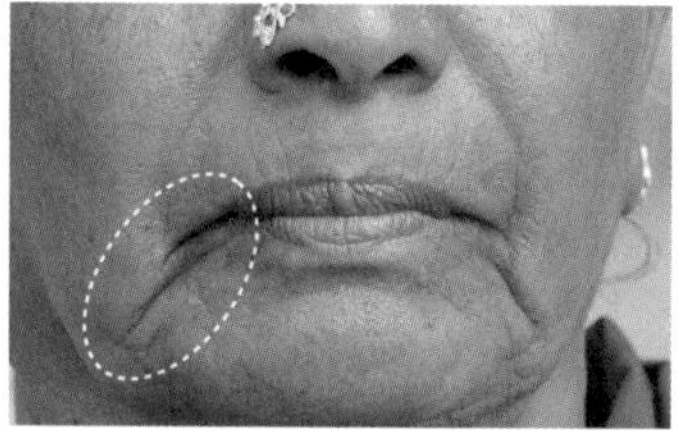

이 근육들이 과도하게 사용되면 입꼬리가 내려가며 노화의 대명사인 입꼬리 주름이 깊어진다. 입꼬리를 따라 밑으로 늘어지는 주름으로 일명 '심술 주름'이라고 불린다. 이 주름이 생기면 입 꼬리가 처져 보이고 볼도 늘어져 보인다. 볼은 나이가 들면서 자연적으로 늘어진다. 그런데 이 근육들에 힘이 들어가면 볼이 더 심하게 늘어져 보이면서 소위 심술 주름이 더 두텁게 나타난다. 심술 주름은 만드는 주범은 중력이 아니라 바로 입꼬리를 내리는 이 근육들이다.

④ 입다물기근육4번(넓은목근)– 볼을 아래쪽으로 더 늘어뜨린다

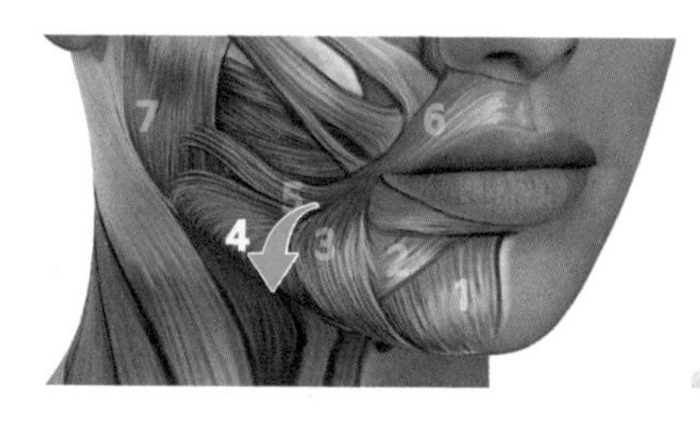

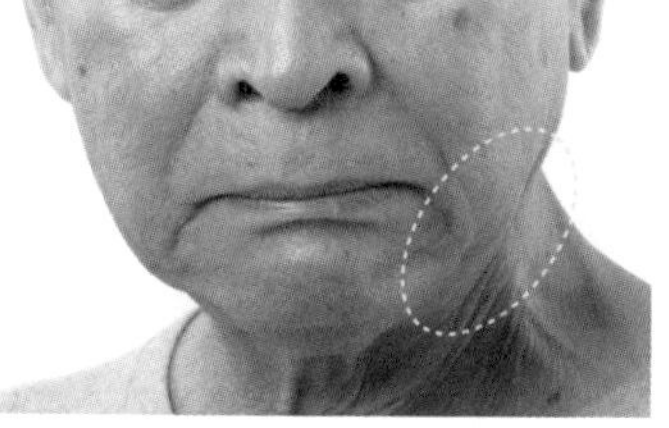

목에 힘을 주고 입을 크게 아래로 벌려 "으~" 할 때 느껴지는 근육이다. 목의 넓은 근육이 얼굴까지 올라와 뺨 아래쪽에 자리잡고 있다. 그

런데 우리가 입을 다물면 이 근육이 볼을 아래쪽으로 더 늘어뜨리는 역할을 한다. 즉 중력에 의한 볼의 늘어짐보다 몇십 배 강한 힘으로 본인 스스로 볼을 내리는 힘을 애써서 쓰고 있는 것이니 노화도를 가속시키는 참으로 안타까운 근육인 셈이다.

• 입꼬리를 우산 모양으로 늘어뜨리는 '입꼬리의 1 : 3의 법칙'

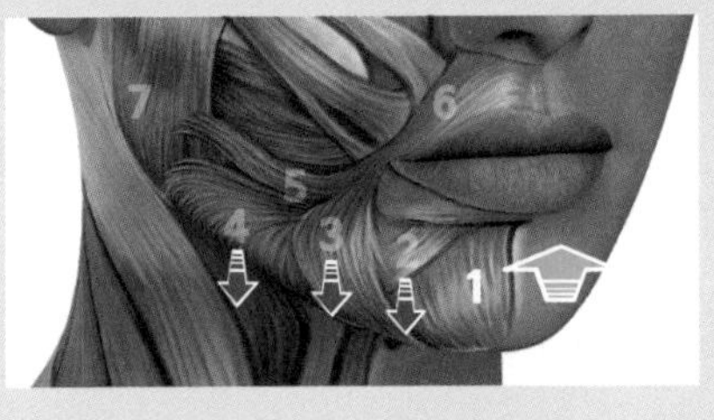

표정근육은 서로 인접한 근육끼리 영향을 주고받는다. 어느 근육이 크게 힘을 써서 힘이 한쪽으로 크게 치우치게 되면 그것을 막기 위해서 인접한 근육 중에서 반대 방향으로 작용하는 힘이 함께 작용하는 경향이 있다. 대표적인 현상이 바로 입다물기 근육 1, 2, 3, 4번 근육에서 나타난다.

입다물기 근육 중에서 깨물근(7번)을 제외한 나머지 6가지 근육은 입 주위에 분포한다. 6가지 근육 중에서 가장 강한 힘을 가진 근육은 단연 1번 턱끝근이다. 이 근육이 강하게 수축하면 턱끝이 위로 올라가면서 아랫입술을 위로 밀어 올려서 아랫입술이 앞쪽으로 말려 나오게 된다. 즉 아랫입술이 지나치게 올라가게 되면 이것을 막기 위해서 아랫입술과 입꼬리 그리고 턱선을 아래 방향으로 내려주는 2번, 3번, 4번 근육의 힘이 동시에 강하게 들어가게 된다.

이 현상은 '입꼬리의 1 : 3의 법칙'이다. 턱끝근 한 가지 근육이 힘을 쓰면, 입꼬리를 내려주는 3가지 근육이 동시에 작동해 입꼬리가 마치 우산 모양처럼 아래 방향으로 늘어지게 된다는 것이다. 이것은 입꼬리를 늘어뜨리기도 하지만 결국 턱선을 늘어지게 만들고 턱끝을 위로 올라가게 변형시키므로 입체감 있는 동안 윤곽과는 멀어지게 된다.

⑤ 입다물기근육5번(입꼬리당김근) – 입 주위에 세로 방향의 깊은 입가 주름이 생긴다. 팔자 주름도 길고 깊어진다

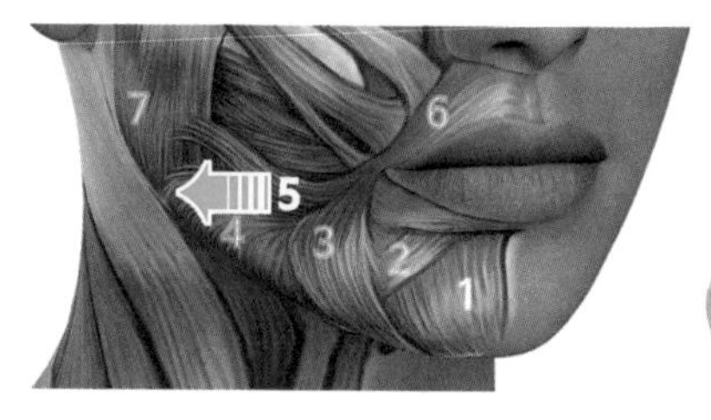

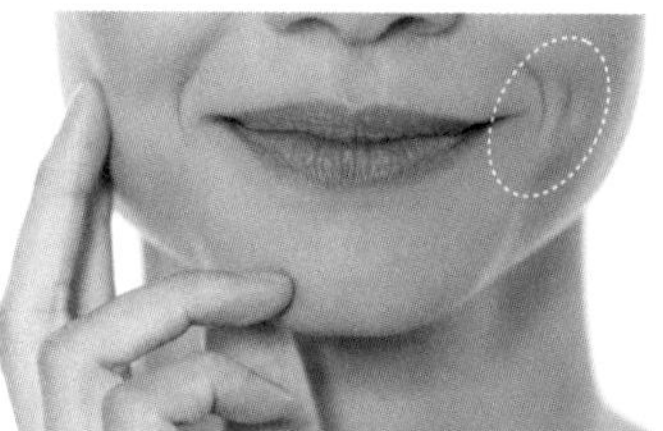

입을 다물고 웃을 때 입꼬리를 가로 방향으로 양 옆으로 당겨주는 근육이다. 얼굴에서 반드시 퇴화시켜야 하는 근육이라고 해도 과언이 아니다. 모든 중년 여성들의 입 주변으로 생기는 나쁜 주름들은 바로 이 힘이 커지면서 생긴 것이다. 이 근육을 자주 사용하면 입 양쪽 주변이 마치 아코디언 주름상자처럼 접혔다 풀렸다를 반복해 입 주위에 세로 주름이 생기고 더불어 팔자 주름도 깊어진다.

⑥ 입다물기근육6번(입둘레근) – 입 주위 쪼글쪼글 주름을 만든다

우리가 흔히 입술이라고 일컫는 부위인 말 그대로 위아래 입술을 둘러싸고 있는 입둘레근이다. 나이가 들면 누구나 입술 주위로 쪼글쪼글한 세로 주름이 생기지만 주로 입이 튀어나왔다는 콤플렉스가 있는 분

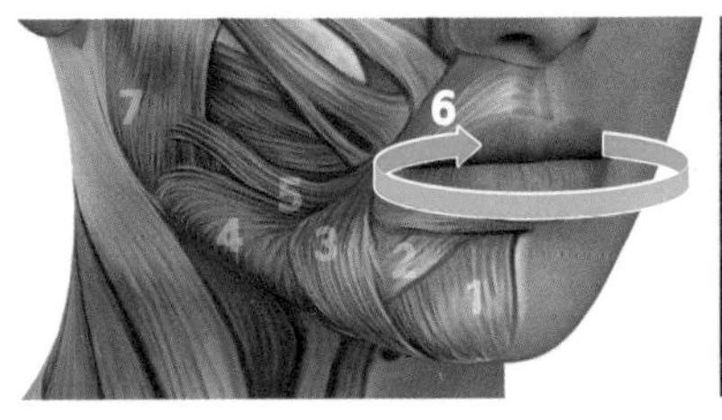

들이 습관적으로 입을 오므리면서 이런 주름을 스스로 빨리 만든다. 흡연에 의해서도 나빠지고, 말할 때 입에 힘을 주어 말하면 일찍 생긴다. 눈가에 주름이 생기는 원리나 입술에 주름이 생기는 원리나 똑같다. 입을 다무는 습관이 강하고 특히 치아를 위아래 입술로 덮으려 힘을 주는 사람에게서 심하게 생긴다.

⑦ 입다물기근육7번(깨물근) – 사각턱을 발달시켜 얼굴을 넓적하고 크게 만든다

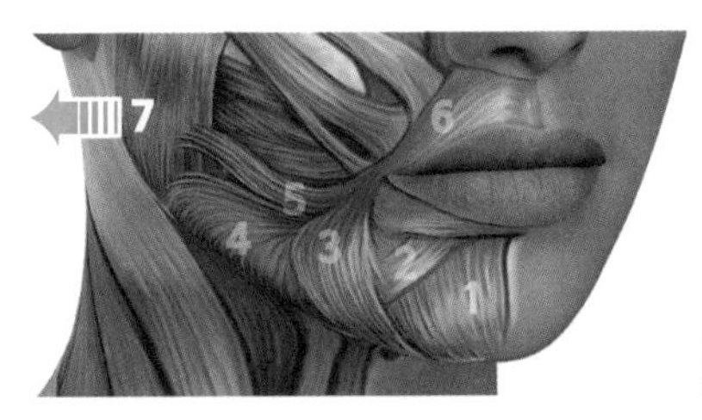

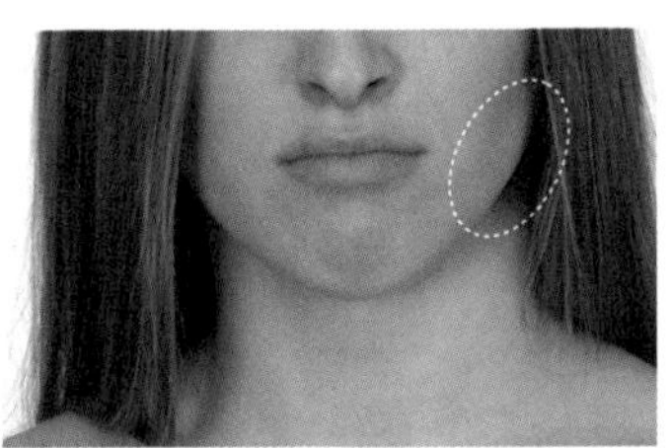

음식을 씹거나 입을 꽉 다물 때 사용하는 근육으로 측면에서 턱뼈가 튀어나온 맨 끝 쪽을 감싸고 있어서 얼굴의 바깥쪽과 아래쪽의 윤곽을 결정하는 데 중요한 근육이다. 이 근육이 발달하면 사각턱이 되고 얼굴이 커 보이기 때문에 요즘처럼 작은 얼굴이 대세인 시대에는 10대부터 이 근육을 퇴화시키기 위해 보톡스를 맞기도 한다.

이 근육은 뒤에서 자세히 설명하겠지만(302페이지 참고) 우리가 일반적으로 껌을 씹거나 음식을 씹어서 발달된 것보다는 입을 꽉 다무는 습관으로 인해 오랜 시간 힘을 주고 자신도 모르는 사이에 단련하고 있는 것이 문제이다. 특히 나이가 들면서 웃을 일도, 만나는 사람도 줄어들고, 혼자 입을 다물고 있는 시간이 늘어난다. 그럴수록 이 근육이 발달돼 턱이 점점 커지게 된다. 노인들이 공통적으로 하안면이 넓어 보이고 턱이 각져 보이는 것은 바로 이 입을 꽉 다무는 습관 때문이다.

네모공주가 되는 것도 표정근육의 변화가 제일 큰 원인이다

우리나라 사람들은 특히 작은 얼굴이 예쁘다는 고정관념을 가지고 있어서 얼굴이 커 보이는 것을 아주 싫어한다. 따라서 아름다운 얼굴을 만들어가는 과정 중 얼굴이 커져 보이느냐 작아 보이느냐는 매우 중요한 문제다. 대부분의 여성들은 나이가 들수록 사진을 찍으면 같은 몸무게임에도 불구하고 얼굴이 더 커져 보이는 것 때문에 신경을 쓰고 심지어는 사진을 찍는 것도 싫어한다. 나이가 들수록 얼굴이 점점 커져 보이는 이유를 종합하면 다음과 같다.

- 중안면 미소근육이 약화되면서 긴장도가 감소해 볼 정면의 볼륨이 감소한다. 입체감이 사라지는 것이다.
- 볼 부위 연부조직이 아래로 늘어지기 시작하면서 볼 정면의 볼륨

은 더욱 감소한다.

- 하안면에는 중안면에서 내려온 볼륨이 축적되어 볼륨이 더욱 증가한다.
- 하안면 입다물기 근육이 발달하면서 사각턱 근육(깨물근)이 커져서 양 옆으로 각져 보이고, 앞서 설명한(198페이지 참고) 입꼬리의 1 : 3의 법칙에 의해 턱끝근이 위로 올라가고, 입꼬리와 턱선은 더 늘어져서 하안면이 넓적하게 보이게 된다.

한 가지 재미있는 사실은 분명히 노화가 되면 얼굴 전체의 피부, 지방, 근육, 뼈 모든 조직의 볼륨이 감소한다고 했음에도 심지어 턱뼈 역시 크기가 줄어드는데도 불구하고 얼굴이 커져 보인다는 점이다. 이유는 턱뼈가 줄어든 것보다 사각턱 근육이 더 커지고, 턱선에 늘어진 연부조직이 더 많이 축적되는 되는 것이 중요하다. 하지만 젊었을 때의 입체적이던 윤곽이 중안면 볼륨이 지속적으로 감소하고, 하안면은 더 커져 보이게 변하면서 일종의 '착시효과'에 의해서 얼굴이 더 넓어져 보이는 것이다.

J. F. 미소를 완성하라

입을 다물고 웃으면 윤곽이 넓어지고 뚱뚱해진다

이처럼 입을 꽉 다무는 표정습관은 시간이 흐르면 흐를수록, 즉 나이가 들면 들수록 우리 얼굴표정은 물론 윤곽에도 부정적 영향을 미친다. 평소에 입을 다무는 습관과 관련해서 더 중요한 사항은 '입을 다문 채로 웃지 말아야 한다'는 것이다.

우리가 보통 웃음이라고 하면 입을 벌리고 볼을 위로 들어 올리면서 짓는 표정이라고 이해한다. 그리고 미소라고 하면 입을 다물고 입꼬리만 살짝 올리는 표정이라고 생각한다. 그러나 미소微笑는 글자 그대로 작은 웃음(작을 미微, 웃음 소笑)이다. 미소를 지을 때는 얼굴의 표정근육을 최대치로 사용하는 웃음과 비교해 강도만 약할 뿐 사용되는 근육의 움직임은 같아야 한다. 입술을 꽉 다물고 웃는 변형된 웃음은 제대로 된 미소근육을 사용하지 못하는 나쁜 미소이며 '썩소'에 지나지 않는다.

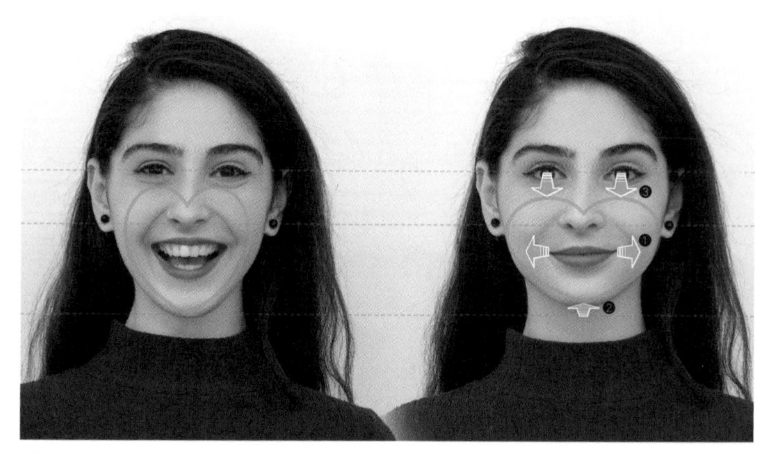

입다물고 웃는 습관은 입꼬리를 양옆으로 당겨주는 힘 때문에 하트-옆 라인을 옆으로 넓히고 (❶) 턱끝근에 힘이 들어가서 하트-꼭짓점을 위로 올린다.(❷) 입을 다무는 동작으로 볼을 위로 충분히 들어올릴 수 없으므로 하트-볼의 높이가 낮아지게(❸) 되므로 하트 윤곽이 전체적으로 키는 작아져서 찌그러지고 양옆으로 뚱뚱해진 모양으로 변형된다.

그렇게 입술을 꼭 다물고 웃게 되면 입꼬리의 양옆 가로 방향으로 힘이 가게 돼서 미소근육을 제대로 들어올릴 수 없게 된다. 더구나 입을 다물고 만들어내는 미소는 미소근육보다는 주로 입다물기 근육을 사용하는 것이고 특히 입꼬리당김근(5번)과 입둘레근(6번)을 사용한다. 이것은 입가에 주름만 많이 만들게 되는 움직임이다. 중안면 미소근육 중에서는 주로 미소근육 4번에만 그것도 광대뼈 쪽의 힘센 몸통 쪽이 아니라 힘이 약한 아래쪽에 힘이 가면서 볼 위쪽 앞광대 부분이 아닌 아래 측면 부분에 볼륨이 생긴다(140, 141페이지 참고). 이 역시 얼굴이 옆으로 커져 보이게 된다.

젊고 입체감 있는 하트 모양 윤곽의 입장에서 보면 하트의 위쪽 볼록한 부분이 위로 통통하게 올라가지 못하고 낮은 위치로 내려오고 하트의 옆선이 옆으로 넓어지고 입을 다물기 때문에 하트의 아래 꼭짓점도

입을 다물고 웃게 되면 미소근육은 퇴화 돼 볼 정면은 밋밋해지고 아래로 늘어져서 인중이 길어지며 윗입술이 얇아진다. 그뿐만 아니라 팔자주름도 더 빨리 생길 수 있다.

위로 올라가게 된다. 결국 입을 다물고 웃는 변형된 미소는 우리가 지향하는 날씬하고 작은 입체감 있는 동안 윤곽과 전혀 동떨어진 하트 윤곽의 아래 꼭짓점이 뭉툭해지고, 하트의 높이는 낮아지고 옆으로 뚱뚱한 찌그러진 하트 윤곽을 만들게 되는 것이다(82페이지 참고).

무엇보다 하루에 밝은 표정을 지을 수 있는 시간은 고작 4시간도 채 안 되고 크게 웃을 수 있는 것도 5~10번 남짓이다. 이 귀한 기회를 변형된 웃음을 짓게 되면 볼 정면의 미소근육 2, 3번이 꿈쩍도 하지 않기 때문에 미소근육을 강화하는 데 도움이 되지 않는다. 따라서 윗입술을 위로 올려주는 미소근육은 퇴화돼 늘어지고 인중이 길어지며 윗입술의 바깥쪽은 가늘어지는 등 모든 나쁜 패턴을 가져오는 최악의 습관이다.

입이 나왔다거나, 치아가 돌출됐다거나, 치열이 바르지 못하다거나, 치아가 변색됐다거나 하는 아주 사소한 콤플렉스가 입을 다물고 웃는 습관을 만든다. 사소한 콤플렉스 때문에 웃을 때 당연히 위로 올라가야 하는 미소근육을 쓰지 못하고 엉뚱한 곳으로 힘이 가게 된다면 얼굴 변형과 노화가 더욱 촉진될 수 있다는 점을 기억해야 한다.

'입다물고 웃을 바에는 차라리 웃지 않는 것이 더 낫다. 그러니 웃을 일이 있으면 입을 벌리고 활짝 웃자.'

입을 벌리고 웃으면 눈가에 주름이 생기지 않는다

그런데 웃을 때 눈가에 주름이질까 봐 눈꼬리를 손으로 붙잡는 분들이 있다. 인상클리닉을 하다 보면 자주 듣게 되는 질문이 있다. 밝은 표정을 짓고 웃게 되면 눈가와 입가에 주름이 많이 생기지 않나요? 그래서 근육운동을 소홀히 하시는 분들이 많다.

결론부터 말하면 정확한 미소의 방향으로, 즉 태어날 때 가지고 태어난 근육의 패턴으로 표정을 지을 수 있다면 오히려 입가는 물론 눈 주위의 여러 가지 방향의 주름도 예방되거나 개선된다. 입가에 주름이 많이 생기는 이유는 웃을 때 입꼬리를 아래 방향으로 내려주거나 (197페이지 참고, 입다물기 근육 2,3,4번) 입꼬리를 수평 방향으로 당겨주는 (199페이지 참고, 입다물기 근육 5번) 힘이 필요 이상으로 많아서 생기는 현상이다. 눈가 주름은 미소근육의 위쪽 광대뼈 부위에 붙게 되는 몸통의 힘이 약하다 보니 볼을 위로 들어 올리기 위해서는 부득이하게 미소근육 1, 2, 3번 위 얕은 층에 넓게 분포하고 있는 눈둘레근을 강하게 수축해서 볼의 위쪽을 들어 올리려다 보니 눈 주위 주름이 많아지는 것이

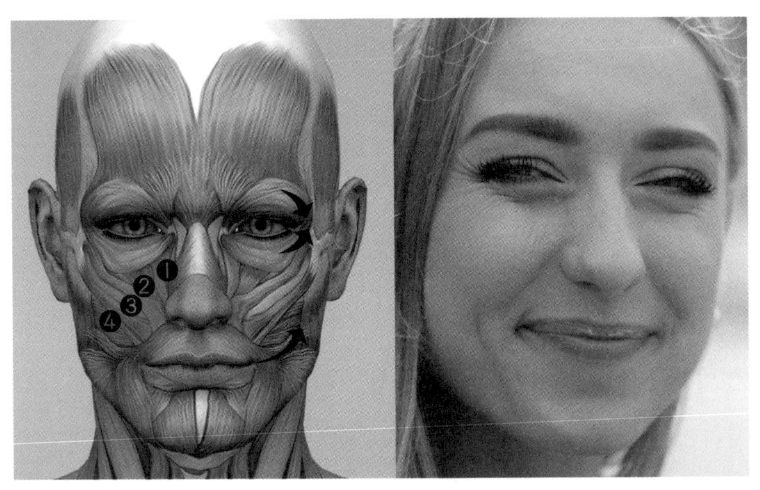

입으로 웃는 사람들은 입가의 근육과 눈둘레근이 발달하면서 입가와 눈 주위에 많은 주름을 만들어낸다.

다. 즉 미소근육을 위로 들어주는 힘이 약한 사람들이 눈가에 주름이 많아지게 된다.

일부 사람들은 웃을 때 콧등이나 눈의 안쪽 꼬리 부분에 주름이 많이 생긴다. 볼 정면을 수직으로 올려주는 미소근육 2번의 힘이 약한 상태에서 볼을 위로 올려주는 힘의 일부가 미소근육 1번과 코 쪽으로 비스듬한 방향으로 향하면서 눈둘레근의 안쪽에 힘이 집중되기 때문이다. 그러다 보니 눈 안쪽에 화살표 모양의 쪼글쪼글한 잔주름이 생기고 콧등 방향으로 힘이 향하면서 콧등에도 주름이 생긴다. 만일 아이들처럼 미소근육 2번을 위쪽으로 정확하게 올려 주는 표정습관이 있는 사람이라면 눈가나 콧등의 주름은 오히려 잘 생기지 않는다. 따라서 J. F. 표정근육 트레이닝은 눈가나 콧등 주름의 예방과 치료에 가장 중요하다.

7 : 2 : 1 – J. F. 미소를 완성하라!

보통 "스마일Smile" 하면 떠오르는 이미지가 있다. 우리는 사진 찍을 때 "김~ 치~" 혹은 "치~즈~" 하는 것처럼 입꼬리를 양옆으로 벌리며 윗니만 살짝 드러낸 상태를 흔히 미소라고 생각한다. 그런데 이렇게 힘이 입꼬리의 옆으로 많이 당겨지는 미소는 이 책에서 지향하는 미소가 아니다. 웃을 때 입꼬리에 작용하는 힘은 크게 수직 방향인 위쪽을 향하는 힘과 수평 방향인 옆으로 향하는 힘 두 방향이다. 힘의 크기는 단연 수직 방향의 힘이 크지만 상대적으로 수평 방향의 힘이 큰 미소는 바람직하지 않다. 그 이유는 수평 방향의 힘이 크면 클수록 아래위 입술은 서로 맞닿으려는 힘이 작용해서 입이 다물어지는 힘을 받게 된다. 그 결과 아래 턱 끝은 위로 올라가고 볼은 충분히 위로 올라가기 어려워진다. 수평 방향의 힘이 클수록 하트-윤곽 은 변형되기 시작한다.

이 책에서 지향하는 좋은 미소는 모든 인류가 태어날 때부터 자연스럽게 지었던, 중안면 미소근육을 위로 올리는 힘이 도드라져 보이는 '기쁨과 행복이 가득한 진짜 미소'이다. '쥬빌런트 페이스'란 '기쁨과 행복이 가득한 얼굴'을 의미하며, 이런 얼굴을 만드는 미소가 바로 'J. F. 미소'다. 'J. F. 미소'의 전형적인 표정은 여배우 고현정 씨나 김남주 씨의 미소에서 잘 나타난다. 고현정 씨는 다른 여배우들에 비해서 웃을 때 입이 위아래로 많이 벌어지는 편이다. 그래서 아랫니가 보이는 때도 있고 잇몸이 드러나는 때도 있다. 미소근육의 가장 위쪽 부분까지 수축되므로 눈 밑 애교살이 도드라져 보여서 때로는 눈이 작아 보이기도 한다. 하지만 그녀의 미소는 보는 사람까지 기분 좋게 만드는 진

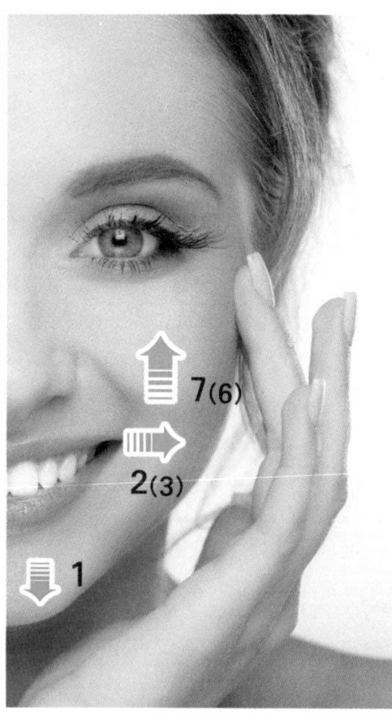

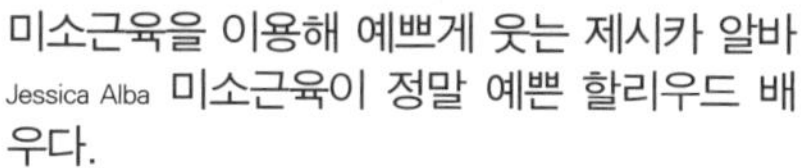
미소근육을 이용해 예쁘게 웃는 제시카 알바 Jessica Alba 미소근육이 정말 예쁜 할리우드 배우다.

짜 미소의 힘을 가지고 있다. 완벽하게 재현된 'J. F. 미소'야말로 사람들을 매료시키고 행복감을 강렬하게 전파하는 표정이 되는 것이다. 이런 'J. F. 미소'가 행복한 느낌을 주위 사람들에게 더 크게 전파할 수밖에 없는 이유는 3장에서 자세히 소개할 것이다.

'J. F. 미소'를 완성하기 위해서는 7(6) : 2(3) : 1의 힘의 분배가 중요하다. 미소근육을 위로 올리는 힘이 7(6), 입을 자연스럽게 옆으로 벌리는 힘이 2(3), 턱끝을 아래로 내리는 힘이 1이 되도록 힘을 분배하는 것이다. 완벽한 'J. F. 미소'를 만들기 위해서 거울 앞에 앉아서 7대 2대 1의 힘의 분배를 기억하며 4장에서 소개할 J. F. 표정근육 트레이닝을 통해 바른 표정자세를 생활화하는 것이 중요하다. 몸꽝에서 몸짱으로 거듭나듯 시간이 지나면 얼꽝에서 얼짱으로 거듭날 수 있다. 몸짱이나 얼짱이나 비밀은 모두 '근육'에 있다.

Image

3장

미소 스위치를 올려라

노화는 되돌릴 수 있다

환갑을 눈앞에 둔 백발의 남성이 거울 앞에 섰다. 거울 앞으로 툭 튀어나와 있는 배와 퍼질 대로 퍼져서 원래 모양을 알아보기 어려운 얼굴을 보니 한숨이 절로 나왔다. 게다가 검은 눈 밑과 늘어진 살들은 "나 지금 너무 피곤하거든!"이라고 외치는 듯 보였다. 정말 몸 상태도 좋지 않았다. 남자는 자신의 직업이 부끄러워졌다. 다른 사람의 건강을 챙기며 운동하라, 잘 챙겨 먹어라, 휴식을 취하라고 잔소리를 해대는 세계적으로 인정받는 항노화 의사로서 자신은 정말 빵점짜리라는 생각이 들었다.

표정근육은 늙지 않는다

그 남자는 누군가는 살 만큼 산 나이라고 할 수도 있지만 이렇게 피곤에 절어 망가진 몸으로 죽음을 맞고 싶지는 않았다. 이전과는 다른 삶을 살아야겠다고 결심했다. 그래서 선택한 것이 운동과 식이 조절이었다. 가벼운 조깅부터 다양한 근력 운동까지 자신의 몸을 되돌릴 수 있는 것이라면 무엇이든 적극적으로 했다. 먹는 것을 줄이자 몸은 조금씩 가벼워졌다. 그리고 1년 만에 남성은 자신이 이전과는 완전히 다른 사람이 됐다는 것을 확신했다. 남성은 용기를 내 '삶을 위한 몸' 사진 콘테스트에 나가보기로 했다. 그리고 60대 고령에 모두를 깜짝 놀라게 하며 최종 우승자가 됐다.

이 남자가 바로 지금은 너무도 유명해진, 미국의 노화 전문 의사 제프리 라이프Jeffry S. Life다. 현재까지 제프리 라이프는 70대 중반의 할아버지라고는 믿기지 않을 정도의 근육질 몸매를 자랑하고 있다. 그리고 그는 자신의 삶을 통해 우리에게 커다란 가르침 하나를 주었다. 나이가 들면 누구나 똑같이 늙는다는 것은 우리의 상식일 뿐 우주가 만들어 놓은 절대 불변의 법칙은 결코 아니라는 진실 말이다.

그렇다면 얼굴의 노화는 어떨까? 이쯤 되면 여러분도 그 답을 알 수 있을 것이다. 얼굴 역시 오래도록 젊음을 유지하는 비결은 바로 자기 자신에게 있었던 것이다. 그리고 이 아름다움은 단순히 돈으로 살 수 있는 가벼운 아름다움이 아니다. 그리고 이렇게 젊고 생기 있는 얼굴을 추구하는 이유는 단순히 외모를 너무 중요하게 생각해서가 아니라 행복한 삶을 살기 위한 조건으로 좋은 얼굴을 의미한다. 그 건강과 젊음을 오래도록 유지하려면 몸도 얼굴도 근육이 가장 중요하다는 믿음이 결국 인상클리닉을 세상에 탄생시켰다.

인상클리닉을 알게 된 당신은 정말 운이 좋은 사람이다. 한 번뿐인

닥터 제프리 라이프의 몸짱으로 변하는 모습. 나이가 들면 피부, 지방, 근육, 뼈 모든 조직의 부피가 줄어든다. 지방의 경우에는 원하는 부위는 빠지고 반대로 빼고 싶은 부위는 자꾸 늘어난다. 그러나 오로지 근육만이 내 의지에 따라 원하는 부위만 선택적으로 발달시켜 부피를 키울 수 있다. 젊음을 대변하는 한 단어는 바로 에너지고 그 에너지는 바로 이 근육에서 나온다. 그래서 모두 젊고 건강하게 살기 위해 근육 운동을 하는 것이다. 몸은 물론 얼굴의 젊음의 비결도 바로 모두 근육인 것이다. 근육이야 말로 신이 주신 젊음의 선물이다.

인생에서 예전보다 생기 있고, 무엇보다 표정근육을 알기 이전보다는 더 행복하게 살아갈 것이니 말이다.

허리가 아픈 사람에게 의학적 시술과 함께 재활운동과 자세교정이 반드시 필요하듯 항노화 미용 시술과 함께 표정근육 재활치료(인상클리닉)를 하면 정말 큰 효과가 있다

J. F. 인상클리닉의 효과에 먼저 반응하고 먼저 환호한 것은 미용치료를 선택한 의료 소비자들이다. 사람들은 인상이 바뀌면서 젊음과 생기가 돌아오고 더불어 삶이 행복해졌다고 고백한다. 젊어질 기회뿐만 아니라 삶을 돌아볼 기회를 주어 고맙다는 인사까지 하곤 한다. 인상클리닉은 젊은 얼굴은 물론 삶까지 행복하게 만드는 치유의 과정인 것이다.

표정근육은 노화를 이기는 신의 선물이다

인상클리닉을 통해 사람들이 좋아지는 모습을 보면서 깨달은 것이 있다. 신께서 험한 세상에 인간을 내려보내실 때 행복의 '파랑새'도 함께 보내셨다는 것이다. 그 파랑새는 바로 '근육'이다. 우리를 걷게 하고 숨쉬게 하고 웃을 수 있게 해주는 '근육'이야말로 우리 몸에 내재된 젊음과 생명 그리고 아름다움의 원천이다.

호호 할아버지에서 몸짱 스타가 된 닥터 제프리 라이프는 "건강한 육체에 건강한 정신이 깃든다."고 말했다. 실제 몸을 변화시킨 사람은 정신까지 건강해지는 것을 느낀다. 인상클리닉을 하는 우리 고객들도 마찬가지다. 몸의 근육을 단련해 몸의 형태를 바꿔버린 사람들처럼 표정근육을 단련해 인상을 바꾸고 다시 젊고 생기 있는 얼굴로 변한 많은 사람들이 "전보다 더 활력 있고, 더 자주 웃으며, 더 행복해졌다."라고 고백한다.

누구나 복근을 가지고 있지만, 모두가 초콜릿 복근이 아니듯 우리 모두가 표정근육을 갖고 있지만 좋은 표정습관을 가진 성인은 많지 않고 더욱이 표정습관이 얼마나 중요한지, 또 표정근육을 잘 활용하면 어떠한 변화가 찾아오는지도 알지 못한다. 하지만 표정근육이 신이 우리 인간에게 주신 귀한 선물이라는 것을 자각하고 나면 그 변화는 놀라워진다.

지난 15년간 상대방에게 좋은 감정을 전달하는 표정근육을 단련하도록 고객들을 설득하고 훈련시킨 결과 수많은 기적을 경험할 수 있었다. 표정근육에 신경을 쓰기 시작한 사람들은 '우울한 기분에 빠져들 기회(?)'를 점점 잃어간다는 것이다. 사람들은 항상 '은 자세(325페이지 참고)'로 깨어 있고자 노력했고, 평상시 표정근육에 신경을 쓰며, 평상시 표정을 점검하는 기회가 많아지자 잡념에 빠져 우울한 무드에 갇히는 시간이 줄어들었다. 자연스럽게 찌푸리거나 인상을 쓰는 표정이 점점 줄어들었고 그 사이 노화로 진행되던 얼굴 윤곽 변화가 멈추고 근육은 항노화의 방향으로 역전됐다.

인상클리닉을 통한 변화는 시간에 비례해 점차 두드러졌다. 1년쯤 지나자 몰라보게 달라진 새로운 얼굴에 감탄하기도 했다. 이런 귀한 감동을 진료실 안에서만 공유하는 것이 안타까워서 2006년부터 세상과 소통하기 위해 진료실 밖으로 나갔다. 고객분들이 소개해준 관공서, 학교, 기업체, 교회, 성당, 병원 등 어디든 요청이 있으면 달려가서 '내게 줄 수 있는 최고의 선물 - 행복한 미소'라는 제목의 강의를 통해 확실한 항노화의 이론과 생생한 경험들을 나누며 더 많은 사람이 스스로의 노력을 통해 보다 행복한 삶을 살 수 있도록 돕고 있다.

그중 한 분이 아직도 기억이 난다. 2006년 서울지역 공무원을 상대

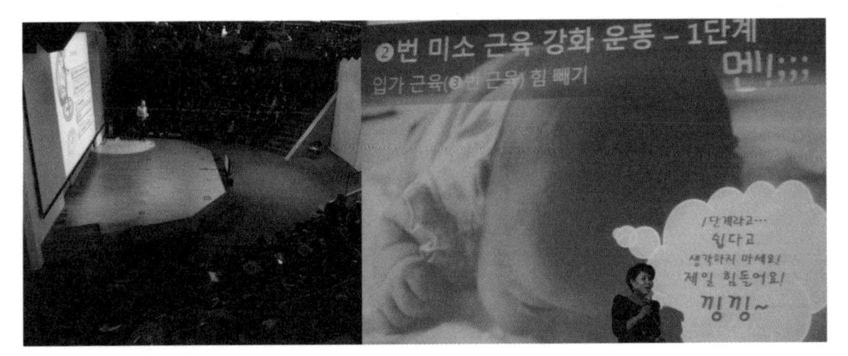

KT 임원진을 대상으로 한 인상클리닉 강의.

로 한 강연장에 찾아왔던 30대 중반의 여성분은 직접 이메일을 통해 자신의 변화된 모습을 사진으로 남겨주었다. 평소 "기분이 안 좋아?" "무슨 안 좋은 일 있어?"라는 질문을 많이 들었던 그 여성은 강의에서 받은 감동에 용기를 얻어 직접 병원에 전화를 걸어왔다. 궁금한 것을 질문한 뒤에 자신이 제대로 하고 있는지 체크를 부탁해도 되겠느냐고 물어왔다. 그 후 이메일로 온라인 교육을 했고 그 여성분은 열심히 표정근육 트레이닝을 따라했다. 그리고 한 달마다 도착한 사진에는 변화해가는 여성의 얼굴이 담겨 있었다. 1년이 지났을 때 그 여성분은 "얼굴이 젊어 보이고 좋아 보이는데 무슨 일 있어?"라는 이야기를 너무나 많이 들어서 질문을 하는 사람들에게 내가 보내준 미소 스티커를 나눠주고 있다고 했다.

사실 이 책에는 병원에 전화를 걸어온 여성분에게 알려준 것보다 10배는 더 구체적이고 세세한 표정근육 트레이닝 실전 운동법들이 담겨 있다. 몇 달에 걸쳐 지면으로 정리한 설명들이 눈에 보기 좋게 편집돼 있다. 누구나 따라 할 수 있고 누구나 운동법대로만 한다면 쉽게 할 수 있다.

당신 역시 근육이야말로 신이 인간에게 준 선물이라고 동의한다면 그 변화는 놀라울 것이다. 근육은 가난하다고 적고 부자라고 많은 것이 아니다. 여성이라고 적고 남성이라고 특별히 많은 것도 아니다. 타고난 차이는 있지만 태초에는 적당하게 배분을 해서 주셨고 잘 사용하는 법도 알려서 보내주셨다. 그러나 우리는 이 신의 선물을 잘 사용하지 않고 노화의 길을 걷고 있다.

얼굴에 칼을 대는 수술은 많은 부작용이 있다. 수면마취와 전신마취로 위험에 처한 환자도 매해 십여 명에 달한다. 표정습관을 교정하는 과정은 위험을 무릅쓸 이유는 물론 따로 많은 시간을 들일 필요도 없고 돈조차 들지 않는다. "늙는 건 싫지만 돈이 없으니 할 수 있는 게 없다." 하는 핑계 역시 통하지 않는다. 이제 당신도 신의 선물을 받을 준비가 되어 있기를 진심으로 바란다.

표정근육을 바꿔야 윤곽을 복원할 수 있다

지금쯤이면 노화란 윤곽의 변화란 것에 이의가 없을 것이고 윤곽의 변화를 가져오는 가장 큰 요인이 바로 표정근육의 변화란 것도 이해가 될 것이다. 중안면 볼륨의 감소와 늘어짐을 결정하는 것도 결국 미소근육의 긴장도가 감소하기 때문이다. 그리고 그 결과 연부조직이 아래로 이동한 것이 하안면에 축적되어 늘어져 보이는 것이다. 미소근육이 퇴화되는 동안 입다물기 근육은 강해지고 특히 깨물근이 강해져서 얼굴이 각져 보이고, 입가의 입다물기 근육 1번 턱끝근이 위로 올라가 턱끝의 하트-꼭짓점이 뭉뚝해지고, 인접한 입다물기 근육 2, 3, 4번의 내려가는 움직임으로 인해(198페이지 1:3현상 참고) 입꼬리와 턱선이 아래로 더 내려가므로 얼굴의 하안면 윤곽이 전체적으로 넓고 둔탁하게 변하는 것이다. 이처럼 중안면 미소근육과 하안면 입다물기 근육은 서로 시소 게임Seesaw Game처럼 반대 방향으로 퇴화와 발달을 하게 된다. 따라서 중안면과 하안면의 윤곽복원 시술을 위해서는 두 부위를 동시에 조화롭게 복원하는 것이 중요하다.

입다물기 힘이 강해서 하안면이 넓적하고 각져 보이는 얼굴인데 볼 정면이 통통하게 보이기는 어렵다. 입다물기 근육이 강해지는 동안 미소근육은 퇴화되는 것이 당연하기 때문에 볼 정면은 밋밋하게 보이는 것이 정상이다. 그런데 볼 정면이 통통하다는 것은 무언가 인위적으로 채워진 결과라는 것을 금방 유추할 수 있다. 그리고 이것은 표정근육과 윤곽에 대해 전문가가 아닌 일반인이 봐도 무엇인가 어색함을 금방 느낄 수 있다. 우리 눈은 본능적으로 어색함과 자연스러움을 구분해 낼 수 있다. 이때 가장 큰 어색함은 표정근육의 퇴화와 발달 정도와 그에 따른 윤곽과 볼륨의 상태가 서로 조화롭지 못하기 때문이다. 노화로 인한 윤곽 변화의 70% 이상을 결정하는 것도 바로 표정근육의 변화이다. 따라서 윤곽을 복원하는 과정에서 표정근육을 다시 어린 시절의 건강한 패턴으로 재활하지 않고서는 자연스러운 복원은 불가능하다.

표정과 감정은 서로 연결돼 있다

너무 당연한 이야기인 거 같지만 감정이 생기면 어떠한 생각이나 판단없이 표정으로 드러나게 마련이다. 그렇다면 반대로 표정을 짓는 것이 감정에는 역으로 어떠한 영향을 줄 수 있을까? 먼저 표정을 만드는 인간의 감정에 대해 자세히 살펴보고 표정과 감정의 상호관계에 대해 알아보자.

표정과 감정은 제로 상태가 없다

우리말에 슬픔과 기쁨처럼 감정을 나타내는 단어는 약 40개가 있다고 한다. 우리의 감정이란 희로애락과 같은 아주 분명한 감정도 있지만, 또 말로 표현하지 못할 복잡 미묘한 아주 여러 가지 감정도 있다. 그런데 심리학자들이 밝혀낸 바로는 우리의 감정이 아무리 복잡미묘해

우리의 표정은 동전의 양면과 비슷하다. 플러스(+) 모드인 미소근육이 퇴화되면 시소 놀이처럼 반드시 마이너스(-) 모드인 부정적 감정을 대표하는 '찡그리기 근육'과 '입다물기 근육'이 강화된다. 고약한 인상을 가진 노인으로 늙고 싶지 않다면 평소 미소근육을 많이 쓰며 생활해야 한다.

도 모든 감정은 '긍정적인 감정'이거나 아니면 '부정적인 감정'으로 정확히 '이분법'으로 나눌 수 있다는 것이다. 즉 긍정적이면서 부정적이거나 혹은 긍정도 부정도 아닌 제로Zero의 감정은 없다. 감정이란 플러스+ 영역이나 아니면 마이너스 - 영역이지 0인 것은 없다는 것이다.

인류학자들은 모든 인류가 같은 감정일 때 똑같은 표정을 짓는지 궁금해했다. 찰스 다윈Charles R. Darwin은 1872년에 긍정적인 감정과 부정적인 감정일 때 보이는 인류 표정의 공통점을 언급했다.[21] 모든 인류는 긍정적인 감정을 느끼게 되면 중안면의 미소근육이 올라가면서 볼이 살짝 올라가고 반대로 부정적인 감정이 있을 때는 미간과 입에 힘을 주게 된다는 사실을 최초로 소개한 것이다.

아기의 화난 얼굴이 전형적인 부정적 감정을 나타낸 표정이다. 말

손자의 손을 잡고 평소처럼 걸어가는 할머니. 마치 화가 난 듯한 할머니의 모습은 사실 평상시 할머니의 표정습관이다. 이것이 굳어져 이런 부정적 인상으로 고정돼 본인이 인식하는 감정과 달리 화가 난 것이 아닌가 하는 오해를 받기도 한다. 이에 반해 아기의 표정은 언제나 마치 웃는 듯한 느낌이 날 뿐만 아니라 표정과 감정의 상태가 분명하게 나뉘어진다.

못하는 아기의 얼굴은 불편을 호소할 때는 부정적인 감정을 극대화로 표출하게 된다. 무표정한 아기들을 본 적 있는가? 아기의 표정은 언제나 웃거나 울거나 둘 중 하나이다. 입을 다물고 무표정한 표정을 짓는 아기들을 본 적이 없다. 이 아기들의 표정이 인간이 가지고 있는 가장 자연스런 표정이다. 3D 애니메이션 「인사이드 아웃Inside Out」의 주인공 라일리처럼 인간은 처음 태어날 때는 '슬픔이'와 '기쁨이'의 두 가지 감정만을 가진 셈이다. 그러나 태어남과 동시에 아기들에게는 삶의 일상이 시작된다. 하루에도 수백 번 웃던 아기가 커가면서 원하는 대로 되지 않고 하기 싫은 일도 해야 하면서 점차 미소를 잃어간다. 또 저마다의 이유로 입을 다무는 것에 익숙해지기 시작한다.

나이 든 분들의 주름진 얼굴을 보면 그분들이 살아온 인생을 알 수 있다는 말을 자주 한다. 얼굴 어느 곳에 주름이 많은지에 따라 평소 어떤 표정을 많이 짓고 살아왔는지, 그 표정은 어떤 감정이었는지를 알 수 있기 때문이다. 사진에서 미간에 잔뜩 주름이 잡힌 할머니를 보면 어떤 느낌을 받는가? 그런데 사진의 할머니는 화가 나신 것이 아니라 그저 '무심히' 길을 가시는 모습임에도 미간과 입에 힘이 많이 들어가 있다. 부정적인 감정을 표현할 때 쓰이는 찡그리기 근육과 입다물기 근육을 무의식적으로 자주 사용하다 보면 그곳에 기본 긴장도가 높아져 사진과 같은 표정으로 굳어지게 된 것이다.

더욱더 안타까운 것은 부정적인 표정으로 굳어진 사람들은 기쁠 때도 잘 웃지 못한다는 것이다. 그 긴 시간 동안에 긍정적인 표정을 만드는 중안면 미소근육이 퇴화돼서 잘 움직이지 못하게 되기 때문이다. 마치 오래도록 병상에 누워 있다가 혹은 다리에 깁스를 오래 하고 있다가 다시 걸으려 하면 다리 근육이 약해져서 쉽게 걸을 수 없는 것과 같은 이유이다. 이 경우 충분한 재활치료를 통해 다시 걸을 수 있는 것처럼 우리 중안면 미소근육도 다시 단련하면 좋아진다.

미소근육이 퇴화되면 그 퇴화된 정도에 비례해서 반대로 부정적인 입다물기 근육과 찡그리기 근육의 강화가 반드시 동반된다. 긍정적인 표정이 줄어들면 긍정적인 감정 역시 줄어들게 된다. 무표정이라는 부정적인 표정(170, 185페이지 참고)을 계속하게 되는 것은 우리 감정을 위해서도 절대 좋지 않다. 거꾸로 미소근육의 강화는 반드시 입다물기 근육과 찡그리기 근육의 퇴화를 동반하게 되며 긍정적인 표정을 통해 긍정적인 감정 역시 많아지게 된다.

그래서 평상시에도 거울을 가까이하는 습관을 길러야 한다. 거울 왕자, 거울 공주가 돼서 자신의 표정을 항상 교정하는 습관을 기르도록 하자. 생김새를 보라는 것이 아니라 어떤 표정을 짓고 생활을 하는지,

가능하면 보다 행복하고 좋은 표정을 지을 수 있도록 자주 확인하는 것이 좋은 인상을 만들고 좋은 삶을 만드는 데 도움이 된다.

슬퍼서 우는 것이 아니라 우니까 슬퍼진다

표정이 감정의 지배를 받는다는 것은 두 말할 필요가 없다. 그렇다면 거꾸로 표정을 짓는 것이 감정에도 영향을 줄 수 있을까? 웃으면 정말 복이 올까? 이런 인류의 궁금증은 과학 이전에 문학작품에서 먼저 소개된 바 있다. 500여 년 전 윌리엄 셰익스피어William Shakespeare의 작품 『헨리 5세』에는 전투 전에 병사들의 사기를 극적으로 북돋는 연설 장면에 다음과 같은 표현이 나온다.[22]

"병사들이여! 순한 성품을 무섭게 성난 표정으로 가장하라. 눈을 무섭게 번뜩여라! 눈 위에는 눈썹을 치떠 엄하게 보이는 거다. 자, 이를 다물고 코를 넓혀 숨을 힘껏 들이마셔 용기를 최대한으로 발휘하는 거다! 돌진이다." 불안에 떠는 병사들에게 용맹한 호랑이의 표정을 본뜨게 함으로써 불안한 마음을 용기로 바꿀 수 있음을 보여주고 있다.

1844년 에드거 앨런 포Edgar Allan Poe는 단편소설 『도둑 맞은 편지』[23]에서 "상대방이 지금 생각하는 것을 알려고 할 때는 우선 자신의 표정을 가능한 정확하게 상대방의 표정과 비슷하게 만들고 어떤 감정이 자기 마음에 떠오르기를 기다리면 된다."라는 표현을 통해 역시 표정을 짓는 것만으로도 그 표정과 연결된 감정을 유발할 수 있음을 시사하고 있다.

과학의 영역에서는 찰스 다윈[21]이 1872년 처음으로 전 세계를 여행

표정이 감정을 지배를 받는다는 것은 두 말할 필요가 없다. 반대 역시 그러하다. 이미 우리는 많은 문학작품과 예술을 통해 그것을 경험적으로 알고 있다.

하며 조사한 내용을 발표했다. 즉 여러 대륙의 여러 나라 사람들이 동일한 방식으로 표정을 짓는다는 것과 심지어는 고등한 동물들의 일부도 인간과 비슷하게 표정을 짓는 것을 통해 '표정과 감정은 인간의 진화 과정에서 매우 긴밀하게 연관돼 있으므로 서로에게 상호 밀접한 영향을 줄 것이다.'라는 가설을 소개한 것이다. 그 이후 100여 년이 지나서야 많은 과학자들에 의해 보다 구체적인 연구가 시작됐다.

미국 심리학회의 초대 회장인 윌리엄 제임스William James[24]는 인간의 감정과 표정의 관계에 대해 대단히 특별한 발언을 남겼다. "슬퍼서 우는 것이 아니라 우니까 슬퍼지는 것이다." 그는 감정이 먼저 있고 얼굴 표정을 짓게 되는 것이 아니라 자극에 의해 표정이 반사적으로 나타나

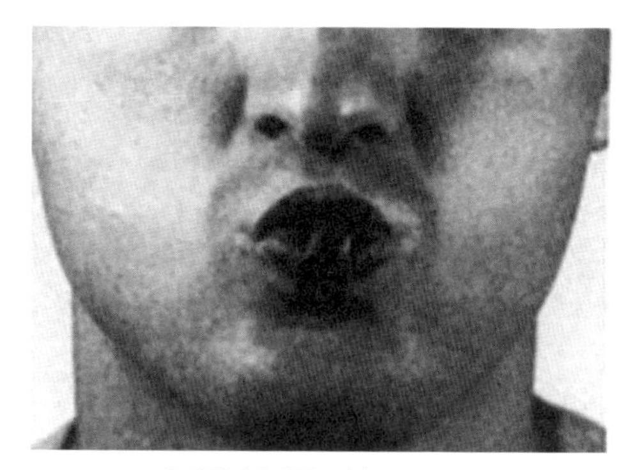
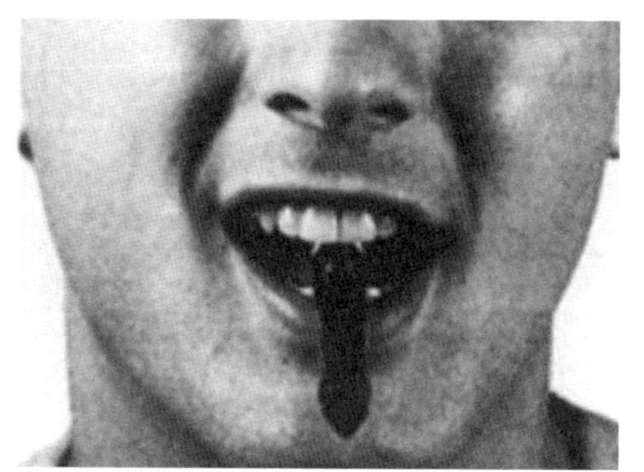

(왼쪽) 볼펜을 입술로 물고 부정적인 표정을 흉내 낸 모습. (오른쪽) 볼펜을 치아로 물고 긍정적 표정을 흉내 낸 모습. (출처 : 슈트라크와 마틴, 1988)[29]

고 그 표정이 개개인이 느끼는 감정을 좌우하게 된다고 주장한 것이다. 그의 주장은 현대에 들어와 심리학자들 사이에서 '안면 피드백 가설Facial Feedback Hypothesis'이라는 이론으로 받아들여져 왔다.[25] 구체적으로는 '즐거워서 웃는' 것이 아니라 '웃음이 즐겁다는 감정을 이끌어낸다'는 역방향의 실험을 통해 가설을 검증하려 시도했고, 지금은 이미 가설이 아닌 사실로 인정되고 있다.

1988년 독일의 심리학자 프리츠 슈트라크Fritz Strack와 레너드 마틴Leonard Martin 등[26]은 피험자들에게 한 그룹은 볼펜을 입술로 물게 하고 한 그룹은 치아 사이에 볼펜을 물게 했다. 그리고 이 상태에서 두 그룹에게 똑같은 만화를 보여주고 나중에 얼마나 재밌게 봤는지 평가해보도록 했다. 결과는 치아로 볼펜을 물고 있던 그룹이 훨씬 더 재밌게 보았다고 평가했다. 이유는 치아 사이에 볼펜을 무는 표정이 웃는 표정과 비슷했기 때문이다. 슈트라크 박사는 결국 억지 웃음이라고 해도 웃는 표정을 지으면서 경험한 것에 대해 더 긍정적인 평가를 내린다는 결과를 도출해냈다. 슈트라크 박사는 이 실험을 통해 표정을 만들 때 사용되는 표정근육의 움직임이 우리 뇌의 감정을 유발하는 데 중요한 작용을 한다는 점을 밝혀낸 것이다.

'행복해서 웃는' 것이 아니라 '웃으니까 행복해지는' 것이라는 가설은 뇌과학적으로도 증명되고 있다.[27, 28] 웃는 얼굴과 같이 볼의 미소근육을 올리는 긍정적인 표정을 지으면 우리 뇌에서 도파민과 세로토닌이 활성화되는데 이것들은 뇌의 쾌락과 관련된 신경전달 물질로서 '행복 호르몬'이라고도 불린다. 즉 의식적으로 긍정적인 표정을 짓는 것만으로 우리 뇌는 행복하다고 느끼는 것이다.

미간 주름은 '불행 더듬이'이다

시간이 남을 때 무슨 일을 하는지 묻는다면 '스마트폰을 들여다본다'는 사람이 압도적으로 많다. 스마트폰은 자투리 시간을 유효하게 사용하는 데 아주 좋지만 과도한 사용은 눈 건강뿐 아니라 표정습관에도 좋지 않은 영향을 미친다. 작은 화면에 무리하게 시선을 맞추어 고정하다 보면 자신도 모르는 사이에 미간에 주름이 잡히는 사람이 많다.

평상시에는 미간에 힘을 주는 버릇이 없는 사람도 스마트폰을 들여다볼 때는 미간에 주름이 잡히는 경우가 많다. 평소의 아주 사소한 습관 하나가 당신의 인상을 좌우한다는 점을 기억하고 스마트폰을 볼 때도 자신의 표정을 의식하도록 노력해보자. 이왕이면 중안면을 살짝 긴장시킨 아름다운 '좋은 미소'를 살짝 머금고 자투리 시간을 보내보는 것은 어떨까?

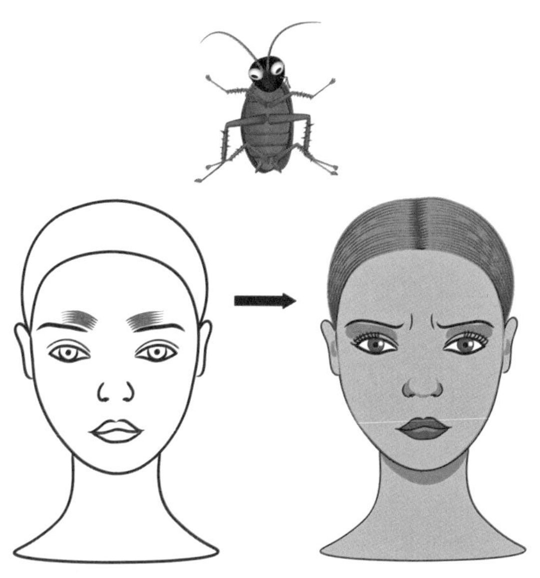

미간 주름은 불행 더듬이. 절지동물은 머리 부분에 있는 감각기관인 더듬이가 있어야 후각, 촉 각 따위를 감지하고 먹이를 찾아 살아갈 수 있다. 반면 인간의 미간 주름은 부정적 감정을 인지하고 활성화 되기 때문에 발달한 만큼 더 불행한 감정만 느끼게 할 뿐이다. 다시 말해 불행 더듬이를 퇴화시키면 퇴화시킬수록 긍정적 삶을 살아갈 수도 있다는 것이다. 주름살도 없애고 말이다.

표정심리학의 대가 폴 에크먼Paul Ekman 박사[29]는 사람의 얼굴에는 43개의 근육이 있고 그 근육이 만들어낼 수 있는 표정은 10만 가지가 넘는다고 주장했다. 그는 우리가 표정을 지을 때 뇌의 어떤 부분이 활성화되는가를 스캐닝해 감정과 표정의 관계를 밝혀냈다. 그가 말한 바로는 우리 상안면 찡그리기 근육 중 주로 미간 부위에 인내 천川자 모양의 주름을 만드는 미간근육에 평소에 힘이 강해지면 감정까지 우울해지거나 불행해지기 쉬워진다는 것이다. 우리는 슬프거나 안타까운 감정이 들 때나 우울한 기분이 들면 자신도 모르는 사이에 미간에 힘이 들어가게 된다. 실제로 2000년대 들어 뇌 활동을 실시간으로 스캐닝하는 뇌영상진단 기술의 발전을 통해 뇌에서 일어나는 감정활동을 확인할 수 있게 됐고 또 얼굴의 표정근육을 인위적으로 마비시키는 보툴리눔 독소(소위 '보톡스')의 사용으로 일시적으로 특정 표정을 지을 수 없게 하는 것이 가능해졌다. 그에 따라 표정이 우리의 감정 인식 과정에 어떻게 영향을 주는지에 대한 연구 분야는 눈부신 발전이 있었다.

대표적인 연구[30, 31]로는 보톡스로 인위적으로 표정을 짓지 못하게 한 이후, 슬프거나 즐거운 비디오를 보여주었다. 그러자 표정을 짓지 못하게 한 그룹에서 비디오를 본 이후 정서적 반응이 약하게 나타났다. 표정을 짓지 못하게 함으로써 그 표정과 연관된 감정 반응을 억제했다는 결과를 보여준 것이다. 미간 주름에 보톡스를 놓아서 미간을 찡그리지 못하게 하면 부정적인 상황을 덜 인식한다는 보고도 있다.[32, 33] 심지어는 찡그리지 못함으로 인해 행복지수가 증가했다는 연구결과도 있다.[34]

이 연구결과에 고무된 보톡스 회사가 당시에 재미있는 광고를 했다. 보톡스 주사로 탱탱해진 코끼리와 쭈글쭈글 주름이 진 코끼리를 그린 일러스트 밑에 '보톡스 맞고 슬픔과 이별하세요Hello botox, Bye-Bye sadness!'라는 카피를 삽입해서 광고를 내보냈던 것. 하지만 안타깝게도 이 광고의 참뜻은 대중들에게 제대로 전달되지 못했다. 많은 소비자가 단순히 보톡스를 맞고 예뻐지면 행복해진다는 자극적인 내용을 담고 있는 광고로 오인한 것이다.

최근 10년 사이에 발표된 표정이 감정인식에 영향을 준다는 연구 중에서 가장 의미 있는 결과는 2010년도에 미국의 위스콘신대 심리학 교수 데이비스 하바스David Havas의 연구[35]였다. 그는 사람들의 미간을 찡그리는 근육에 보톡스 주사를 하고 화가 나거나 슬퍼지는 이야기를 읽도

'보톡스 맞고 슬픔과 이별하세요!'라는 문구와 함께한 보톡스 광고 이미지

록 했다. 그랬더니 그전보다 읽는 데 더 많은 시간이 걸렸다. 안면을 찡그리지 못해서 그만큼 부정적인 이야기의 흐름을 따라가지 못했던 것이다. 부정적인 표정, 즉 찡그리는 표정을 짓지 못하는 사람은 동일한 삶의 조건에서 부정적인 상황을 덜 인식하게 된다는 것을 밝혀냈다.

이 결과는 평소에 미소근육을 많이 사용하는 표정습관이 있는 사람은 동일한 삶의 조건에서 더 긍정적으로 상황을 인식한다는 것을 의미한다. 다르게 해석하면 평소에 자신도 모르게 찡그리는 습관이 있는 사람은 비슷한 삶의 조건에서 상황을 보다 부정적으로 인식하기 쉽다는 것이다. 평소에 어떤 표정습관을 가지는지에 따라 삶의 기본적인 감정인식 태도가 긍정적일 수도, 부정적일 수도 있다는 것이 과학적으로 확인된 것이다. 그리고 이것이 자기 자신은 물론 주위 사람들에게 영향을 미쳐 자신의 삶을 보다 긍정적이거나 부정적이도록 변화시킬 수 있다는 놀라운 사실을 입증해주고 있다.

이처럼 우리의 얼굴 표정습관은 감정의 더듬이와 같다. 평소에 자기도 모르게 부정의 감정을 유발하는 표정, 다시 말해 입을 다물고 미간을 찡그리는 표정습관을 가진 사람은 그렇지 않아도 힘든 일상의 순간에서 애써 불행의 단서를 찾아다니는 '불행 더듬이'를 갖고 살아가는 것은 아닐까?

나를 위한 미소로 긍정의 감정 상태를 유지하자

불행을 감지하는 더듬이인 미간 주름을 만드는 근육을 퇴화시켜서 불행을 느끼는 감정을 줄이는 데는 반드시 보톡스의 도움을 받아야만 하는 것이 아니다. 중안면 미소근육을 활성화하는 것은 보톡스로 미간 주름을 펴는 것보다 더 완벽하고 강력한 미간 주름 억제 효과가 있다. 책을 볼 때, 무엇인가에 집중할 때, 혹은 TV를 볼 때조차 무의식적으로 미간에 힘을 주는 습관이 있다면 의식적으로 중안면을 들어올려야 할 것이다. 이미 앞에서 여러 번 강조한 대로 우리 얼굴표정은 긍정적인 감정을 나타내는 근육과 부정적인 감정을 나타내는 근육을 어느 한 순간에 동시에 사용할 수 없다. 즉 중안면 미소근육이 위로 들어올려진 상황에서는 동시에 입다물기 근육과 찡그리기 근육을 사용하는 것이 힘들어지기 때문에 평소 미소근육을 활성화시키는 만큼 찡그리기 근육은 힘을 잃어간다.

이 책을 통해 더 많은 사람이 힘든 일상이지만 아주 살짝이라도 미소근육을 들어올려 스스로를 위한 미소를 머금고 살아갈 수 있었으면 하는 바람이다. 이 책을 통해 강조하고 싶은 미소는 남을 위한 미소가 아니라 나를 위한 미소다. 나 혼자 있을 때도 세상 가장 소중한 존재인 나를 위해서 지을 수 있는 미소 말이다.

젊음의 '미소 스위치'를 올려라!

스위치Switch란 그 속성이 양자택일. 켜져 있지 않으면 꺼져 있는, 즉 온앤오프On & Off의 두 가지 상태만 있을 뿐이다. 이런 스위치의 속성 그대로 우리 얼굴 표정근육 부위 중에는 '미소 스위치'라 부르는 곳이 있다. 당연히 행복이나 즐거움을 감지하는 부위다. 이 부위에 스위치가 켜지듯 힘이 들어가 올라가면 자연스럽게 얼굴은 웃는 모습으로 전환되고 불이 켜지듯 마음에도 행복과 긍정의 에너지가 전달된다. 하지만 반대로 이 부위가 내려가 스위치가 꺼져 있으면 마음이 가라앉기 시작하면서 어두운 에너지가 생긴다. 당연히 스위치를 올리고 있는 시간이 길수록 행복감을 더 느끼고, 그런 사람의 삶 역시 더 행복하게 변한다는 것이 현대 과학의 힘으로 입증된 지 오래다.

신이 주신 행복의 열쇠 미소 스위치를 찾아라

그럼 이 '미소 스위치'는 우리 얼굴의 어디에 있을까? 지금까지 진료나 강의 중에 많은 사람에게 물어봤지만 정답을 한 번에 맞춘 사람은 없었다. 대부분 입꼬리나 볼 정면 부위가 아닐까 생각하는데 정답은 바로 양쪽 코볼 옆이다. 쉽게 말하면 팔자 주름이 시작되는 부위다.

이 부위는 중안면 4개의 미소근육 중에서 1, 2번 근육이 위로 당겨

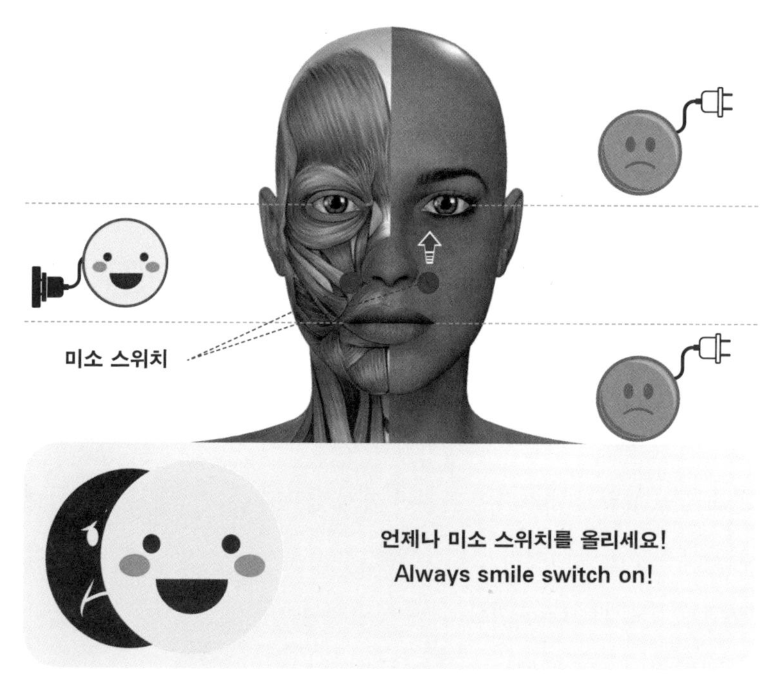

우리의 감정은 크게 긍정과 부정의 두 가지 감정으로 나눌 수 있다. 이것은 마치 스위치의 '켜짐'과 '꺼짐'의 두 가지 모드와 비슷하다. 다시 말해 미소 스위치가 꺼져 내려가 있으면 비록 본인 스스로 부정적 감정을 인식하지 못하더라도 내부의 감정 상태는 긍정이라기보다는 부정적인 상태라는 것이다. 이런 이유로 긍정적이고 행복한 삶을 살기 위해서는 항상 미소 스위치를 살짝 켜서 올리고 생활해야 한다.

올라갈 때 움직이는 부위이며 주로 2번 위입술올림근에 의해서 윗입술과 볼이 위로 당겨지는 부위이다. 위입술올림근은 세 가지 기능을 한다. 입을 살짝 벌어지게 해주고, 윗입술을 위로 들어 올려주며, 볼 정면을 위쪽 수직 방향으로 들어 올리는 역할을 한다. 우리가 살짝 미소를 지을 때는 거의 움직이지 않는다. 하지만 크게 웃을 때는 반드시 위쪽으로 많이 당겨져 올라간다.

따라서 이 부위가 올라갈 정도면 우리 얼굴이 크게 웃고 있다는 것을 의미하므로 뇌에서 감정을 만드는 부위는 다음과 같이 인식한다. '아, 지금 주인님이 정말 행복해서 미소 스위치가 이 정도로 올라갔구나.' 또 그와 동시에 가장 행복할 때 나타나는 모든 뇌 감정의 상태에 접어들게 된다. 그래서 이 부위는 얼굴에서는 '미소 스위치'가 되고 뇌 측면에서는 '행복 스위치'인 셈이다. 행복 스위치가 켜지면 순식간에 뇌에서는 행복한 감정 상태일 때 중요한 역할을 하는 도파민과 세로토닌과 같은 다양한 신경 전달물질이 급속도로 분비되기 시작하고 이것이 평온감은 물론 혈압과 맥박을 안정시키고 몸을 이완시키며 나아가서는 면역력을 증가시켜 암에 대한 치유 효과까지 만들어준다. 이 상태가 오랫동안 지속되면 긍정의 마음 상태에 의한 긍정의 신체적인 효과까지 생긴다. 결국은 수명까지 길게 만들어주는 비밀의 자물쇠가 열리는 것이다.

우리가 알지 못했던 놀라운 사실이 있다. 아기들은 태어날 때 중안면 미소근육이 가장 강하게, 즉 미소 스위치가 켜진 상태로 태어난다. 심지어 잠잘 때조차 스위치를 끄지 못한다. 힘든 세상에 사랑하는 인간을 내려보내시면서 걱정이 되신 것일까? 신께서 '미소 스위치'를 활

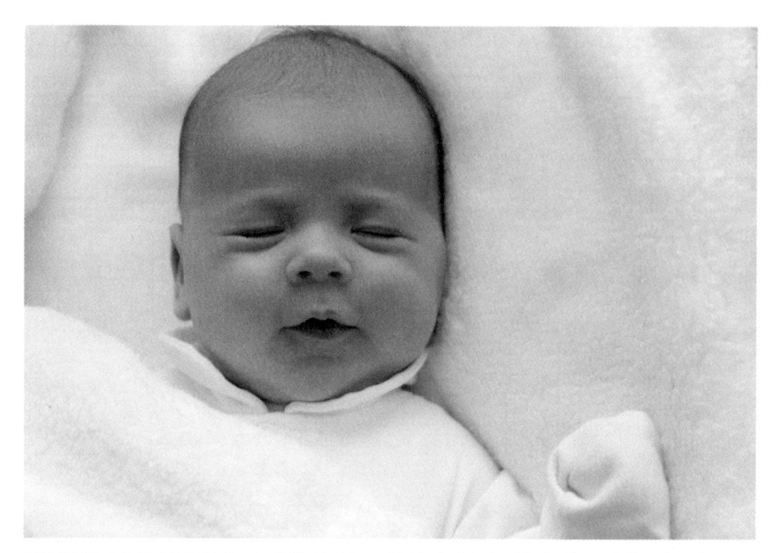

아기들은 평상시에 미소 스위치가 위로 올라가 있다. 심지어는 잠잘 때조차 미소 스위치를 끄지 못한다.

짝 켠 채 우리를 세상에 보내신 것은 참으로 의미심장한 진실이다. 아기들의 천진난만한 미소는 미소 스위치가 켜진 상황을 의미한다. 미소 스위치는 힘든 삶을 살아가야 할 인간을 위해 주신 '행복의 열쇠'로 가장 큰 선물인 셈이다. 단지 우리가 살아가면서 고단한 삶의 과정에서 그 스위치를 조금씩 내려놓으면서 결국 행복의 열쇠를 잊고 지낼 뿐이다.

자, 그럼 독자 여러분들도 미소 스위치 부위를 손가락으로 만져보고 위로 올라가도록 들어 올려보라. 생각만큼 쉽지 않다. 크게 웃을 상황이 되면 저절로 쉽게 올라갈 수 있다. 하지만 아무 감정이 없는 상태에서 미소 스위치를 자유롭게 들어 올리려면 다음의 두 가지 조건이 필요하다.

첫째, 미소근육 중에 수직으로 올라가는 2번 근육(위입술올림근)의 맨 위쪽 광대뼈에 붙는 몸통 부분은 물론 근육 전체가 우리가 자주 사용하는 팔다리나 손의 근육처럼 충분히 발달돼 있어야 한다.

둘째, 미소근육을 감정의 영향이 아닌 내 의지에 의해서 마음대로 움직일 수 있도록 뇌에서 운동신경을 통해 2번 근육(위입술올림근)으로 수축 명령이 자유롭게 전달될 수 있어야 한다. 우리가 손가락을 마음대로 아주 섬세하게 움직일 수 있는 것은 위 두 가지 조건이 모두 충족되기 때문이다. 물론 이런 생각을 하면서 손가락을 움직이는 사람이 없고 볼 역시 이렇게 의지를 가지고 조절하는 연습을 해보지 않기 때문에 처음에는 누구나 어색하겠지만, 미소 스위치 표정근육 역시 트레이닝 훈련을 통해 얼마든지 자유롭게 사용할 수 있다. 어쨌든 대부분의 독자들은 미소 스위치를 들어올리는 데 실패했을 것이다. 하지만 너무 낙담할 필요는 없다. 첫째 조건은 근육 강화 운동을 통해서 가능하다. 둘째 조건은 무수히 많은 반복적인 동작을 통해 뇌-운동신경-근육을 잇는 신호전달 시스템이 익숙하게 훈련되었을 때 가능하다. 이것이 바로 표정근육 재활치료이다. 이 두 가지 조건은 4장에서 구체적인 운동법으로 소개하겠다.

미용적인 측면에서 말하자면 미소근육 중에서 볼을 수직 방향으로 올려주는 2번 미소 스위치 근육(위입술올림근)이 위로 강하게 당겨 올라갈 때 볼의 입체적인 하트 윤곽이 가장 뚜렷하게 보이기 때문에 이 근육을 발달시키는 것은 너무나 중요하다. 이처럼 미소 스위치가 수직으로 올라가면 보기 좋은 미소가 만들어진다. 하지만 우리는 평소 이 미소 스위치를 올리는 표정보다는 내려져 있는 상태인 무표정한 상태로 입을 다문 채 많은 시간을 보낸다. 이렇게 무표정한 상태, 미소 스위치를 내린 상태로 오래 있으면 마치 불 꺼진 어둠 속에 있는 것과 같은 심리 상태가 되기 쉬워서 우울증 같은 마음의 병을 얻기도 쉬워진다. 우울증에 있는 사람들의 표정을 보면 괴로운 표정이기보다는 무거운 무표정인 경우가 더 많다.

그래서 한 번 사는 인생 이왕이면 평소에 미소 스위치를 살짝 들어올리고 지내기를 추천한다. 나를 사랑하는 소중한 실천법이다. 2%도 충분하다. 근육이 하는 일의 양은 근육에 주고 있는 힘의 크기(수축력 혹은 긴장도를 의미한다)와 힘을 주고 있는 시간에 비례하기 때문에 약한 힘이라도 스위치를 10시간 이상 올리는 것은 엄청난 근육의 단련 효과가

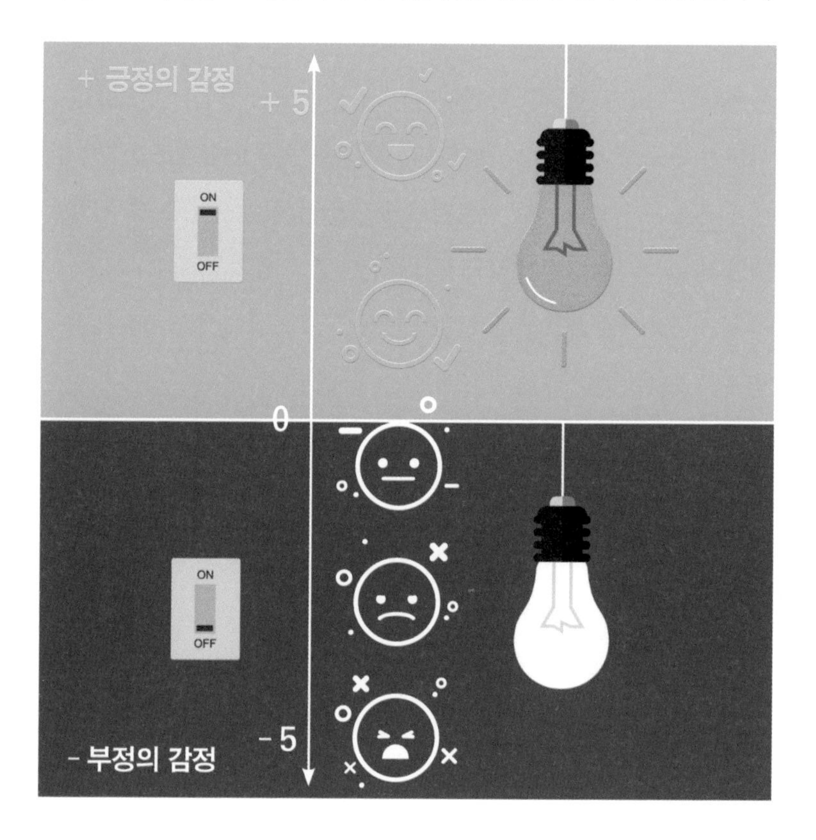

있다. 더구나 무표정할 때 우리를 지배하는 부정의 감정은 미소 스위치를 살짝만 올려도 사라지게 된다.

앞부분에서 언급했듯이 우리의 표정과 감정은 철저히 '2분법'적이다. 긍정과 부정, 어느 한 순간에는 한 가지 감정과 표정만을 떠올리거나 나타날 수 있다. 우리의 감정은 켜지거나 꺼지거나, 온앤오프 두 가지뿐이다. 단 2%의 스위치 올림이라도 긍정의 감정과 긍정의 표정을 사용하고 있는 것이므로, 그 순간 동시에 미간 찡그리기 근육과 입다물기 근육을 사용하거나 부정의 감정을 마음속에 품는 것은 쉽지 않기 때문이다. 종일 2%의 미소 스위치를 올리고 있는 표정습관만으로도 얼굴은 물론 마음까지 젊어지고 밝아질 수 있다.

표정과 감정 모드를 플러스+로 올려라

인간의 감정과 표정의 상관관계를 좌표평면에 대입해 생각해보면 이해하기가 더 쉽다. 감정의 강도를 나타낼 때 가장 좋은 감정을 +5로 하고 가장 나쁜 감정은 -5로 해보자. 우선 +5인 감정을 나타내는 표정은 중안면 미소근육을 이용해 활짝 웃는 표정, 즉 미소 스위치가 최대한 올라간 상태이다. 가장 부정적인 감정인 -5의 표정은 스위치를 끈 상태에서 미간과 입 주위에 힘을 최대로 주고 있는 화난 표정이다.

그럼 소위 무표정의 감정은 어디쯤 위치할까? 앞서 여러 번 언급한 것처럼(170페이지 참고) 무표정은 긍정도 부정도 아닌 중간 감정이 아니라 '부정적 감정의 상태'이다. 다만 부정적인 정도가 약해서 그 부정

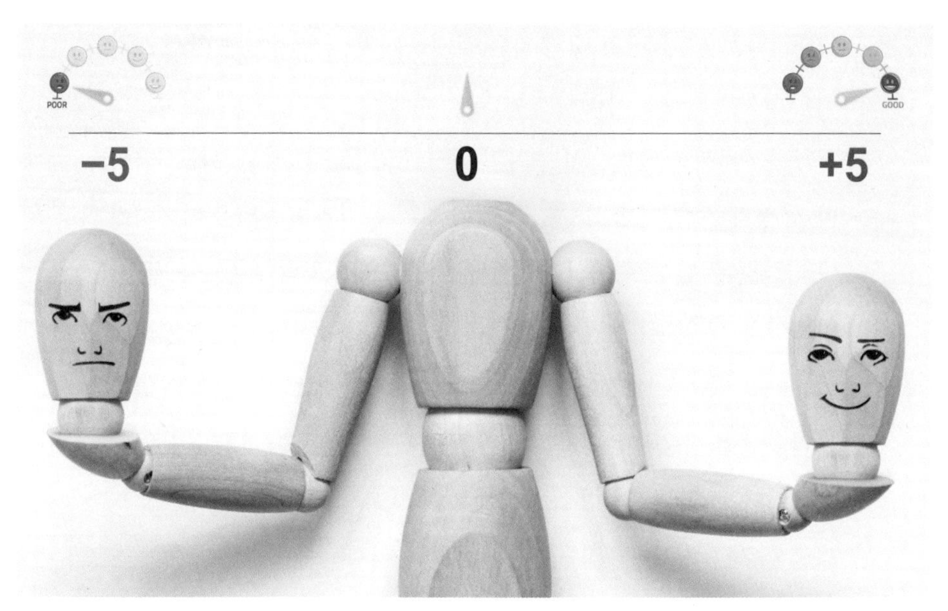

감정이란 크게 '긍정과 부정의 감정'으로 나눌 수 있다. 또 스스로 느끼는 긍정 혹은 부정적 감정에는 '정도 차이'가 있다. 중요한 것은 우리의 모든 감정은 이 두 모드 중 한 가지에 속한다. 따라서 좋지도 않고 나쁘지도 않은 혹은 좋으면서 동시에 나쁜 그런 '중간 감정'이나 '무감정'은 없다는 것이다. 즉 우리는 평소 좋거나 나쁜 감정 둘 중의 하나의 기분으로 살고 있는 것이다. 그렇다면 좋은 감정의 표정은 +로 나쁜 감정의 표정은 −로 표시했을 때 소위 '무표정'할 때 감정은 +일까 −일까?

적인 감정을 인식하지 못할 뿐이다. 같은 돈이라도 500원 주웠을 때와 5만 원 주웠을 때는 좋은 감정의 정도가 다르듯 부정적인 감정 역시 그 부정적 정도에 차이가 있다. 그래서 사람마다 무표정 상태가 정확하게 "− 몇이다."라고 말할 수도 없지만 분명한 것은 + 상태가 아닌 − 영역에 있다는 것이고 무표정할 때 입꼬리가 내려가는 정도에 따라 −로 더 떨어진다는 것이다.

자신의 무표정한 상태의 감정이 잘 이해가 되지 않는가? 사람의 생김새에 대한 호불호가 아니라 같은 얼굴이라도 무표정할 때 어떤 느낌이 드는지를 생각해보면 된다. 분명한 것은 스스로는 의식하지 못하지만 상대방은 호감보다는 부정적인 느낌을 받게 된다는 것이다. 같은 사람이라도 무표정과 웃는 얼굴을 비교해보면 전혀 다른 느낌을 받게 된다.

요즘 홈쇼핑 화장품 광고에서 자주 등장하는 상품 사용 전과 후의 사진이 좋은 예이다. 주로 사용 전 사진에는 무표정한 얼굴이 사용 후에는 살짝 미소를 짓거나 심지어는 활짝 웃는 얼굴로 바뀐다. 정말 광고 상품 때문에 좋아 보이는 건지 웃어서 좋아 보이는 건지, 어떨 때는 과장 광고처럼 느껴질 정도로 분명한 표정 차이가 나는 사진을 사용하는 이유는 무엇일까? 바로 말로 하지 않아도 무표정은 부정적 감정을 전달하고 살짝이지만 미소가 있는 얼굴은 긍정적 감정을 상대에게 전달하기 때문이다.

무표정은 사실 당신도 모르는 사이에 '표정을 방치'하는 것이므로 당연히 피하는 것이 상책이다. 무표정은 상대에게도 부정적인 감정을 전달할 뿐 아니라 오래 지속되다 보면 스스로의 감정이 항상 마이너스 모드에 머물게 된다. 감정의 마이너스 모드가 계속되면 불행감과 심지어는 우울감까지 생겨난다. 참으로 안타깝고 불행한 일이 아닐 수 없다. 따라서 행복한 삶을 살아가야 할 의무가 있는 우리는 미소 스위치를 끄고 무표정한 마이너스 모드에서 아주 살짝이라도 플러스 모드로 바꾸려는 노력을 언제나 게을리하지 말아야 한다.

그런데 종일 +5의 감정 상태인 활짝 웃는 얼굴로 지낼 수 있을까? 만일 그런 사람이 있다면 그 사람의 감정 상태가 정상일 리 없고 사회적으로도 받아들여지기 어려운 상황일 것이다. 또한 +5의 표정은 감정을 극대치로 끌어올리는 상태이기 때문에 금세 에너지가 고갈되면서 그 이후에는 오히려 급격하게 마이너스 모드로 떨어질 가능성이 크다. 그래서 +5보다는 +1에서 +2의 감정을 일상에서 오래 유지하고 지내야 한다. 그것이 바로 미소 스위치를 살짝 올리는 표정이다. 그러려면 가장 중요한 것은 입이 달라져야 한다. 긍정적인 모드와 부정적인 모드를 결정짓는 표정은 입을 다물어 미소 스위치를 내리느냐 미소 스위치를 살짝 올려 입술을 떼느냐에 따라 큰 차이가 난다.

미소 스위치를 켜기만 해도 행복하다

미소 스위치를 켜기만 해도 행복한 감정 상태가 된다니 이 얼마나 신기하고 감사한 일인가? 일상의 고단함으로 인해 부정적인 감정 상태에 빠진 내 마음과 몸을 한 번에 긍정의 상태로 탈출시켜줄 방법이 이렇게 간단하다니 말이다. 이쯤이면, 우울하거나 불행감을 느끼는 모든 사람들이 두 팔 들고 환호할 일 아닌가? 미소 스위치를 켜는 일이 누구에게나 쉬운 일이라면 더더욱 대단한 발견이다.

그런데 세상에 귀한 것 중 쉽게 얻을 수 있는 것이 거의 없다. 그처럼 거울을 보고 한 번 해보시면 알겠지만 미소 스위치를 켜는 것은, 그것도 오래 켜고 있는 것은 대단한 노력과 훈련이 있지 않고서는 절대로 쉽지 않다. 미소 스위치를 끄고 입을 다무는 습관에 오래 익숙해진 상황에서는 이미 스위치를 들어올리는 근육들이 퇴화된 상태이므로 갑자기 마음먹었다고 볼을 위로 들어올리는 일이 쉬울 리 없다. 어렵게 올라간다고 해도 그 모습이 어색하기 그지없는 경우도 많다. 1년 넘게 극심한 우울증으로 무표정하게 살아온 사람일지라도 길 가던 사람이 갑자기 우스꽝스럽게 넘어지는 장면을 목격하면 본능적으로 뇌로부터 표정근육을 향한 폭발적인 운동신경 자극이 전달되므로 짧은 순간일지라도 활짝 웃는 것이 가능하다. 하지만 이것은 어디까지나 어처구니없는 감정 상황에 의한 표정근육의 반사적인 반응일 뿐이다.

내 의지만으로 미소근육을 들어 올리려 하면 볼이 내 맘대로 움직이지 않고, 아마도 꿈쩍도 하지 않는 분들도 많을 것이다. 행복의 문을 여는 열쇠가 바로 내 손에 있지만 그 열쇠를 돌려 문을 여는 것이 이렇게 어렵다니 참으로 안타까운 일이다. 일상에서 가능한 충분한 시간 동안 '언제나 미소 스위치를 올리고 지내는 것Always Smile Switch On'이 좋다는 것을 머리와 가슴으로 이해했다면, 4장 표정근육 트레이닝을 배우기 전인 지금부터라도 다음과 같이 세 가지 실천을 잊지 말기를 당부한다.

첫째, 미소 스위치를 늘 켜겠다는 결심해야 한다. 모든 실천은 의지로부터 시작된다. 결심이 없으면 실천도 없고 긍정과 행복감도 없다. 바쁜 일과 중에서 자주 가능한 오래 켜고 있겠다고 결심해야 한다. 둘째, 미소 스위치를 켜는 것이 쉽지 않다면, 올리려 애쓰지 말고 우선, 입을 다무는 습관부터 바꾸려 노력해야 한다. 4장에서 소개할 '은 자세(325페이지 참고)'를 생활화하는 것이 그 실천의 시작이다. 입을 다문 상태에서 스위치를 올리는 것은 불가능하기 때문이다. 셋째, 나만의 미소 키워드Smile Keyword를 떠올려 상상해보자. 웃거나 미소를 지을 일이 없는 일상의 상황에서 미소 스위치를 들어 올린 모습이 자연스럽기까지는 많은 노력이 필요하다. 그러나 우리는 내가 '좋아하고 반갑고 즐거운 무언가'를 상상하기만 해도 저절로 미소가 머금어진다. 가장 좋아하는 음식, 사랑하는 사람의 얼굴, 가장 행복했던 추억 등 무엇이든 상관없다. 자기만의 미소 키워드(310페이지 참고)를 떠올려 좋은 감정을 만들어 본능적으로 볼이 살짝 아주 자연스럽게 올라가게 되면, 그 볼을 내려가지 않도록 그대로 그 긴장감을 유지하는 것은 어렵지 않다.

실천하지 않는 앎이란 무의미하다. 그것은 단지 안다고 착각하는 것일 뿐이다. 행복한 감정이 아무리 마음 속에 있다 한들 몸에 드러나지 않으면 의미가 없다. 행복이 마음이 아니라 몸에 있다는 행복학 연구자들의 주장이 낯설지 않은 요즈음이다. 몸에 드러나기 위해서는 결심과 그 실천은 필수다. 세상에서 가장 소중한 '나'를 위한 가장 귀한 선물은, 삶이 그대를 속이고 힘들게 하고 설령 삶이 내일 끝난다 해도 지금 이 순간 나를 위해 미소 스위치를 들어 올리려는 결심과 그 실천에 있다. 그곳에 행복이 있다.

미소는 전염력이 강하다

아기에게 이유식을 주는 어머니를 떠올려 보자. 자신의 입을 벌리면서 "아~" 하고 말하며 표정을 짓는 이유는 입을 벌리라고 얘기해도 그 말을 알아들을 리 없는 아기가 어머니의 표정을 따라 짓게 해 아이의 입을 벌리게 하기 위한 것이다. 이것이 바로 '표정 흉내내기Facial Mimicry' 현상을 보여주는 가장 흔한 예이다.

손주 바보 할아버지가 행복한 세 가지 이유

60대 할아버지가 손주를 보고 있다. 얼굴에는 만면의 웃음이 멈추지 않는다. 표정만 봐서는 그야말로 10년은 젊어 보인다. 할아버지는 흔히 이야기하는 '손주 바보'로 살아가는 하루하루가 행복하다고 말한다. 이를 옆에서 지켜보던 이가 물었다.

아기의 웃는 얼굴을 보며 행복한 웃음을 짓는 할아버지

"어르신, 뭐가 그리 좋으셔요?"

"첫 손주 보고 안 좋을 할아버지가 어디 있겠나! 그냥 보기만 해도 다 좋아, 다."

할아버지는 뭉뚱그려 대답했지만, 할아버지가 행복한 이유는 정확히 분석이 가능하다. 여기에는 세 가지 이유가 있다. 첫째, 손주를 봐서. 맞다. 자신의 혈육인 손주를 보았다. 자신의 아이들을 볼 때는 인생에서 한창 바쁠 시기라 아이의 눈을 마주치고 여유롭게 표정을 살필 시간이 많지 않았다. 하지만 머리가 희끗희끗해지고 나서야 시간적으로나 경제적으로 아기를 보고 있을 여유가 생겼다. 혈육을 본다는 것은 정말 기쁜 일이다. 그러나 그것만이 다는 아니다.

둘째, 손주가 나를 보고 해맑게 웃어주니까. 나이든 노신사에게는 웃어주는 이들이 점점 사라질 때다. 나이가 들수록 더욱더 그러하다. 슬픈 현실이지만 사회적 경제적으로 일정한 위치에 올라가서 누군가의 극진한 대접을 받는 경우가 아니라면, 황혼 무렵에도 남다른 사랑을 주고받는 부부가 아니라면, 나이 들수록 나를 향한 세상의 '웃음'은 굉장히 인색하게 주어지는 선물이다. 그런데 손주는 아무 조건도 없이 노신사를 보면서 웃어준다. 그것도 하루에 수백 번도 넘게 세상 가장 해맑은 큰 웃음을 방긋방긋 보여준다.

셋째, 그걸 보는 할아버지도 따라 웃게 되니까. 이게 가장 중요하다. 할아버지는 아이의 행복한 감정에 전염돼 덩달아 행복한 것이다. 행복의 거울효과Happiness Mirroring이다! 행복은 거울신경을 통해 주위로 반사되어 전염된다. 웃는 사람을 보면 덩달아 행복해지는 이 현상을 설명하는 과학적 이론이 있다. '거울 신경Mirror Neuron'의 발견은 20세기 신경과학의 가장 획기적인 발견으로 꼽히는 업적 중 하나다. 인류는 거울신경에 대한 연구를 통해 행동 이해, 모방, 공감이 어떻게 작동되는지를 밝혀낼 수 있게 됐다.

이탈리아의 신경생리학자 자코모 리촐라티Giacomo Rizzolatti[36]는 1990년대에 처음 원숭이 뇌의 이마엽Frontal Lobe에서 거울 신경을 발견했다. 거울 신경이란 타인의 행동을 보고 있기만 해도 자신이 그 행동을 하는 것처럼 뇌의 신경세포가 작동하는 것을 말한다. 이때 활동하는 뇌 세포는 내가 눈으로 본 행동을 똑같이 내가 직접 할 때 작동하는 신경세포와 동일하다. 그 결과 관찰자는 자신이 보고 있는 대상의 표정을 따라하게 된다. 즉 내가 본 상대방의 표정과 비슷한 표정을 따라 지으려는 움직임이 내 뇌 신경을 통해 표정근육에 반사적으로 전달되고, 그 결과로 내 얼굴에 비슷한 표정이 지어지는 과정을 '표정 흉내내기Facial Mimicry'라고 한다.[37] 그리고 그 표정에 의해서 그 표정과 연관된

인간은 거울신경을 통해 행동을 흉내내고 상대의 감정을 공감한다.

감정이 내 뇌에 만들어짐으로써 상대방의 감정과 유사한 감정이 내게 전달되는 것을 '감정 전이Emotional Transference' '감정 전파Emotional Spreading' 혹은 '감정 전염Emotional Contagion'이라고 부른다.[38]

비단 웃음뿐만이 아니다. 인간은 다른 사람이 하는 행위와 동작을 이해하고 모방하려고 한다. 본능적으로 우리는 상대가 웃고 있으면 웃는 표정을 따라하고 인상을 쓰고 있으면 찡그린 표정을 따라하게 되는 경향이 있다. 유아기에는 표정은 물론 행동까지 따라하려는 경향이 강하고, 어른이 되면서 점차 실제로 따라하게 되는 정도는 약해지지만 거울 신경의 활동은 지속된다. 내 얼굴에 긍정의 표정을 지어 세상에 드러내 보이면, 이를 본 상대방에게 거울 신경이 작동되면서 내 표정과 유사한 표정이 저절로 만들어지고, 그 표정과 연관된 긍정의 감정이 상대방의 뇌에 만들어진다는 얘기이다. 이렇듯 내가 환한 미소를 지으면 행복이라는 감정은 주변 사람들을 통해 반사와 반사를 거듭한다. 마치 거울의 방에서 수많은 나를 만나는 것처럼 말이다.

그러니까 할아버지가 손주 바보가 돼 함께 웃고 행복감을 느끼는 과정을 '행복의 거울효과Happiness Mirroring'라고 명명할 수 있는 것이다. 마치 밝은 빛이 거울을 통해 반사되어 전달되듯 내가 만든 나를 위한 미소가 나 자신은 물론 내 주위까지 행복감을 전파할 수 있다는 얘기다. 행복의 거울효과는 우리의 인체에 내재되어 있는 본능적인 메커니즘이다. 할아버지가 웃는 아기를 보고 따라 웃으며 행복을 느끼는 과정은 인체라는 오묘한 기계의 자연스러운 작동 방식이다. 아기의 웃음을 보고 행복을 느끼는 인체라는 기계의 작동순서 매뉴얼을 순서대로 나열하면 다음과 같다.

첫째, 할아버지가 눈으로 환하게 웃는 아기의 표정을 본다. 둘째, 시각적인 자극을 통해 뇌에서 웃는 아기의 표정을 인식한다. 셋째, 거울신경을 통해 어떠한 생각과 판단과 결심 없이 본능적으로 표정근육에 아기의 표정을 따라 하려는 운동신경 자극이 전달되고 그 결과 표정근육이 움직이면서 살짝 웃음이 지어진다. 넷째, 웃는 표정을 짓게 된 할아버지에게도 그 표정과 연관된 행복한 감정이 만들어진다. 다섯째, 할아버지가 웃는 표정을 지속하는 한, 즉 누가 그 상황을 방해하지 않는다면 행복한 감정 상태도 지속된다.

여기서 중요한 것은 상대의 웃는 표정을 통해 그 사람의 행복한 감정을 읽어서 그 감정을 내가 느끼는 것이 아니라는 사실이다. 상대의 웃는 모습을 거울 신경을 통해 따라 지으면서 웃는 표정이 내게도 살짝 만들어지고, 그제야 이렇게 내게 만들어진 웃는 표정을 통해 내게도 행복한 감정이 만들어진다는 것이다. 그런 면에서 **표정은 감정의 결과물이 아니라 감정 그 자체인 셈이다.** 다시 말해 어떤 표정을 지음으로

상대방의 행복한 웃음을 보고 같이 따라 웃으면, 나 역시 행복을 느끼게 된다. 이런 것이 바로 행복의 거울효과다. 지금 이 순간 당신의 표정을 누군가 본다면 그 누군가는 어떤 감정을 느낄까?

써 우리는 감정을 스스로 결정할 수 있는 것이다. '웃는 얼굴에 침 못 뱉는다.'라는 속담이 있다. 행복의 거울효과를 생각해보면 쉽게 이해할 수 있는 당연한 이치다.

행복의 거울효과만 있는 것이 아니다. 불행의 거울효과 또한 당연히 존재한다. 화를 내고 있는 사람을 보면서 웃고 있기란 참으로 어렵다. 길을 걷다가 싸우고 있는 사람들을 보게 되면 나도 모르게 저절로 인상이 찌푸려지는 경험을 한 번쯤 해본 적이 있을 것이다. 화를 내고 찡그린 사람을 마주하게 되면, 행복의 거울효과와 반대의 상황이 작동되면서 나 역시 찡그린 표정을 따라하게 되고 부정적인 감정이 생기게 된다. 찌푸린 인상의 부모 밑에서 자란 아이들이 밝은 인상이 되기 어려운 것이나, 부부가 오랜 시간 함께 생활하다 보면 인상이 비슷해지는 이유나, 온 가족이 점점 더 인상은 물론 삶의 태도까지 닮아가는 것 모

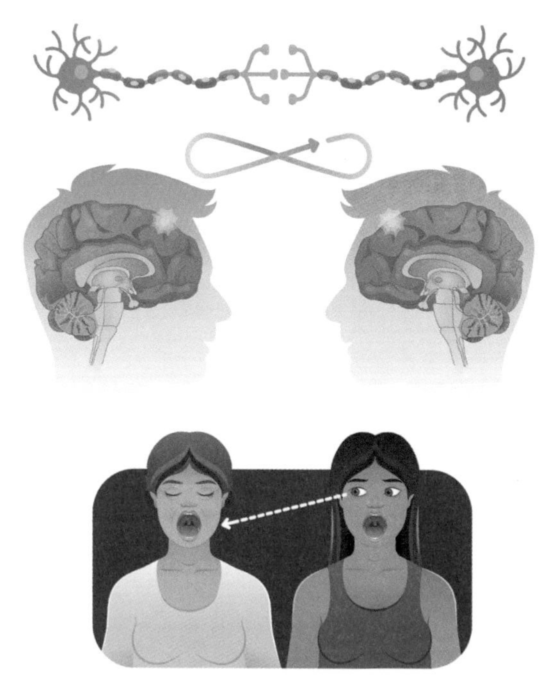

거울신경을 통한 감정 공감과 따라 하기를 일상 중에 가장 쉽게 느낄 수 있을 때는 바로 하품을 하는 사람을 봤을 때이다.

두 같은 맥락에서 이해할 수 있는 현상들이다.

유유상종類類相從이란 말이 있다. 성향이 비슷한 사람들끼리 서로 가깝게 지낸다는 의미이다. 거울효과라는 무언無言의 커뮤니케이션의 비밀을 이해하고 나면, 언제나 밝은 인상으로 긍정의 기운을 발산하는 사람 주위에 비슷한 사람들이 모이고 그 관계들이 그 사람의 삶을 더 순조롭고 좋은 방향으로 이끌 것이라는 것을 쉽게 예측할 수 있다. 실제로 그런 사람들이 우리 주위에 드물지 않게 존재한다. 이렇듯 내 삶의 관계의 좋고 나쁨은 누군가가 아닌 바로 내가 만드는 것이다. 행복의 거울효과의 발원지가 될 것인지, 불행의 거울효과의 중심이 될 것인지, 모두 내 표정습관과 내 삶의 태도에 달려 있다.

행복은 바이러스보다 전염력이 강하다

일생에서 긍정의 감정, 긍정의 에너지가 절정에 이르는 시기는 단연코 사랑에 빠졌을 때다. 사랑할 때 얼굴을 찡그리고 다니는 사람은 없다. 상대를 보며 웃음으로 화답한다. 웃는 상대를 보고 표정을 따라하면서 같은 감정을 느끼고 이러한 선순환은 두 사람 사이에 행복의 거울효과를 증폭시킨다. 연인들이 그냥 함께 마주하기만 해도 세상 가장 환한 미소를 머금을 수 있는 데는 거울 신경과 행복의 거울효과라는 비밀이 숨어 있다. 이런 상태는 무언가가 두 사람 사이를 방해하지 않는다면 몇 시간 동안이라도 이어진다. 인간의 호르몬이 만들어내는 화학적 반응의 한계로 안타깝게도 사랑의 뜨거운 열기는 그 기간이 한정돼 있다. 하지만 사랑이라는 감정은 행복으로 연결돼 표정습관을

거울효과 덕분에 행복은 바이러스보다 전염력이 강하다. 바이러스는 매개체가 있어야 전달이 되고 매개체가 소멸되면 전달이 끊긴다. 하지만 행복은 내가 미소를 짓고 상대방이 눈으로 나의 웃는 표정을 확인하는 것만으로도 순식간에 그대로 퍼져나간다.

180도 변화시킨다. 갑자기 인상이 밝아져 어딘가 예쁘고 잘생겨 보이는 20~30대가 있다면 십중팔구는 사랑에 빠진 경우다. 비단 젊은 남녀만이 아니라 이런 상황은 어느 나이라도 그러할 것이다.

앞서 살펴본 거울효과 덕분에 행복은 바이러스보다 전염력이 강하다. 바이러스는 매개체가 있어야 전달이 되고 매개체가 소멸되면 전달이 끊긴다. 하지만 행복은 내가 미소를 짓고 상대방이 눈으로 나의 웃는 표정을 확인하는 것만으로도 외부의 매개체 없이 마치 무선 광통신처럼 순식간에 사방으로 그대로 퍼져 나간다. 그런 면에서 조직의 리더, 가장이라는 이름을 달고 사는 아버지, 아이들과 많은 시간을 보내는 어머니들은 행복을 전파해야 할 막중한 의무를 가진 사람들이다. 내가 먼저 웃으면 나 자신은 물론 마주하고 있는 사람까지 최소한 두 명 이상을 행복하게 할 수 있는 중요한 위치에 있기 때문이다. 밝은 표정습관을 통해 바이러스보다 강력한 행복의 전염력을 직접 실천해보기를 권한다.

J. F. 미소는 행복을 부른다

미소는 상대방에게 긍정적인 감정을 전달하며 우리 마음의 경계심을 무장 해제하는 힘이 있다. 미소는 상대에게 신뢰감을 만들어준다. 즉 미소는 사회적 동물인 인간이 신뢰감을 통해 상대방의 협력을 이끌어내기 위해 만들어낸 진화의 산물인 셈이다.

진짜 미소와 가짜 미소는 눈꼬리가 결정한다

미소에는 마음속으로부터 나오는 진짜 미소와 상대의 호의를 유도하기 위한 가짜 미소가 있다. 미국의 심리학자 폴 에크먼Paul Ekman 교수[29]는 우리가 만들어낼 수 있는 미소는 총 19개이고 그중 하나만이 '진짜 미소'라고 했다.

바로 마음속으로부터 나오는 진심 어린 '진짜 미소'를 지을 때는 만

생에 가장 행복한 순간, 그 감정을 드러내는 뒤센미소의 특징은 크게 세 가지다. 1) 입을 벌린다. 2) 볼이 위로 올라간다. 3) 눈꼬리 바깥쪽 위쪽에 특징적인 잔주름이 만들어진다.

국공통으로 반드시 세 가지 움직임이 동반됨을 밝혔다.

① 미소스위치가 켜지면서 윗입술을 끌어 올려서 입이 벌어지게 된다.
② 볼을 끌어 올리는 중안면 근육이 수축해서 볼이 위로 올라간다.
③ 눈 꼬리 주변 눈둘레근육이 위아래에서 서로 마주보는 방향으로 움직이면서 눈꼬리 바깥쪽 위쪽에 특징적인 잔주름이 생기게 된다.

이 세 가지 움직임은 진실로 기쁘고 행복할 때 모든 인류에게 공통되게 나타나는 움직임이다. 그런데 이보다 앞서 세계에서 최초로 이 웃음에 사용되는 근육에 착안한 사람은 19세기의 프랑스 신경 해부학자

인 기욤 뒤센Guillaume Duchenne 박사이다.[39]

뒤센 박사는 표정근육을 분석해서 웃음에는 두 가지 종류의 근육이 관여하는 것을 찾아냈다. 표정근육에 전류를 흐르게 해서 중안면의 볼근육을 수축시키면 가짜 웃음을 만들 수는 있다. 하지만 눈꼬리 쪽 근육은 마음속으로부터 진실되게 웃지 않는 한 우리 의지로는 진짜 행복할 때 웃는 패턴과 동일하게 움직일 수 없다는 것을 발견했다. 따라서 진짜 미소와 가짜 미소를 구분하는 단 하나의 기준은 눈꼬리 부분의 특별한 움직임, 즉 자세히 설명하자면 눈둘레근육의 눈꼬리 바깥쪽 윗부분의 수축으로 생기는 주름이라고 했다.

뒤센 교수의 연구는 19세기에는 별로 관심을 받지 못했다. 하지만 20세기에 들어와 폴 에크먼 박사에 의해서 새롭게 주목을 받게 됐다. 1993년에 에크만 박사는 자신이 발견한 단 하나의 진짜 미소를 뒤센 박사에 대한 존경을 담아 '뒤센 미소Duchenne Smile'라고 명명했다.[40]

우리에게는 가짜 미소가 필요하다

'팬암 미소Pan Am Smile'라고 불리는 가짜 미소도 있다. 지금은 없어졌지만, 미국의 팬 아메리카 항공Pan American Airline의 승무원들이 사내 교육을 통해 짓기 시작한 서비스직 종사자들의 전형적인 미소를 말한다. 대량생산, 대량소비의 현대사회에서 소비를 유도하기 위해 상품에 부가가치로서 끼워 넣고 있는 감정이 동반되지 않는 미소이다. 즉 긍정의 효과를 얻기 위해서 긍정의 표정을 '연출'하는 것이 가짜 미소이다.

직업적으로 짓는 미소에는 진심은 없다. 그래도 상대에게 호감을 얻어내야 하기 때문에 대부분은 '볼을 들어올리는 움직임'이 조금이라도 있다. 볼의 움직임이 없으면 상대방은 호감을 느끼지 못하기 때문이다. 때에 따라서 업무적이라도 진심 어린 밝은 미소를 짓는 사람에게는 더 큰 호감이 느껴진다.

진짜 미소의 세 가지 움직임 중에서 ① 입술도 위로 올라가면서 입을 살짝 벌리게 되고, ② 볼도 위로 올라간다. 하지만 진짜 미소의 전유물인 ③ 눈꼬리 바깥쪽 위쪽의 움직임이 없는 미소를 말한다. 즉 볼 근육은 움직이면서 눈은 움직이지 않는 미소. "안녕하십니까?"라고 말하며 눈이 살짝 작아지는 것이 아니라 오히려 눈이 커지는 미소. 이것이 가짜 미소이다. 오랫동안 떨어져 지냈던 기러기 부부가 재회의 상황에서 혹은 부하직원이 인사를 하는데 눈이 커지며 반가워했다면 그 진실성을 의심해봐야 하지 않을까?

그러나 가짜 미소라도 본인에게는 물론 상대방에게 긍정적인 감정을 유발하는 좋은 영향을 미치기 때문에 진짜 미소이든 가짜 미소이든 '좋은 미소'인 셈이다. 모든 사람이 진짜 행복할 때 짓는 본능적인 진짜 미소와 그보다는 진실성은 조금 부족하지만 역시 좋은 느낌이 드는 가짜 미소는 ① 입술이 위로 올라가고, ② 볼이 위로 올라간다. 그 두 가지 큰 움직임의 요소가 공통으로 있기 때문이다. 이 두 가지 움직임은 바로 미소 스위치가 켜졌음을 의미한다. 미소 스위치는 본인의 뇌로부터 행

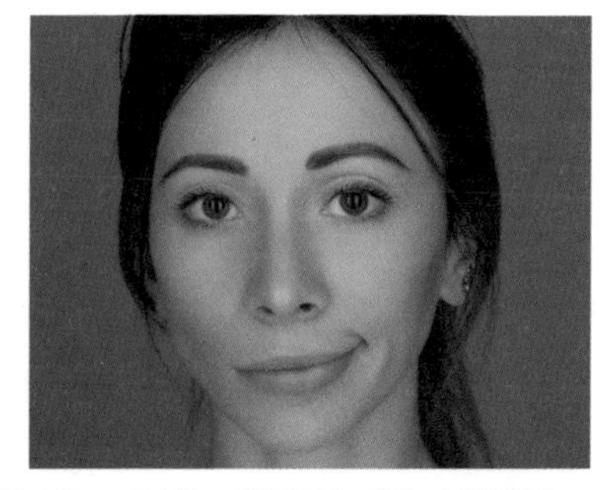

입은 다물고 입꼬리만 올리는 '입다물고 짓는 미소'는 영어로는 '립 스마일링Lip-smiling'이라고 한다. 가짜 미소도 아닌 모든 인류가 태어날 때부터 본능적으로 짓던 좋은 미소와는 전혀 다른 '변형된 미소'이다. 우리는 이것을 '나쁜 미소'라고 정의한다. 긍정적 감정을 나타내는 근육 움직임은 거의 없고 부정적 감정이 있을 때 나타나는 입다물기 근육의 움직임과 비슷하기 때문이다.

복 스위치를 켬으로써 자신의 행복감은 물론이고 주위에 거울효과를 통해 그 감정을 전파함으로써 좋은 느낌을 유발한다. 그래서 우리는 가짜 미소일지라도 이 두 움직임이 있기에 긍정의 느끼을 전해주는 '좋은 미소'라고 부를 수 있는 것이다. 물론 진짜와 가짜 미소 사이에는 행복감을 유발하고 전파하는 정도의 차이가 분명히 존재하지만 말이다.

그렇다면 이 책에서 강조하고 있고 우리가 노력해서 만들어야 하는 미소는 어떤 미소일까? 진짜 미소는 우리가 살아가면서 의도하지 않아도 주어진 기쁨의 상황에서 자연스럽게 지어지는 표정이다. 따라서 이것은 따로 노력하거나 연습할 대상이 아니다. 이 책에서 말하고 싶은 것은 어떻게 하면, 웃을 일이 별로 없는 심지어는 힘겹기까지 한 일상에서 작은 노력을 통해 살짝은 연출된 가짜 미소를 정확히 지을 수 있는가에 대한 이야기다. 그리고 그 연출된 가짜 미소가 진짜 미소와 구분이 안 될 정도로 자연스러운 평상시 표정습관이 되어 표정의 기본 자세가 되는 것이 인상클리닉의 최종 목표이다.

입다물고 짓는 입술 미소는 나쁜 미소다

그런데 진짜 미소 혹은 가짜 미소처럼 긍정의 느낌을 유발하는 '좋은 미소'가 아닌 진짜 그야말로 말 그대로 '나쁜 미소'도 있다. 입을 다물고 입꼬리만 올리는 미소, 즉 입다물고 짓는 '입술 미소'이다. 영어로는 '립 스마일링Lip-smiling'이라고 한다. 현대인들이 가장 많이 짓고 있는 미소이기도 하다. 이 미소를 잘 보면 진짜 미소와 가짜 미소처럼 좋은 미소가 가진 두 가지 공통점이 없다.

첫째 입을 벌리지 않고 있고, 둘째 볼 전체가 위로 올라가기보다는 입꼬리가 수평 방향으로 옆으로 가는 힘이 커서 아주 일부의 힘만 볼

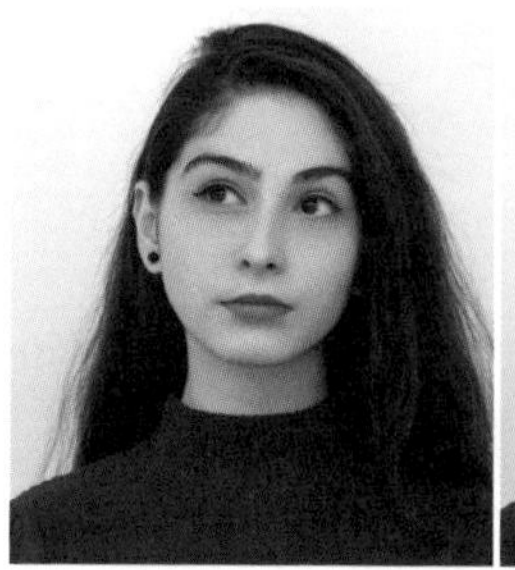

무표정-작은 부정적 모습

작은 긍정의 감정을 표출하는 미소

큰 긍정의 감정을 표출하는 웃음

무표정-작은 부정적 모습

입을 다문 채 옆으로 웃는 변형된 미소

부정적 감정이 더욱 드러나는 변형된 미소

을 바깥쪽 위로 올리는 데 사용되는 미소다. 보다 쉽게 말하자면, 이 미소는 결정적으로 미소 스위치가 켜지지 않는 미소이기 때문에 나쁜 미소다. 미소 스위치가 올라갈 때 동반되는 입술이 위로 올라가면서 입이 벌어지고 볼이 위로 올라가는 두 가지 움직임이 모두 없다. 이 미소는 기본적으로 입을 다무는 동작이 핵심이므로 입둘레근을 수축해서 윗입술을 아래로 내리는 동작 때문에 입술을 위로 들어올리는 미소근육의 엘리베이터 운동이 애초에 불가능한 동작이다. 따라서 볼을 위로 올리는 것이 매우 힘들고 어색할 수밖에 없다. 그 결과 웃을 때 볼에 가해지는 힘의 방향이 볼의 측면 위쪽 방향으로 일부만 올라가다 멈추게 되므로 광대 부위가 옆으로 강조되어 얼굴이 커져 보이게 된다. 앞서 설명했듯이 입다물고 웃으니 얼굴이 넓어지고 뚱뚱해지는 것이다 (203페이지 참고: 입을 다물고 웃으면 윤곽이 넓어지고 뚱뚱해진다). 그리고 약간만 잘못 미소 지으면 비웃는 것처럼 보일 수도 있는 그런 나쁜 미소다.

생각해보면 '입술 미소'를 하게 되는 상황은 우리 일상에서 그나마 좋은 표정을 짓고 지내는 4시간 남짓한 소중한 시간이다(180페이지 참고). 우리의 뇌가 긍정의 기운이 감돌아야 하는 소중한 상황에서조차 미소 스위치를 켜지 못한다면 어쩌면 하루 종일 행복감을 느끼지 못하고 지낼 수도 있으니 안타까운 일이 아닐 수 없다.

게다가 입술 미소는 긍정의 감정을 표현하고 있음에도 부정적인 기운이 엿보인다. 입을 다문다는 것은 부정적인 감정이 있을 때 나타나는 근육운동이기 때문이다. 실제로 이 사람의 뇌는 주인이 지금 웃고 있는지 화가 나 있는지 혼란스러운 상황이다. 우리는 보통 화가 날 때 입을 꼭 다물게 된다. 이렇듯 미소를 짓고 있음에도 내 마음속에도 좋

은 느낌이 만들어지지 않을 뿐 아니라 상대방에게도 호감을 유발하지 못하고, 심지어는 부정적인 기운을 함께 전달하는 입술 미소는 분명 나쁜 미소이다. 그리고 얼굴 윤곽을 넓게 만들어주고 입가 주름은 물론 눈가 주름을 많이 만들게 되므로 미용적으로도 내 얼굴에서 반드시 퇴출해야 하는 미소다.

어린 아기의 웃는 얼굴을 떠올려보자. 신생아 시기의 아기가 입을 다물고 웃는 모습은 본 적이 없다. 입다물고 웃는 것은 태어날 때 우리가 처음 짓고 있던 미소로부터 변형된 미소Deformed Smile다. 그럼 왜 입을 다물고 웃는 것일까? 첫째는 인간은 사회적 동물이기에 기분이 좋지 않은 상황에서도 상대방에게 가짜 웃음을 지어 보여야 한다. 그런데 입을 다물고 무표정한 표정에서 볼을 위로 들어올리기가 힘들다 보니 입을 다물고 옆으로 마치 웃는 것과 같은 표정을 짓게 되는 것이다. 둘째는 평상시 입을 다무는 습관이 너무 익숙해져 있다 보니 어렸을 때부터 입술 미소가 습관이 된 경우이다.

진짜 미소는 건강을 부른다

평상시의 표정습관에서도 입을 다물지 않는 것이 중요하다. 윗입술을 살짝 올리고 어금니를 살짝 떼면서 미소를 지어보자. 좋은 미소는 스스로를 행복하게 할 뿐 아니라 상대방도 행복하게 만드는 힘이 있다.

진짜 미소가 심장병을 예방하는 데 커다란 효과가 있다는 연구결과가 있다. 미국의 캔자스 주립대[41]는 표정과 건강의 관계를 증명하기 위해 169명을 '무표정' '입으로만 웃기(나쁜 미소)' '얼굴 전체를 사용해서 웃기(좋은 미소)'의 3개 그룹으로 나누어 표정을 유지한 채 정신적 스트레스를 주는 작업을 수행하도록 했다. 그리고 작업 후의 심박수를 체크하고 실험 대상자들에게 문진을 통해 스트레스의 정도를 평가했다. 실험결과 진짜 웃는 표정으로 좋은 미소를 짓고 작업을 한 그룹은 다른 표정으로 작업한 두 그룹에 비해 심박수와 혈압의 상승이 거의 나타나지 않은 것으로 밝혀졌다. 또한 다른 두 그룹에 비해 스트레스에서 회복되는 속도도 현저히 빠르다는 결과를 얻었다. 이 밖에도 미소와 웃음이 면역력[42]을 증가시키고 암 치료[43]에도 도움이 된다는 것은 이미 잘 알려진 사실이다.

진짜 미소는 인생을 행복하게 만든다

진짜 미소에는 인생을 긍정적으로 이끄는 힘이 있다는 것을 밝혀낸 연구들이 많다. 그중 가장 대표적인 연구를 소개한다. 미국의 버클리대에서 스승과 제자 사이였던 대처 켈트너Dacher Keltner 교수와 리엔 하커LeeAnne Harker 연구원이 1960년대부터 30년이란 긴 시간 동안 대를 이어 연구를 진행해서 그 결과를 2010년도에 발표했다.[44] 이들은 1958년과 1960년에 미국 캘리포니아의 밀즈칼리지 여대 졸업생 141명의 졸업앨범 사진 속 미소의 종류를 정밀 분석했다. 그리고 그들이 각각 27세, 43세, 52세가 되는 해에 인터뷰를 통해 삶에 대해 다양한 자료를 수집했다.

졸업 사진 분석 결과 눈꼬리가 휘어질 정도로 활짝 웃으며 진짜 미소(뒤셴 미소)에 근접한 사진을 찍은 졸업생은 141명 중에서 50명에 불과했다. 조사 결과 활짝 웃는 뒤셴 미소를 띤 50명의 졸업생은 그렇지 못했던 졸업생에 비해 30년 이후에 훨씬 더 건강했고 병원에 간 횟수도 적었을 뿐만 아니라 생존율도 높았다. 그뿐만 아니라 결혼생활에서도 높은 만족도를 나타냈고 이혼율도 낮게 나타났으며 평균소득도 높았다. 다시 말해 활짝 웃지 않은 졸업생에 비해 비교 조사한 모든 측면에서 성공적인 생활을 하고 있었다는 놀라운 결과였다. 이 논문은 발표 당시부터 큰 화제를 불러모았다.

30년 전 졸업앨범 속의 찰나의 표정이 어떻게 30년 후의 삶을 결정한 것일까? 사진을 찍던 그 순간에 남들보다 긍정의 감정을 표정으로 잘 표현할 수 있었던 사람은 이미 평상시에 그와 같은 표정을 익숙하게 표현할 수 있었을 것이다. 따라서 평소 감정 상태 역시 긍정적이었을 것이라고 충분히 추측할 수 있다. 또한 긍정적인 표정과 미소는 다른 사람에게 전염되는 효과도 있다. 이것은 '표정 흉내내기'를 통한 '감정의 전파 혹은 전염'이라는 현상으로 앞에서 설명한 바 있다.[37, 38]

이렇듯 평소에 보기 좋게 볼이 올라간 표정을 자주 짓고 있다면, 나를 보는 사람들로 하여금 자신들도 모르게 덩달아 유쾌한 미소가 지어짐으로써 긍정의 감정이 전이되는 것이다. 좋은 예가 부부이다. 관계가 좋은 상태로 오래 산 부부는 얼굴이 닮아간다. 근육을 비슷하게 움직이면 이목구비는 다르지만 느껴지는 인상이 비슷해지기 때문이다.

밝은 미소가 습관이 되어 누가 봐도 인상 좋다는 평가를 받는 사람들이 왜 더 좋은 삶을 살게 되는지는 많은 연구가 있다. 그중 2015년 인간의 진화를 연구하는 독일의 막스 플랑크 연구소Max Planck Institute for Evolutionary Biology의 연구결과는 많은 것을 시사한다.[45] 진정성이 있는 미소는 상대방에게 신뢰를 준다. 그리고 이 신뢰는 상대방의 협력과 도움을 이끌어내는 가장 중요한 요소라는 연구이다.

중국 속담에 '미소 짓는 얼굴은 우울한 얼굴보다 더 많은 친구를 얻을 수 있다.'는 말이 있다. 미소야말로 신뢰를 얻을 수 있는 가장 중요한 보물이라는 사실은 동서고금東西古今의 불변의 진리였던 셈이다. 내가 환한 미소를 머금고 생활하면 주위도 밝게 할 수 있다. 내 주위를 변하게 하려면 내가 먼저 결심하고 실천해야 한다. 스무 살 이전의 얼굴은 부모가 물려준 것이지만 스무 살 이후의 얼굴은 내가 연출하는 것이다. 내 삶을 다큐멘터리로 제작한다면 주인공도 감독도 연출도 모두 나다. 누군가가 내 삶의 행복을 위해 키다리 아저씨처럼 보이지 않는 곳에서 애써주는 건 20세 이전의 부모뿐이다. 내 삶을 해피엔딩Happy Ending으로 만들 것이냐, 새드엔딩Sad Ending으로 만들 것이냐는 내게 달린 것이다. 내 표정에 드러난 내 삶의 태도에 달린 것이다.

우리 자신이 바로 아름다움과 행복의 씨앗이다

"사는 게 힘들고 사람들 때문에 화가 나 죽겠는데 어떻게 웃을 수 있습니까?"

누구나 충분히 공감할 수 있는 이야기다. 지금 화가 나고 힘든데 어떻게 억지로 웃을 수 있겠는가! 우리의 본성이 화를 내고 소리를 지르고 무언가를 쏟아내라고 할 때 그 감정을 어찌할 줄 몰라 매우 당황스럽다. 그러한 감정이 만들어진 원인이 사람 때문이라면 더욱 그러하다. 이 물음은 많은 사람들이 인상클리닉을 소개받고 나면 던지는 질문이기도 하다.

여기에는 한 가지 큰 오해가 있다. 인상클리닉에서 얘기하는 것은 많이 웃거나 자주 미소를 짓는 것이 좋다는 뻔한 얘기가 전혀 아니다. 웃음이나 미소는 자연스런 감정의 흐름에 따라 나오는 것이다. 이걸 억지로 지으라는 것은 힘든 상황에 처한 사람들에게는 또 하나의 폭력이기도 하다. 24시간 중에 웃어봐야 하루 몇 번을 웃을 것이고 미소를 지어봐야 몇 시간 동안 짓기는 불가능하다.

여기서 강조하는 것은 평상시 자세에 관한 이야기다. 몸도 바른 자세를 취해야 허리나 어깨와 목이 아프지 않다. 마찬가지로 얼굴에도 바른 표정자세를 취하고 있으라는 것이다. 깨어 있는 하루 16~18시간 동안에 강한 힘으로 입을 굳게 다물고 있는 나쁜 표정자세를 취하고 있을 바엔 이보다 훨씬 적은 힘으로도 지속할 수 있는 미소근육을 살짝 들어올린 표정자세를 가능한 오래 유지하라는 것이다. 미소 스위치가 자연스럽게 위로 올라가 있는 바른 표정자세를 유지하는 방법을 배우는 것이 바로 인상클리닉의 핵심이다. 그러니까 무심코 넋 놓고 무표정하게 있던 나 혼자만의 시간들을 바꾸자는 것이다.

삶의 면면에서 행복의 거울효과Happiness Mirroring에 대해 아무리 강조해도 지나침이 없다고 생각한다. 그러나 나로부터 나를 위한 미소를 지으면 그 미소가 내 삶은 물론 내 주위를 더욱 행복하게 만들 것이란 이야기에 의문을 던지는 사람들이 많다. 그들은 자신의 삶이 얼마나 괴롭고 타인에 의해서 얼마나 힘든 상황에 부닥쳤는지를 이야기한다. 그런데 생각해보면 인생이란 누구나 말하지 않아서 그렇지 힘든 일들의 연속이다. 그렇다고 그 힘듦에 휘둘리고만 살 것인가?

지금도 그런 의문을 가진 분들이 있다면, 20대에 시작된 류마티스 관절염과 베체트 병에 이어 37세와 41세에 찾아온 두 번의 암투병을 이겨냈고, 그 이후에는 덤으로 주어진 선물 같은 세 번째 삶을 소명으로 여기고 살면서 힘들었던 지난 12여 년 시간 동안 나를 평온한 사랑으로 이끌어주신 존경하는 가톨릭 어느 주교님의 당부를 전하고 싶다. 깊이 공감하며 오랫동안 묵상해온 이야기이기에 더하거나 빼는 것 없이 그대로 소개한다.

인간은 자유의지가 있는 창조물이다. 신과 같은 특별한 존재이다. 누구도 이는 부정할 수 없을 것이다. 비록 상대가 나를 아프게 하고 상하게 했다고 해도 그 사람에게 깊고 심오한 내면이 있다는 것을 부정할 수는 없다. 또한 우리는 상대가 누구든 그를 다 안다고 말할 수 없다. 그를 10년을 만났든 50년을 만났든 마찬가지다. 심오한 내면을 가진 인간이기에 누구도 상대방의 모든 것을 다 알 수 없다. 이러한 이유로 우리는 상대를 쉽게 혹은 함부로 판단해서 안 된다.

내가 보고 경험한 것만으로 한 사람을 나쁜 사람이라고 판단하는 것은 매우 위험한 일이다. 또 이런 미움이 오히려 나를 더 힘들게 할 수 있다. 우리가 그러한 판단을 내렸을 때 우리의 마음 한편에서는 또 다른 소리가 들려온다. '그 사람은 얼마나 억울하겠는가? 그 사람 역시 누군가에게는 귀한 사람일 수 있고 내가 모르는 선한 면 있을 수 있다.' 또한 누군가를 미워하는 마음이 자신을 가장 아프고 병들게 한다. 자기 자신을 위해서도 누군가를 판단하는 일은 신의 몫으로 남겨둬야 한다.

"그럼 어떻게 해야 하나요?"

주교님은 원망스럽고 화가 날 때는 미움과 증오 대신에 "안타까워하라."고 말씀하셨다. 그 사람에게 내면 깊이 내가 모르는 것이 있을 텐데…… 왜 그 순간에는, 왜 나한테는, 왜 우리에게는 그렇게 말하고 행동했을까? 그 사람의 다른 내면을 나는 보기가 어려워 나쁜 감정이 들었지만 매우 안타깝다. 그 사람이 다른 사람에게는 다른 공간에서는 그러지 않았으면 좋겠다. 안타까운 마음으로 상대를 바라보면 공격의 화살은 방향을 잃고 그 자리에서 떨어진다. 내 마음이 가라앉고 타인을 향해 분산됐던 감정들이 다시 내게로 돌아오는 것이 느껴진다. 어떠한 감정과 생각 그리고 판단은 모두 나의 것이다. 모든 상황에서 주인공이 나이기 때문에 무엇도 누군가에게 미룰 수 없다. 결국 모든 것이 내 문제이고 모든 답이 내 안에 있다.

우리는 충분히 '아름다움과 행복의 씨앗'이 될 수 있다. 우리는 세상에 아름다움과 행복을 퍼트릴 수 있는 아주 작은 씨앗으로서 이미 신의 선물을 가지고 있다. 잘 생각해보자. 여기에 타당한 이유 세 가지가 있다. 첫째, 세상은 나로 인해 시작됐다. 내가 없었다면 내가 만나는 이 세

미소 스위치는 신이 주신 행복의 열쇠이다.

상도 존재하지 않았을 것이다. 나는 내가 살아가는 이 세상에서 가장 소중한 존재이다. 둘째, 나로 인해 표정을 바꿀 많은 사람이 있다. 나는 수많은 거울을 앞에 둔 주인공이다. 내가 항상 웃으면 내 주변의 모든 거울이 웃을 수 있다. 셋째, 나로 인해 세상이 더 밝아질 수 있다는 것을 나는 알고 있다. 내가 '나를 위한 미소'를 지음으로써 행복을 전파할 수 있다는 것을 알고 있으므로 이미 내 안에는 변화가 시작됐다.

우리는 태어남과 동시에 신에게서 미소 스위치라는 행복의 열쇠를 선물받았다. 그 선물은 힘든 세상에서도 우리가 스스로의 의지와 실천으로 아름다움과 행복을 유지할 수 있게 해준다. 우리가 수백 분의 일, 수천 분의 일에 해당하는 행운을 쫓는 데 시간과 에너지를 허비하지 않는다면 우리는 신의 선물을 지금부터라도 당장 확인할 수 있다.

단 30초라도 미소 스위치를 들어 올려보라. 그 결심과 실천이 우리를 행복하게 만들어줄 것이다. 명심하라. 필요한 것은 당신이 스스로의 의지로 미소 스위치를 켜는 실천을 하는 것뿐이다. 이것이 우리가 이 책을 읽고 있는 당신에게 알려주고 싶은 아름다움과 행복의 비밀이다!

표정습관을 바꾸자

우리의 표정근육은 나이가 들어가면서 상안면과 하안면이 강화되고 중안면 미소근육은 약화된다. 그래프로 도식화하면 쉽게 이해가 된다.

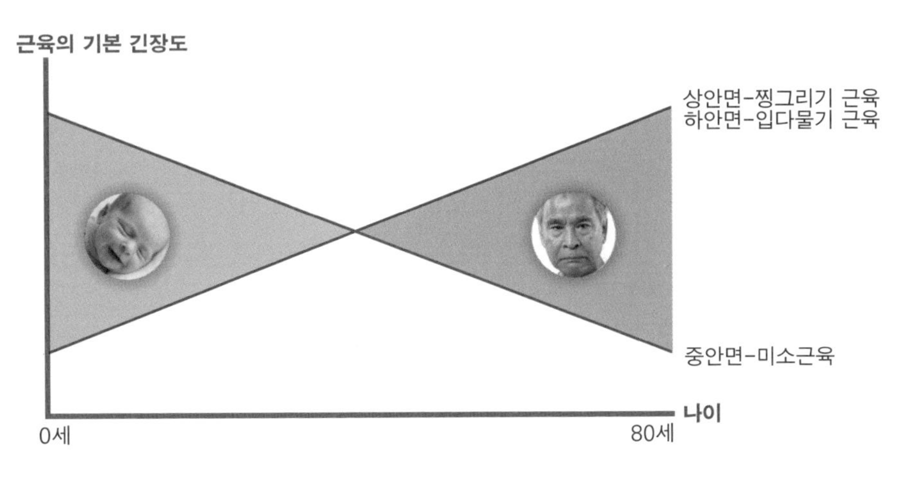

연령대에 따른 찡그리기 근육, 미소근육, 입다물기 근육의 힘의 크기와 노화에 따른 역전

한마디로 말해 노화는 미소근육을 잃고 입다물기 근육과 찡그리기 근육이 발달하는 과정이라 할 수 있다.

삶의 시작과 끝은 온화한 미소와 함께한다

우리가 입을 다물거나 찡그릴 때 작동되는 하안면과 상안면 표정근육은 한 세트로 움직인다. 바로 '감정에 의한 표정근육의 작동원리'이다. 그런데 우리는 인생의 많은 시간을 부정적 감정에 의해 움직이는 하안면과 상안면에 힘을 주는 데 허비한다. 반면에 생기 있는 얼굴을 결정하는 중안면 미소근육은 태어나는 순간부터 일생에 걸쳐 힘을 잃어간다.

우리가 갓난아기였을 때는 긍정의 감정에 의해 작동되는 중안면 미소근육의 긴장도는 높고 부정적 감정에 의해 작동되는 상안면과 하안면의 긴장도는 낮다. 아기가 잠자는 모습을 본 적이 있다면 알 것이다. 입을 다물고 잠을 자는 신생아는 흔치 않다. 사실 아기는 대부분 중안면 미소근육이 윗입술을 당겨 올릴 만큼 강화된 상태여서 입을 다무는 것이 쉽지 않다.

하지만 그렇게 강했던 중안면 근육은 시간이 지나면서 점차 힘을 잃어간다. 하기 싫은 일도 해야 하는 삶의 과정에서 천진난만한 갓난아기 시절의 미소를 잃어가는 것은 어쩜 당연한 일이다. 점점 입다물고 지내는 시간이 늘어나고 잘 웃지도 않게 되면서 중안면 미소근육을 쓸 기회가 적어진다는 것이 문제다. 굳이 화를 내는 것도 아닌데 입을 다물고 미간과 턱에 힘을 주는 일이 잦아지면서 상·하안면 표정근육과 중안면 표정근육 간 힘의 역전 상태를 만들게 된다. 대한민국 어린아이들의 대부분은 불행하게도 초등학교 입학 전에 이런 역전을 경험한다. 학창시절을 거쳐 사회생활을 시작하면서 이런 시소게임Seesaw Game은 점차 심화되어 상·하안면 표정근육이 압도적으로 중안면 미소근육을 이기는 상태가 지속된다. 그러다 보니 곱게 나이 드신 어르신을 찾는 일이 쉽지 않다. 연세가 지긋하심에도 밝은 인상을 소유하신 분들의 공통점은 통통한 볼살이 돋보일 정도로 환한 미소를 머금고 있다는 것이다. 다시 말하면 중안면 미소근육을 살짝 들어 올리는 것이 자연스럽고 익숙한 분들이다.

중안면과 상·하안면의 힘의 역전은 그대로 우리의 표정으로 드러난다. 아기의 생글생글한 웃음이 사라지고 삶 속에서 인상이 굳어지는 것은 상·하안면 근육이 그만큼 사용 빈도가 많아져 강화됐다는 이야기다. 힘든 삶을 살아내고 죽음을 맞이하고 서야 비로서 얼굴의 모든 근육에서 힘이 빠져나가 기본 긴장도가 0이 된 상태가 돼야만 갓난아기와 같은 온화한 미소를 되찾을 수 있다. 결국 죽음에 이르러야 사람은 '앙' 다물었던 입을 다시 열게 되는 것이다(185페이지 참고).

온화한 미소로 시작한 삶이 길고 힘겨운 여정을 지나 그 끝에서 다시 온화한 미소를 되찾는다는 사실은 아는 이가 있을까? 참으로 의미심장한 삶의 진실이다.

입다물기 근육의 힘을 빼는 것이 시작이다

하지만 우리의 굳건히 다문 입다물기 근육의 힘은 일생의 마지막 순간에만 뺄 수 있는 것은 아니다. '언제나 미소 스위치를 올리세요 Always Smile Switch On!'로 표현되는 매 순간의 의지와 하안면 입다물기 근육의 힘을 빼고자 하는 의지로도 충분히 힘의 역전을 가져올 수 있다. 그리고 그것이 바로 노화를 막고 좋은 인상을 되찾아주는 비결이다. 그럼 무엇부터 바꾸어야 하는가? 진료실에 있다 보면 한눈에 봐도 하안면 입다물기 근육에 힘이 잔뜩 들어가 입 주위 주름은 물론 깨물근까지 발달해 얼굴이 넓적해 보이는 환자들이 있다.

"입을 꽉 다무는 것은 나쁜 습관입니다."

그런데 그 여성 환자는 나의 말을 듣고는 아니라고 손사래를 쳤다. "저 입에 힘주고 있는 거 아닌데요. 그냥 자연스럽게 있는 건데요!" 자신은 특별히 사각턱이 발달할 만한 일들을 하지 않았다는 것이다. 강연장에서 청중들에게 이야기했을 때도 항상 같은 반응이다. 자신은 결코 입에 힘을 주거나 특별히 입을 꾹 다물고 살지 않았다고 말한다. 특별히 입을 벌리고 지낸 적은 없지만 특별히 다물려고 힘을 준 적도 없다고 항변한다.

정말 그럴까? 사실 우리는 너나 할 것 없이 입을 다물기 위해 참 열심히 노력하면서 살아왔다. '입을 다물고 어금니를 무는 힘'이 어디서 온 걸까 찾아보니 인류의 역사와 관련이 있었다. 인류는 농경사회로 정착하기 전에는 사냥과 채집을 하면서 떠돌이 생활을 했다. 사냥한 생고기를 뜯고 채집한 거친 먹거리를 씹을 힘이 없으면 살아남지 못했을 것

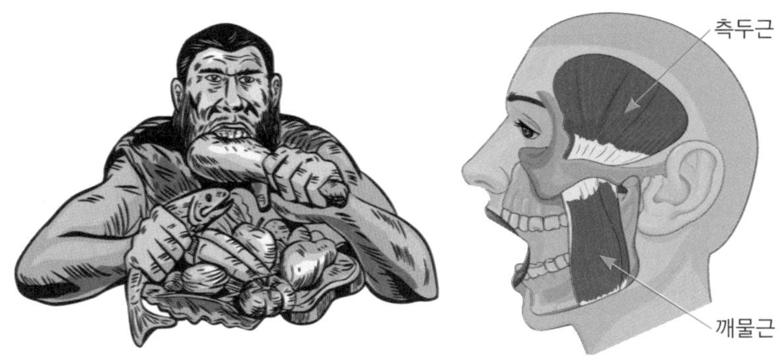

측두근을 포함하여 깨물근과 턱끝근 등의 입다물기 근육들은 생존을 위한 인류의 역사를 통해 강화된 것이다.

이다. 먹고사는 일에서 입의 씹는 능력은 상당히 중요한 기능이었다. 인류의 입은 점점 더 잘 깨물고 씹을 수 있는 방향으로 발전했다.

게다가 우리나라는 오래전부터 유교문화에 젖어 있다 보니 "입다물어라."라는 밥상머리 교육을 수시로 받아왔다. 오래도록 안팎으로 입다물기를 강요받다 보니 이제 누가 시키지 않아도 입을 꽉 다물고 사는 일이 자연스러워진 것이다.

영 믿기지 않는다면 지금 당장 어금니를 떼고 아래 턱을 살짝 내려서 낮은 음 '~어' 발음을 하면서 깨물근과 관자놀이 부위의 측두근에 신경을 쓰며 힘을 빼보라. 힘을 빼보면 비로소 느껴진다. 그간 얼마나 많은 힘을 그리고 얼마나 오랜 시간을 입을 꽉 다무는 데 쓰고 살아왔는지 말이다.

미소근육을 강화시킬 것인가, 하안면의 힘을 뺄 것인가

노화현상이란 내리막으로 치닫는 궤도 위에 놓인 '브레이크 없는 수레'와 같다. 죽음이라는 종착역을 향해 앞으로만 내달리는 브레이크 없는 수레이다. 그러기에 누구도 노화현상을 비켜갈 수 없다. 하지만 누구나 노화의 시계를 늦추고 최대한 젊은 모습을 유지하기를 원한다.

여기까지 읽으신 내용만으로도 독자 여러분들께서는 이 수레에 브레이크를 걸어 노화의 속도를 줄일 수 있는 방법이 좋은 표정근육을 단련하고 나쁜 표정근육은 퇴화시키는 것이라는 사실을 짐작했을 것이다. 그렇다면 퇴화돼 약해지고 늘어진 중안면 미소근육을 강화시키는 것이 먼저일까? 아니면 강해진 상·하안면의 힘을 빼는 것이 먼저일까?

사실 이 둘은 시소게임처럼 하나가 올라가면 다른 하나가 내려가듯 서로가 영향을 미친다. 생각해보자. 태어날 때 가장 강했던 미소근육이 저절로 퇴화됐을까? 아니다. 스스로도 모르게 입을 다무는 습관이 생기면서부터 입다물기 근육에 힘이 들어가니 어쩔 수 없이 미소근육에 힘이 빠진 것이다. 하안면 입다물기 근육의 힘이 강해지는 것이 모든 변화의 시작이었던 것이다. 따라서 하안면 입다물기 근육에 힘을 빼는 것이 더 중요하고 그 힘이 빠져야만 중안면 미소근육을 강화시키는 것이 가능하다. 섣부른 욕심에 미소근육을 강화시키는 것에만 집중한다면 결코 성공할 수 없는 이유가 바로 여기에 있다. 1, 2, 3장을 제대로 읽지 않고 4장의 '중안면 미소근육 강화운동'만 하는 사람들이 쉽게 성공하지 못하는 이유이기도 하다.

만일 '입다물기 근육'의 힘은 빼지 않고 '미소근육'의 힘만을 키우려

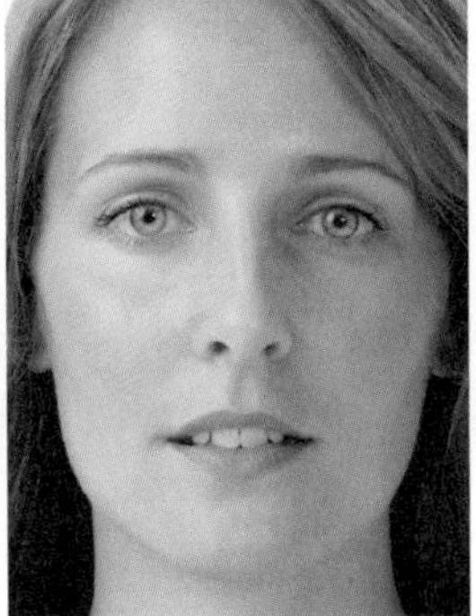

단지 입술을 떼고 가볍게 높은 음 "은~" 하고 소리를 내는 듯 얼굴 표정근육을 만들어보면 입을 다물고 있는 무표정이 얼마나 무거운 분위기인지 알 수 있다. 결코 작은 차이가 아니다. 3장에서 소개할 '은 자세'는 마치 입술에 립스틱을 바를 때 살짝 입술을 떼는 자세와 비슷하다.

노력한다면 어떤 일이 벌어질까? 시소를 좌우 양측에서 같은 힘으로 동시에 아래로 누르면 애써봐야 힘만 들고 헛일이 되는 것과 같은 결과가 된다.

다시 말해 입을 다물어 볼을 아래로 당겨주는 힘이 강해진 상태에서 볼을 위로 올려주는 힘을 동시에 발달시키려 한다면 쓸데없이 힘만 들 뿐 생각만큼 미소근육은 잘 발달하지 않는다. 그뿐 아니라 중·하안면 근육이 만나는 입꼬리 부위에 과도한 긴장감이 생기면서 입꼬리를 옆으로 당기는 힘이 발달하게 된다. 결국 얼굴 윤곽을 옆으로 뚱뚱하게 만든다. 그래서 입다물기 근육에 힘을 빼는 것이 모든 노력의 시작이며 표정습관 교정이라는 목표의 50% 효과를 얻을 수 있는 가장 중요한 일이다.

"일단 '은~' 하고 입에 힘을 빼보세요." 표정근육을 바꾸는 트레이닝에서 가장 먼저 제안하는 것은 입술을 떼고 가볍게 '은~'을 하라는 것이다. 물론 소리는 낼 필요가 없다. 이 '은 자세'에 대해서는 4장(321페이지 참고)에서 자세히 소개하겠다. 여간 해서는 잘 빠지지 않는 턱끝의 힘을 빼면서 자연스럽게 상·하안면의 힘도 빼기 위한 가장 효과적인 표정자세다.

"다음에 오실 때까지는 '은 자세'를 수시로 연습해서 오시면 됩니다. 날씬한 배를 위해 무의식 중에도 '아랫배'에 힘주고 있듯이 중안면 미소근육에 살짝 힘주는 '은 자세'를 잊지 마세요!"

사실 말은 쉽지만 실제 해보면 그렇게 쉽지만은 않다. 하루에 적게는 10시간에서 많게는 20여 시간을 입을 꾹 다물고 지냈던 사람이 갑자기 입 주위의 7가지 근육에 힘을 빼고 중안면 미소근육을 들어올리는 자세를 유지한다는 것은 정말 어려운 일이다. 먼저 하안면 근육의 힘을 효과적으로 줄여야만 미소 스위치를 켜고 있는 표정자세를 좀 더 편하고 쉽게 만들 수 있다.

다시 한 번 강조하지만 표정습관은 근육 힘의 강도와 시간에 의해서 결정된다. 얼굴 표정근육을 키우는 데는 3개월 동안 하루 5분 정도의 근육 강화 훈련만으로도 충분한 의미가 있다. 하지만 그 외의 나머지 시간에 어떻게 어느 부위의 힘을 쓰고 빼는지 역시 무시할 수는 없다. '은 자세'는 평상시의 표정, 다시 말해 어느 부위의 표정근육에 힘을 주고 뺄 것인가에 대한 답이다.

'은 자세'를 완벽하게 소화한 환자들은 자신의 표정이 전보다 온화해지고 편안해졌다는 것을 느낀다. 하안면의 힘이 빠지면서 턱 끝의 울퉁불퉁한 주름과 입 주위 주름은 물론이고 깨물근의 힘이 줄어서 사각턱까지 작아지는 놀라운 효과를 경험할 것이다. 하안면과 연동돼 움직이는 상안면의 힘이 줄어들어 미간과 이마의 주름이 개선되는 것은 덤으로 얻게 될 항노화의 선물이다.

중안면 미소근육을 어떻게 강화할까

퇴화된 미소근육을 다시 강화시키는 운동법은 두 가지가 있다. 먼저 등장성 운동Isotonic exercise이다. 이것은 일정한 무게의 아령Dumbbell을 이용해 근육에 부하를 유지하면서 팔꿈치 관절을 중심으로 팔을 접었다 폈다를 반복하듯 근육을 반복적으로 수축 이완하는 방법이다. 근육 길이가 늘어나거나 짧아지면서 근력을 키우는 운동이다. 다른 한 가지 운동 방법은 근육의 길이를 단축하거나 늘리지 않고 같은 길이를 유지하고 정지된 상태에서 힘을 주고 버티는 등척성 운동Isometric exercise이다. 팔꿈치 관절을 아래팔을 접어서 올린 후 팔 근육에 힘을 주고 버티거나 벽을 두 손바닥으로 밀고 정지된 자세로 버티는 운동이다. 이 책에서 앞으로 설명할 표정근육 강화운동인 '어흥 운동'은 미소근육 1, 2, 3번을 최대한 위로 들어 올린 후 버티는 '등척성 운동'이라고 생각하면

(좌)등척성 운동과 (우)등장성 운동의 예

된다.

그렇다면 표정근육 강화운동을 하루에 얼마나 하면 근육을 발달시킬 수 있을까? 팔다리를 예로 들어보자. 팔다리의 어느 한 가지 근육을 강화시키기 위해서는 강화운동을 하루 5분씩만 해도 충분한 운동이 될 수 있다. 우리가 웨이트 트레이닝을 할 때 '한 근육 부위'를 5분 이상을 단련하기는 쉽지 않다. 아령을 이용해서 등장성 운동으로 팔뚝 근육을 접었다 폈다 강화시킨다고 생각해보자. 보통은 한 번에 10회를 한 세트로 2~3세트를 운동한다고 할 때 대략 시간은 5분 이내이다. 일주일에 3번 총 15분 정도의 운동량만으로도 2~3개월 지나면서 서서히 팔뚝 근육이 발달하는 것을 볼 수 있다. 즉 하나의 근육을 강화하는 데는 정확한 힘을 주어서 일주일에 15분 정도의 운동량이면 충분하다는 것을 알 수 있다.

그렇다면 표정근육은 어떠할까? 팔다리 근육에 비해 가늘고 근력이 약한 표정근육 역시 한 번에 5분씩 하루 두 번 10분간 운동을 한다고 해보자. 하루 10분씩 일주일간 하면 최소 60분 이상을 운동하는 것이므로 팔다리 근육 강화에 필요한 운동량 15분의 4배에 해당하는 충분한 운동량이 될 수 있다. 하루 10분이 많다면 단 2~3분 정도의 등척성 운동만으로도 일주일에 15분 정도 운동이 되는 것이다. 표정근육은 충분히 강화될 수 있다는 점을 잊지 말자! 그러나 이왕이면 충분한 운동량이면 더 좋다.

시소게임은 양쪽이 똑같은 무게가 돼야 수평을 유지할 수 있다. 하지만 사람의 얼굴 근육은 긍정이나 부정의 감정에 의해 작동되는 표정근육이기 때문에 그 감정을 대변하는 근육인 상·하안면 근육의 힘과

[하안면(입다물기근육)+상안면(찡그리기근육)]과 중안면(미소근육)의 시소게임

중안면 미소근육의 힘 중 한쪽으로 기울게 돼 있다. 중안면 미소근육에 힘을 주어 들어 올리는 웃는 모습을 하면서 동시에 미간과 입가에 힘을 줄 수 있는지, 즉 웃으면서 찡그릴 수 있는지 없는지를 해보면 쉽게 알 수 있다.

"입을 벌리고 크게 웃으면서 동시에 미간을 찡그리고 입을 다물고 턱끝에도 힘을 줘보세요!"

실제로 해보면 절대로 편안하게 되지 않는다. 미간과 입 주위에 힘을 주면 중안면에는 힘이 빠지고, 반대로 중안면을 들어 올리면 미간과 입 주위에는 힘이 빠진다. 게다가 한쪽이 강화되면 한쪽은 자연스럽게 약화된다. '시소게임'이라는 표현이 가장 적절하다. 표정근육 트레이닝은 이러한 시소게임에서 중안면 미소근육이 강화되고 하안면 근육은 힘이 빠지도록 하는 훈련이다. 이 원칙만 이해하면 앞으로 4장에서 표정

[중안면(미소근육)]과 [상안면(찡그리기근육) + 하안면(입다물기근육)]의 시소게임. 시소가 왔다갔다하듯 중안면 미소근육의 힘이 커지면 하안면과 상안면 근육의 힘이 약해지고, 반대로 하안면과 상안면 근육의 힘이 세지면 중안면 미소근육의 힘이 약해진다.

근육 트레이닝을 할 때 어떻게 해야 하는지 쉽게 이해할 수 있다.

'은 자세'로 하안면 힘을 빼면 저절로 상안면 힘은 빠지게 된다. 미간에 심한 주름이 있는 사람은 입다물기 근육의 힘을 빼지 않는 한 아무리 미간 주름에 보톡스를 맞아봐야 일시적인 효과만 있을 뿐이다. 미간근육에 힘을 빼기 위해서는 입다물기 근육에 힘을 빼는 '은 자세'를 생활화하는 것이 가장 중요하다. 이렇게 상·하안면 힘을 빼면 중안면 미소근육을 끌어올리기가 훨씬 쉽다. '은 자세'로 상·하안면 힘을 빼고 중안면 근육을 강화시키면 3개월 안에 얼굴 표정이 달라지고 입체적인 하트 윤곽이 살아나기 시작한다.

이 책의 「4장 J. F. 표정근육 트레이닝」은 여러분들의 노화의 수레에 브레이크를 걸어 속도를 늦춰주고 지금보다 더 밝은 인상의 소유자로 변화시킬 것이다. 입체감과 볼륨감이 살아 있는 하트 윤곽으로의 변화 역시 여러분의 것이 될 것이다.

그 결과 기쁨과 행복이 가득한 아름다운 J. F. 미소가 익숙해짐으로써 행복의 거울효과를 몸소 경험하게 되는 것이다. 그것이야말로 이 책이 여러분께 드리는 가장 큰 선물이 될 것이다.

늙지 않고 오히려 젊어졌다

그럼 얼굴 모양과 인상이 좋아지는 것 말고 더 좋아지는 것들은 없을까? 평소 환자분들은 물론이고 많은 의사들에게도 "노화로 인한 변화의 70%는 표정근육이 결정한다."고 강의해왔다. 표정습관을 바꾸는 것의 중요성을 알게 된 후 오랜 노력 끝에 2006년 무렵 인상클리닉의 기본 원리와 재활운동법이 완성되었다. 가장 먼저 시작한 것은 바로 나 스스로부터 바꾸는 것이었다. 생각해보라. 비만을 치료하는 의사가 정작 자신의 비만을 해결하지 못하고, 금연을 권고하는 의사가 본인 스스로는 금연을 실천하지 못한다면 어느 환자가 그 의사를 신뢰한단 말인가! 힘든 여정 끝에 행복과 노화의 놀라운 비밀을 발견한 나로서는 스스로의 얼굴로써 고객들과 주위 사람들에게 표정습관의 중요성을 증명해 보이는 것은 너무나 중요한 일이었다.

인상클리닉은 얼굴은 물론 마음까지 아름답게 변화시킨다

환자들이 얼굴이 아니라 삶이 바뀌어서 더 감사하다는 인사를 전할 때가 가장 보람된 순간이다. 일상의 삶의 태도가 행복한 삶을 결정하듯, 표정습관이 바뀌어야 항노화도 밝은 인상도 가능하다. 그것이야말로 신이 우리에게 주신 가장 귀한 선물이었다. 나 역시 마음을 바로잡는 것보다 눈에 보이는 표정을 바로잡는 노력이 더 쉽고 확실하게 마음의 평온과 행복에 이르는 길임을 스스로의 변화를 통해 확신할 수 있었다. 내가 인상클리닉이야말로 아름답고 행복한 삶을 원하는 모든 이들에게 꼭 필요한 선물임을 더더욱 확신하게 된 건 두 가지 경험 덕분이다.

2006년부터 정확한 표정근육 운동법과 평소의 바른 표정자세를 생활화한 지 1년이 채 되지 않아서 얼굴과 마음에는 놀라운 변화가 시작되었다. 그 기쁨과 감동을 만끽하기도 전인 이듬해 2007년 12월에 예상치 못한 간암 진단을 받았다. 당시에 누구보다 열심히 살아온 삶이 여기서 끝이 아닐까 하는 두려운 생각과 불안한 미래를 앞두고도 담담하고 편안한 투병을 할 수 있었던 것도 바로 미소 스위치를 올리려 노력하면서 얻게 된 예전보다 확고해진 무한 긍정의 삶의 태도 덕분이었다. 인상클리닉이 필자의 얼굴뿐만 아니라 마음까지 변화시켰던 것이다.

이런 놀라운 내면의 변화는 더 막막했던 2011년 2월에 두 번째로 찾아온 근육암 진단 이후에 더 큰 위력을 발휘했다. 첫 번째 암에서 체득한 평온한 마음 상태의 위력은 주위 사람 누구도 필자가 투병 중인 것을 몰랐을 정도로 편안한 투병을 가능케 했고 그 결과 기적 같은 극적인 완치라는 선물을 안겨주었다. 세 번째 덤으로 주어진 지금의 소명의 삶에서 내가 인상클리닉의 소중함을 널리 알리려 애쓰는 건 너무 당연한 일이다. 인상클리닉이야말로 내가 세상에 내어놓을 가장 귀한 것임을 삶의 경험을 통해 너무나 잘 알고 있기 때문이다.

인상클리닉은 J. F. 미소를 만드는 항노화 종합선물세트다

내 얼굴의 변화는 너무나 컸다. 2006년부터 이 책의 개정판을 쓰고 있는 2020년까지 14년까지 13년 세월 동안 얼굴은 오히려 더 작아졌고 심지어 젊어졌다. 많은 사람들이 노화를 치료하는 피부과 전문의이니 이런저런 치료를 누구보다 많이 받아서 젊음을 유지하는 것으로 오해한다. 하지만 바쁜 진료 일정과 사회활동으로 치료를 받을 여유도 없었거니와 인상클리닉만으로도 충분한 항노화 효과가 있었기에 굳이 다른 치료를 받아야 할 필요를 느끼지 못하고 있다.

나이보다 젊고 생기 있어 보이는 모습은 비단 내 얼굴만이 아니다. 오랜 세월을 함께해온 직원들과 17년 넘는 세월을 함께 해준 J. F.의 고객들의 얼굴 또한 마찬가지이다. 자연스러운 J. F. 미소(208페이지 참고)를 머금는 것이 일상이 된 지 오래다. 병원에 입사한 직원들은 그 얼굴의 인상을 보면 누가 오래 근무한 직원인지 쉽게 알 수 있을 정도다. 이 모든 것이 인상클리닉 덕분이다. 매일매일 자연스러운 활기 넘치는 모습들을 보면서 인상클리닉이 얼마나 소중한 항노화의 종합선물세트인지 더 실감하고 있다.

그럼 지금부터는 인상클리닉을 통해 얻을 수 있는 항노화의 장점들에 대해 알아보자.

인상클리닉은 윤곽 변화를 막아주는 가장 강력한 무기이다

이미 앞서 노화는 주름, 꺼짐, 늘어짐의 단편적 증상이 아닌 종합적인 변화로 인한 윤곽의 변화로 귀결됨을 강조한 바 있다. 윤곽 변화를 결정하는 가장 중요한 원인이 표정습관이 만들어내는 표정근육의 변화 때문이라는 사실을 이해할 수 있도록 예를 들어 설명해보면 다음과 같다.

- 이마와 미간의 찡그리는 주름, 입 주위의 많은 주름들이 이미 표정근육과 연관된 것임은 다시 설명할 필요가 없이 명확하다.
- 볼 정면의 볼륨의 감소, 볼의 늘어짐, 광대 밑 부위의 꺼짐 등은 모두 중안면 미소근육의 퇴화로 인한 증상이다.
- 하안면이 각져 보이는 이유도, 턱끝이 위로 끌려 올라가 뭉툭해진 이유도, 결과적으로 얼굴이 넓어져 보이는 이유도 모두 하안면의 입다물기 근육의 과도한 힘 때문이다.
- 이마, 눈썹, 위 눈꺼풀의 늘어짐은 중력에 의한 것보다 이마와 눈썹과 위 눈꺼풀을 당겨 내리는 찡그리는 근육들의 힘이 몇십 배 더

과도해서 생기는 현상이다.

어디 이뻔인가? 보다 구체적으로 얘기하자면 이 다음에 언급되는 대표적인 노화의 증상들 모두가 표정근육으로부터 자유로울 수 없음을 이 책의 독자분들께서는 쉽게 이해할 것이다.

따라서 표정근육 재활치료야말로 남은 일생 동안 이 모든 변화들이 심화되는 것을 예방할 수 있고, 이미 진행된 변화들을 다시 예전처럼 되돌릴 수 있는 가장 강력한 항노화의 무기라고 말할 수 있다. 어렸을 때부터 나쁜 표정습관으로 인해 잘못된 방향으로 윤곽 변화를 이끌던 원인을 바로잡음으로써 본인의 젊었을 때보다 균형감과 입체감이 있는 윤곽으로 복원할 수 있는 근본 치료법이기도 하다.

볼의 탄력과 볼륨감은 물론 인디언 밴드까지 개선된다

인상클리닉으로 인한 항노화 효과는 바로 볼 부위의 생기 있는 변화가 그 핵심이다. 바로 J. F. 미소를 머금는 일이 전혀 힘들지 않고 자연스러운 습관이 되신 분들의 공통된 특징은 볼에서 드러난다. 볼의 늘어짐을 결정하는 가장 중요한 것은 중안면 미소근육의 기본 긴장도이다(163페이지 참고: 미소근육이 노화의 속도와 방향을 결정한다). 미소근육의 긴장도가 높게 유지되면 볼이 위로 올려진 상태를 유지하므로 볼의 볼륨감이 좋아져 보인다. 볼의 앞부분에 필러를 넣거나 지방을 넣었을 때의 어색한 모습이 아니라 마치 미소를 머금고 있는 듯한 자연스러

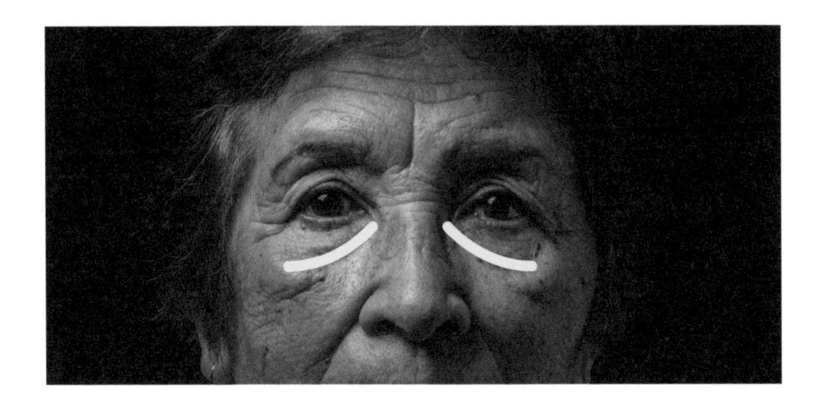

운 밝은 얼굴이 된다. 눈 밑 부위와 볼 부위의 경계라인에 있는 소위 인디언 밴드는 얼굴 정면의 중심에 있어서 노화치료의 중요한 목표이다. 이것을 치료하는 것이 쉽지 않다.

그런데 이 인디언 밴드를 심화시키는 것 역시 미소근육의 긴장도 감소이다. 특히 볼을 수직방향으로 올려주는 미소 스위치 근육(미소근육 1번과 2번)이 퇴화될 때 인디언 밴드가 더욱 심화된다. 자주 웃지 않고 그나마 웃을 때도 입을 다물고 입 주위로 웃는 사람들은 10대부터도 인디언 밴드가 발달한다. 중안면 미소근육이 발달해서 얻어지는 항노화의 효과는 '좋은 것을 해서Doing Good' 생기는 효과인 셈이다.

이마 주름, 미간 주름, 입 주위 주름이 개선된다

앞서 「2장 표정근육은 감정에 따라 움직인다」(146페이지)에서 설명했듯이 표정근육의 움직임은 공통적인 규칙에 의해 움직인다. 다시 한 번 강조해서 설명하면, 긍정적인 감정을 나타낼 때는 중안면 표정근육이 독립적으로 움직이고, 반면 부정적인 감정은 미간의 찡그리기 근육과 입가의 입다물기 근육이 연동해서 움직인다. 다시 말하면 긍정적인 감정을 전달하는 중안면과 부정적인 감정을 전달하는 상·하안면은 동시에 움직일 수 없다. 물론 많은 노력 끝에 억지로는 활짝 웃으면서도 미간을 찡그리고 입을 다물 수 있을지 몰라도 상당히 어색하고 부자연스럽다.

우리 몸은 감정이든 표정이든 어느 한 순간에는 긍정이나 부정 중에 어느 한 가지만 마음에 떠올리고 얼굴에 머금을 수 있다. 신이 주신 이 신기한 규칙을 이용하면 마음과 얼굴에 놀라운 선물을 안겨줄 수 있다. 항상 긍정의 마음 상태를 유지하는 노력을 통해 마음을 평온하게 유지할 수 있고 긍정의 표정 상태를 유지하는 것을 통해서는 놀라운 항노화 효과가 발휘된다. 평소에 입다물기 대신에 중안면 미소근육에 긴장도를 유지하는 상황이 되면, 그 순간에는 상안면과 하안면 근육에는 힘이 빠지게 된다. 따라서 이마와 미간의 많은 주름과 입가의 주름들은 자연스럽게 줄어들고 예방이 된다.

이 효과는 '나쁜 것을 하지 않아서No Doing Bad' 얻어지는 부수적이지만 너무나 중요한 항노화의 효과인 셈이다. 단순히 보톡스와 필러로 이마, 미간, 입가의 주름을 펴주는 것보다 얼마나 효과적인가?

눈둘레근을 강화시켜 애교살이 뚜렷해진다

젊고 생기 있는 얼굴을 떠올릴 때 통통한 볼살과 선명한 눈 밑 애교

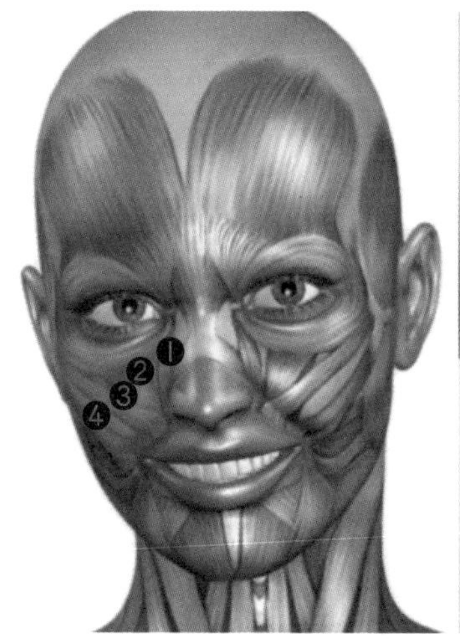

살은 빼놓을 수 없는 요소다. 애교살은 하안검의 눈둘레근 중에서 아래 속눈썹에 가까운 부위의 눈둘레근이 강하게 수축하면서 만들어지는 것이다. 미소근육의 위쪽을 보면 4개 근육 중 앞에 있는 1, 2, 3번 근육을 눈둘레근이 위에서 덮고 있다. 이 중 앞쪽에 있는 1, 2번 근육이 수직 방향으로 수축하면 눈둘레근이 동시에 수축하게 된다. 이 수축 과정에서 애교살 부위의 눈둘레근도 수축되므로 평소 중안면 수직 방향 미소근육의 발달 정도는 하안검의 탄력은 물론 애교살의 발달 정도와 직접적인 연관이 있다. 무표정할 때는 눈 밑에 애교살이 없지만 활짝 웃어서 중안면 근육을 수직으로 들어 올리면 애교살이 만들어지는 이유다.

한 번 거울을 보며 볼에 활짝 웃음을 지어보자. 볼이 수직 방향으로 올라가면서 눈 밑 하안검 부위에 힘이 들어가면 애교살이 또렷해지는지 확인해보자. 만일 이것이 어렵다면 당신의 미소 스위치 근육이 약화돼 있다는 것을 의미한다. 평소에 잘 웃지 않는 사람, 미소근육을 잘 사용하지 않는 사람은 하안검의 힘이 일찍부터 상실된다. 입다물고 웃는 사람은 미소근육 중에 3, 4번의 아래 부분만 사용하므로 수직으로 올려주는 1, 2번 근육이 퇴화된다. 그래서 이런 사람들은 젊었을 때부터 눈 밑이 늘어져 보이거나 다크써클이 일찍부터 생길 수 있다.

우리 눈 밑에 나이가 들면서 나타나는 여러 가지 문제점들은 사실 입다물고 웃거나 평소에 잘 웃지 않는 것이 원인인 경우가 많다. 눈 밑 늘어짐이나 눈 밑 지방 돌출을 막고 탱탱한 애교살을 만들기 위해서는 볼 정면의 미소 스위치 근육을 자주 써서 단련시키는 것이 중요하다.

눈 밑 탄력의 증가로 다크서클이 개선된다

다크서클은 왜 오후가 되면 더 진해지나? 선천적으로 피부가 얇거나 눈을 자주 비벼 눈 밑 만성적인 자극에 의해 검어진 경우를 제외하고 다크서클의 원인은 다음의 3가지로 요약할 수 있다.

첫 번째, 우선 눈 밑 피부(하안검)의 탄력이 저하되면서 밑으로 처지면서 생기는 그림자 때문이다. 하안검은 피부, 눈둘레근, 지방주머니를 둘러싼 막으로 구성돼 있다. 하안검의 탄력이 없어지는 것은 종잇장처럼 얇은 피부 때문이 아니라 눈둘레근의 힘이 빠지기 때문이다. 하안검 탄력은 눈둘레근을 사용하는 정도에 의해 결정된 기본 긴장도에 따라 다르다.

그런데 탄력도는 눈 주위 표정습관에 따라 격차가 심할 수밖에 없다. 이 눈둘레근의 힘이 없어지면 그 뒤에 자리잡은 지방주머니가 약해진 하안검을 밀고 앞으로 나오면서 불룩하게 보이게 되고 그 불룩한 지방 돌출 아래에는 약간 들어가 보이는 골이 파인다. 골이 파인 곳에 그림자가 지면서 눈 밑이 어두워 보이는 다크서클이 생기는 것이다.

앞서 애교살 부분에서 설명했듯이 2번 근육(미소 스위치 근육)이 위쪽 방향으로 수축할 때 눈둘레근이 함께 수축하는 특성이 있다. 평소에 볼 정면의 미소근육을 쓰지 않는 사람은 눈둘레근의 힘이 현저히 약해지므로 하안검 탄력이 약화되면서 눈 밑 지방주머니가 튀어나와 다크써클이 일찍부터 심하게 생길 수 있다. 또 오랜 시간 좋지 않은 감정 상태에 있게 되면 중안면 미소근육을 덜 쓰게 되고 이것은 눈둘레근의 긴장도를 감소시켜 더 늘어져 보일 수 있다. 며칠 동안 우울했거나 짧게는 오전 내내 기분 나쁜 상태로 지내고 나면 다크써클이 더 심하게 보이는 이유가 바로 여기에 있다.

두 번째, 피부에 생기는 미세한 잔주름 때문이다. 하안검이 탄력을 잃고 피부가 늘어지면서 미세한 잔주름이 생기는데 잔주름이 생기면 피부가 검어져 보인다. 예를 들어서 팔꿈치를 다 펴고 팔 안쪽을 보면 팔오금 부위가 하얗게 보이지만 반쯤 접어서 팔오금 부위에 잔주름을 만들면 검게 보이는 것과 마찬가지이다. 미세한 굴곡이 생기면 빛이 그곳에 들어갔다가 반사돼 나올 때 과다하게 굴절되면서 어둡게 보이는 것이다. 쭈글쭈글한 피부는 밝아 보이지 않고 어두워 보인다. 피부가 매끄럽고 탱탱해야 밝고 환해 보인다. 우리가 흔히 피부를 맑게 한다고 알려진 '물광 주사'에는 미백효과가 있는 것이 아니라 피부가 탱탱해져서 하얗게 보이는 것이다.

세 번째, 피부는 불투명이 아니라 반투명한 성질로 피부 아래 있는 것들이 잘 비쳐 보이기 때문이다. 우리 손등을 잘 살펴보면 힘줄이나 굵은 정맥 혈관들이 보이는데 우리 몸에서 가장 얇은 피부인 눈 밑은 다른 부위보다 더 많이 비쳐 보이게 된다. 이 피부 아래 근육은 혈액순환이 많은 조직이다. 따라서 근육에 분포하는 혈액의 상태에 따라 피부색이 다르게 보일 수 있다. 산소포화도가 높은 신선한 혈액이 분포할 때는 선홍색을 띄고 산소포화도가 떨어진 탁한 혈액이 지날 때는 검붉은 색을 띄게 된다.

이때 산소포화도를 결정하는 것은 심폐기능으로 심장과 폐 기능은 몸 상태가 좋을 때와 피곤할 때 큰 차이가 난다. 즉 신진대사 기능이 좋고 혈액순환이 잘되면 산소포화도가 높은 밝고 신선한 선홍색 피가 돈다. 반대로 기분이 가라앉거나 피곤하면 탁한 피가 돌게 된다. 오후가 돼 피곤한 상태가 되면 다크서클이 한층 두드러져 보이는 것은 바로 이 때문이다. 물론 첫 번째 언급한 눈둘레근의 긴장도가 오후 들어서 지치고 피곤한 나머지 오전보다 감소한 것도 크게 기여했을 것이 틀림없다.

눈가 주름이 예방된다

많이 웃으면 눈가에 주름이 많아지지 않나요? 이 부분은 앞서(207페이지 참고)에서 자세히 말했듯이 아이들처럼 볼 정면의 미소근육을 정확하게 사용해서 위쪽 방향으로 웃게 되면 눈가 주름은 더 심해지지 않는다.

팔자 주름이 개선된다

팔자 주름이란 콧방울의 양옆에서 입술의 양 끝으로 뻗는 팔八자 모양의 주름을 말한다. 팔자 주름은 중장년 층에게나 생긴다고 알고 있다. 그런데 젊은 층은 물론 아기들에게도 그 모양으로는 팔자 주름이 있다. 일명 팔자 주름이라 불리는 선 그 자체는 나쁜 것이 아니다. 다만 볼살이 팔자 주름 부위로 늘어져서 접혀 보이면서 그림자가 많이 지는 것이 나빠 보이는 것이다.

우리가 노화의 상징으로 팔자 주름을 말하는 것은 팔자 주름 부위가 꺼지면서 생기는 것이 아니다. 중안면의 볼륨, 특히 깊은 층에 있는 심층 지방은 물론 근육과 뼈까지 줄어들면서 그 위에 있는 피부판이 아래로 늘어져서 팔자 주름이 깊어져 보이는 현상이다(119페이지 참고). 따라서 노화에 따른 팔자 주름의 정확한 원인은 피부가 꺼지는 것이 아니라 피부가 처지는 현상이다.

또 하나의 원인은 중안면 미소근육의 몸통인 윗쪽 부분이 약화되고 아래쪽 부위가 상대적으로 강해졌기 때문이다. 중안면 4개 미소근육의 몸통은 광대뼈에 붙어 있으며 미소근육의 꼬리는 팔자 주름선과 입꼬리의 피부에 붙는다. 그런데 입다물기 표정습관이 있거나 평소에 자주 웃지 않는다면 미소근육의 최상층부 몸통은 퇴화돼버린다. 그리고 그 결과 중안면 근육을 포함해서 지방층과 피부는 늘어지게 된다. 미소근육의 몸통은 퇴화되지만, 나쁜 표정습관이 있는 사람은 주로 입 주위 부분으로만 표정을 짓게 되므로 미소근육 중에서 팔자 주름과 입꼬리 부위에 연결된 근육의 아래쪽 부위만 쓰기 때문에 자연스럽게 아래가 지나치게 발달하게 된다.

미소근육의 아래쪽이 발달하면 피부에 붙는 부위를 강하게 끌려올리면서 팔자 주름선이 깊게 접히게 된다. 바지나 치맛단을 예를 들어 설명하면 아래쪽을 잡아 올리면 밑단 부위에 주름이 많이 지고 중간을 들어 올리면 덜 생긴다. 위를 들면 밑단 부위에 주름이 아예 안 생기는 것과 마찬가지 원리이다. 따라서 이런 이유에 의해서 생긴 팔자 주름을 치료하는 가장 근본적인 방법은 미소근육의 위쪽을 고르게 강화시키고 중안면 안쪽 공간의 볼륨의 감소를 복원해주는 방향으로 계획돼야 한다.

특히 측면에 있는 3번과 4번 미소근육은 미소근육 중에서 가장 강력한 근육으로 단련에 따라 힘도 가장 세질 수 있다. 이것이 볼의 늘어짐과 입꼬리 늘어짐을 대부분 결정한다. 한쪽 얼굴이 마비된 환자는 입꼬리가 거의 3센티미터 정도 내려가는 경우도 있다. 따라서 미소근육을 위쪽 몸통부터 고르게 강화시키면 볼 정면이 고르게 위로 올라가면서 오히려 팔자가 완화돼 보일 수 있다.

늘어진 인중과 얇아진 윗입술이 개선된다

인중선이 길고 또렷한 것은 관상에서는 흔히 장수를 의미한다. 하지만 인중이 힘없이 늘어져 보이는 경우는 긍정의 이미지를 주지 않는다. 왜 윗입술이 밋밋하고 인중이 늘어져 보일까?

평소에 잘 웃지 않거나 웃더라도 입을 다물고 옆으로 웃는 사람들은 볼을 위로 올려주는 미소근육 1, 2, 3번이 퇴화될 수밖에 없다. 따라서 1, 2, 3번 근육이 얇아지고 힘이 빠지면서 볼 정면은 꺼지고 아래로 늘어지게 되고, 윗입술을 들어 올리는 긴장도가 감소하게 되므로 윗입술 역시 아래로 늘어지게 된다. 그 결과로 인중이 위치한 윗입술과 코 밑 부위는 힘을 잃게 되면서 늘어져 길어지고 또렷해야 할 인중선은 밋밋하게 변한다. 그 과정에서 윗입술을 위쪽으로 살짝 들어올리는 긴장도가 감소하므로 윗입술이 입 안쪽으로 살짝 말리면서 윗입술의 양쪽 끝 부분이 얇고 힘이 없어지는 것이다.

4장에서 소개할 미소근육 강화 운동을 통해 2, 3번 미소근육이 강화되면 볼이 통통해지는 것은 물론 윗입술이 살짝 위로 들려 올라가면서 인중의 모양은 정상을 되찾고 더불어 보다 통통해 보이는 윗입술을 얻을 수 있다.

얼굴의 좌우 균형이 개선된다

선천적 얼굴 기형이 아니더라도 얼굴의 좌우는 크건 작건 대부분 비대칭이다. 가장 큰 이유는 한쪽으로만 씹거나 자거나 하는 등의 한쪽으로만 편중된 습관 때문이다. 대부분 특별한 이유 없이 혹은 치아교정과 같이 어떤 특정기간에 생긴 습관이 고착돼 생긴 현상이다. 한쪽으로만 하는 것 중 가장 심각한 것이 바로 한쪽으로만 씹는 것이다. 이 습관이 지속되면 전체 얼굴의 균형이 어그러지게 된다. 10대 전부터 이렇게 한쪽으로만 씹는 습관을 지니게 되면 뼈도 비대칭적으로 발달하게 된다.

중안면 미소근육은 4개 근육의 움직임이 조화롭게 움직여야 한다. 그렇지 않으면 얼굴이 비대칭이 된다. 그 이유도 역시 씹는 습관이 크게 관여한다. 이렇게 많이 씹는 쪽으로 입꼬리를 옆으로 당기는 힘과 미소근육의 3, 4번의 아래쪽 부분이 옆쪽으로 함께 발달하면서 심할 경우에는 깨무는 근육이 발달된 쪽으로 코가 휘어지기도 한다. 상대적으로 많이 씹는 쪽 미소근육 1, 2, 3번의 몸통(위쪽) 부분이 약화되므로 눈 밑이 늘어져 보이거나 인디언 밴드가 더 심하게 보일 수 있다. 이 경우는 볼 근육을 들어올려 주는 연습을 통해서 입술 모양, 콧방울 모양, 눈 밑의 힘을 좌우로 맞춰서 4개의 근육을 조화롭게 쓸 수 있도록 맞추는 연습이 중요하다.

특히 4장에서 소개할 중안면 미소근육 강화운동을 할 때는 항상 거울을 보면서 양쪽이 수평을 이루고 올라가 있는가를 눈으로 확인해가면서 정확히 들어 올리는 연습을 해야 한다. 만일 한쪽이 기울어졌다면 약해진 쪽에 더 힘을 주어 수평을 맞출 수 있도록 해야 한다. 한쪽으로만 씹어서 한쪽 깨물근이 발달해 있으면 반드시 양측 모두를 변화시켜야 한다. 즉 힘이 없는 반대쪽 깨물근을 주로 사용하는 습관으로 바꾸어준다. 반대쪽 깨물근의 볼륨을 서서히 증가시키고 평소에 쓰던 깨물근의 사용은 제한해 서서히 볼륨이 줄어들게 해 변화의 추세를 관찰해가며 좌우를 맞추는 것이 중요하다. 만일 이 경우에 힘이 강해진 부위를 줄이는 과정 없이 힘이 적어진 근육만을 추가적으로 발달시킨다면 얼굴이 전체적으로 넓어지는 결과가 나타나 바람직하지 않다.

이 책을 읽으시는 독자분들께 당부한다. 항상 잊지 말자. 이처럼 표정근육의 중요성을 인식하지 못하고 그냥 흐르는 세월에 얼굴을 맡겨 둔다면, 도도히 흐르는 강물 같은 시간 속에서 어떠한 긍정의 개선 효과도 기대할 수 없다. 또 이미 진행된 변화는 세월 속에서 더 심화될 것이 분명하다는 사실을! 표정근육의 중요성을 아는 것만으로도 개선은 크게 되지 않더라도 최소한 노화의 과정을 확실하게 예방할 수 있다. 만일 약간의 노력을 결심했다면 그것만으로도 이미 변화는 당신의 것이다.

Image

4장

J.F. 표정근육 트레이닝

입다물기 습관부터 바꾸자!

각진 턱을 싫어하는 우리나라에서는 씹을 때 사용하는 깨물근에 보톡스를 주사해 근육의 볼륨을 축소시켜 하안면의 윤곽을 줄이는 경우가 많다. 그렇지만 이것은 어디까지나 사진같이 평면적 차원에서 얼굴형의 변화를 주는 것이지 깨물근만 줄였다고 얼굴의 입체감이 살아나지는 않는다. 그래서 30대 이후에 이미 노화가 진행되기 시작한 상태에서 보톡스로 사각턱만 줄여버리면 볼살이 꺼지고 팔자 주름이 더 두드러지고 입꼬리와 턱선의 늘어짐이 더욱 현저해지는 경우가 많다. 실제로 환자 중에 깨물근이나 하안면 볼륨을 함부로 줄여서 얼굴 밸런스가 무너져 우울증에 걸려 상담을 오는 분들도 있다. 더구나 우울증은 보톡스 효과가 사라진 6개월 이후에도 좀처럼 회복되지 않기 때문에 매우 심각하다.

흔히 '사각턱 보톡스' 시술로 부피를 줄이는 '깨물근'은 '저작근'으로 우리 얼굴에서 '측두근' 다음으로 큰 근육이다. 턱뼈의 튀어나온 부

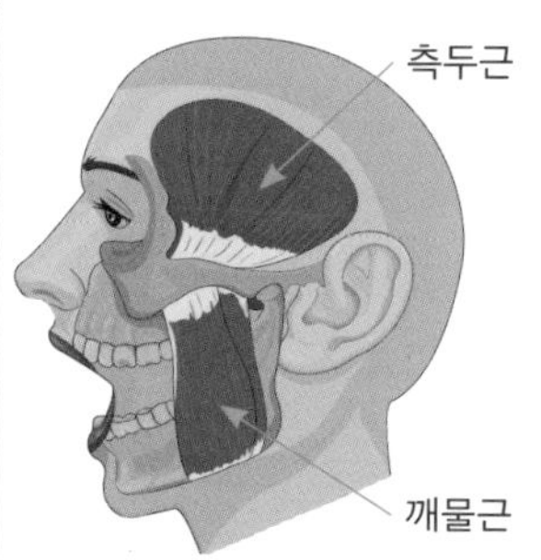

안젤리나 졸리의 2015년(왼쪽) 2016년(오른쪽) 사진을 보면 살이 많이 빠진 것을 알 수 있다. 만약 이때 사각턱 보톡스를 맞게 되면 얼굴이 더 퀭해지면서 중안면이 늘어져 급격하게 나이들어 보일 수 있다.

위를 감싸고 있기 때문에 얇은 사람은 몇 밀리미터 정도지만 두꺼운 사람은 한쪽 근육만 두께가 2센티미터 이상 되는 경우도 있다.

깨물근이 발달하는 진짜 이유

이 깨물근에 대한 가장 대표적인 오해가 사각턱 발달의 원인이 오직 오징어나 껌을 씹는 저작운동 때문이라고만 생각하는 것이다. 하지만 명심할 것은 실제로 사각턱 근육 발달에 가장 큰 영향을 주는 원인은 입을 꽉 다무는 평상시 표정습관 때문이다. 구체적으로 알아보자.

깨물근은 엄밀히 말하면 뼈와 뼈에 붙어 있으므로 표정근육이 아니라 운동근육의 한 종류로 분류된다. 운동근육은 많이 쓸수록, 다시 말해 일을 많이 할수록 힘이 강해지고 볼륨도 커진다. 근육을 쓴다는 것은 물리학적인 용어로 일work이라고 표현한다. 일상생활 중 일의 양(W)은 [힘의 크기(F)]×[이동거리(S)]로 수치화하니까, 턱 근육 일의 양(W)은

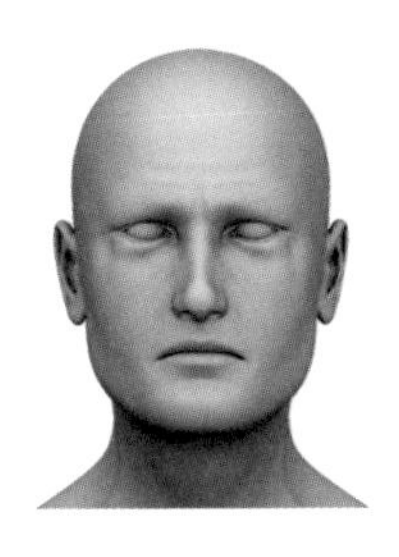  

당연히 그 힘의 크기(F)와 힘을 지속한 시간(T)에 비례해 증가한다.

예를 들어 턱 근육이 가장 큰 힘을 줄 때 힘(F)을 100이라고 가정하고 마른 오징어 한 마리를 먹을 때 일의 양을 간단히 계산해보자. 딱딱한 마른 오징어를 씹기 위해서는 적어도 80(F) 정도의 강한 힘이 필요하다. 이것을 혼자 꼭꼭 씹어 다 먹는 데는 대략 30분(T) 정도의 시간이 걸린다. 이것을 단순 곱셈으로 계산하면 일의 정도는 2,400(W)이 된다.

껌은 오징어만큼 딱딱하지 않기 때문에 씹는 힘을 60(F)이라고 가정하고 10분(T) 정도 씹는다면 일의 정도는 600(W)이 된다. 즉 오징어 한 마리를 먹을 때는 2,400(W)의 일을 하고 껌 하나를 씹을 때는 600(W)의 일을 한다고 가정할 수 있다. 물론 껌을 씹을 때에도 오징어를 씹을 정도의 강한 힘으로 몇 시간씩 씹는다면 껌을 씹는 일의 정도는 오징어 한 마리를 먹을 때보다 많을 수 있다.

그렇다면 자신도 모르게 입을 꽉 다물고 있는 습관은 하루에 어느 정도 일을 하는 셈일까? 항상 입을 꾹 다물고 있는 사람은 먹을 때와 말할 때를 빼고 거의 하루 종일 입을 꽉 다물고 있다. 그런데 이런 사람들은 자고 있을 때조차 입을 꽉 다문다. 무표정하게 늘 입을 꾹 다물고 있는 사람들은 그것이 익숙해서 힘을 주고 있지 않다고 느끼지만 실제로 깨물근의 긴장도를 조사해보면 최대 강도를 100으로 가정했을 때 최소

30 이상은 나온다.

깨물근의 힘이 0이 된다는 것은 입이 아래로 툭 떨어질 정도가 돼야 비로소 그렇게 되는 것이다. 그래서 사람이 죽으면 입이 벌어지는 것이다. 입다물기 습관이 심한 사람은 50 이상의 긴장도를 보이는 경우도 있다. 기본 긴장도를 30으로 가정하고 보통의 사람들은 그 힘을 주는 상태로 하루 최고 20시간 이상을 지내는 셈이다. 이런 습관이 있는 사람들의 깨물근의 일의 정도를 계산해본다면 30(F)×[20시간×60분](T) = 36,000(W)이 된다. 매일 오징어 15마리 혹은 10분간 씹는 껌을 60개 정도 씹는 것과 같은 일을 하고 있는 것이다.

다시 말해 입을 꽉 다물고 있는 습관이 있는 사람은 종일 자신도 모르는 사이에 깨물근으로 하는 일의 양이 매우 크다는 것이다. 물론 골격과 근육이 발달하는 청소년 시기에 병적으로 강한 힘으로 지나치게 긴 시간 동안 질긴 음식 등을 씹는 습관이 있다면 깨물근이 과도하게 발달해서 사각턱이 형성되는 데 이바지할 수 있다. 실제로 우리 주위에서는 단단하고 질긴 음식이나 씹기를 좋아하는 사람 중에 유난히 사각턱이 발달한 사람을 종종 만날 수 있다. 이처럼 단단한 기호식품 선호나 씹기로 평균보다 깨물근을 많이 사용한다면 당연히 깨물근의 발달을 가져오리라는 것은 수치적으로는 분명한 사실이다.

얼굴이 청소년기 때부터 커 보이는 건 선천적으로 턱뼈가 발달해 있어서 그 턱뼈를 둘러싼 깨물근 역시 발달한 경우가 대부분이다. 그 다음으로는 후천적으로 깨물근 근육을 많이 사용해서 과도하게 발달한 경우이다. 바로 '평상시 입다물기 습관' 때문에 사각턱이 된 것이다. 굳이 복잡하게 수식을 이용해 계산해가면서 설명한 것은 종일 어금니와

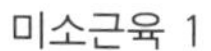

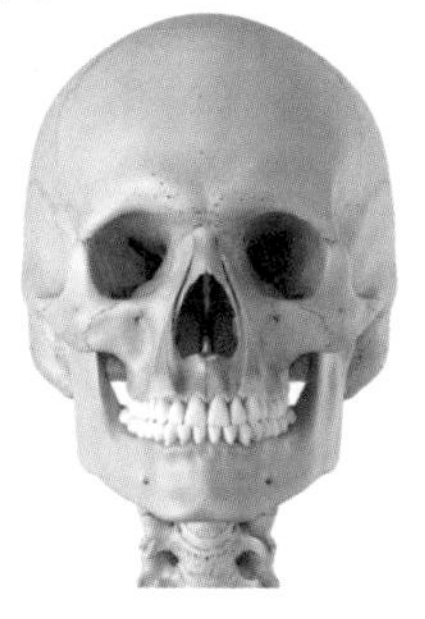

미소근육 2

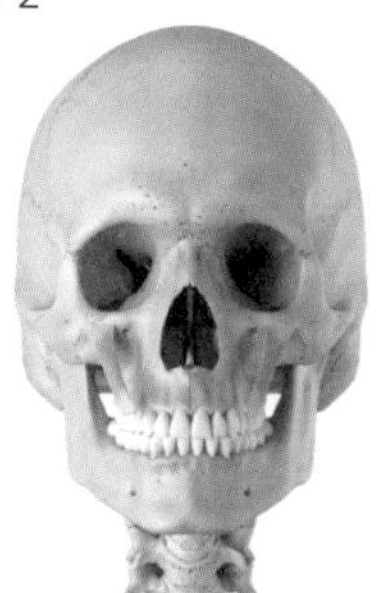

미소근육 3과 4

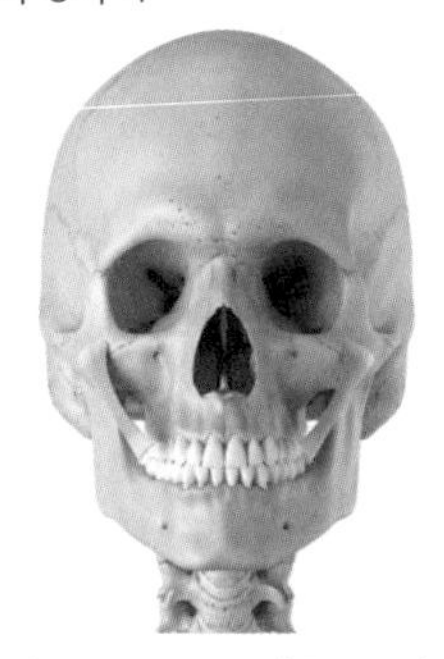

깨물근

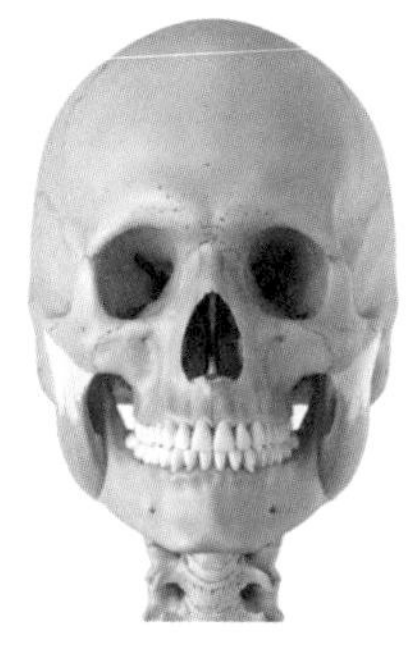

위에서 미소근육 1~4번은 표정근육이므로 그림에서는 마치 뼈와 뼈에 붙은 것처럼 보이지만, 아래는입꼬리나 팔자 주름 부위 피부에 붙어 있다.

입술을 꽉 다물고 지내는 사람이 오징어를 한 마리를 먹거나 껌을 몇 시간 씹으면서 사각턱 되지 않을까 걱정하는 것이 얼마나 어리석은 일인지를 강조하기 위해서이다.

정리하자면, 표정근육 트레이닝에 앞서 가장 명심해야 할 것은 바로 **'평소 힘주어 입 다무는 습관이 실제로 사각턱 발달의 주된 원인' 일 뿐만 아니라 가장 나쁜 평상시 표정습관이라는 것이다.** 평상시 입 다무는 습관만 고쳐도 크게 발달된 깨물근을 반영구적으로 줄일 수 있다. 표정근육 트레이닝에서 가장 기본은 이 작은 습관부터 바꾸는 것이다. 실제로 사각턱을 보톡스로 축소시키는 것은 근골격이 발달하는 과정에서 선천적으로 깨물근이 발달한 경우에는 한 번의 시술로도 효과적인 축소가 되는 경우도 많다. 하지만 입다물기 습관이 심해서 사각턱으로 보이는 사람들에게는 여러 번 보톡스 시술을 하더라도 수개월 지나면 다시 재발하는 경향이 있다. 이 경우에는 입을 꽉 다물기 습관을 바꾸는 것이 가장 효과적이며 원인에 맞는 치료인 셈이다.

나의 표정습관은 좋을까, 나쁠까

우선 올바른 표정근육 트레이닝을 위해서는 자신의 얼굴 상태를 정확히 알아볼 필요가 있다. 그러기 위해 세 장의 사진이 필요하다. 하나는 무표정한 상태의 얼굴 정면 사진이고 또 하나는 45도 측면 각도의 얼굴 사진이며 마지막은 웃고 있는 정면 사진이다. 이 세 장의 사진을 통해 얼굴 표정근육 중에서 '미소근육-중안면 근육' '찡그리기 근육-상안면 근육' '입다물기 근육-하안면 근육'의 발달과 퇴화 정도를 파악해보자.

몸에서 중심이 '허리'-척추기립근을 비롯한 자세유지근육이라면 얼굴에서 중심은 바로 '볼'-중안면 미소근육이다. 이 부위의 볼륨이 사라지면 얼굴 윤곽의 입체감이 사라지면서 같은 이목구비라도 호감도나 느낌, 즉 인상이 상당히 달라질 수 있다. 예를 들어 미소근육 3번, 4번의 경우에는 가장 위쪽 부분의 힘이 빠지면서 볼륨이 감소하고 아래로 늘어지면서 광대뼈 아래 부분이 꺼지는데 이로써 소위 '광대 하부 볼륨감소Submalar Hollow' 현상이 생긴다.

나의 표정습관 체크하기

평가 부위	좋은 상태	나쁜 상태
턱끝	턱끝이 아래쪽으로 정확히 내려와 있다. 턱끝이 매끈하고 날렵하다. 턱끝이 얼굴 중심선에 위치한다.	턱끝이 위로 말려 올라가 뭉툭하다. 턱끝이 한쪽으로 기울어져 있다. 턱끝이 울퉁불퉁하다. 아랫입술과 턱끝 사이에 가로 주름이 있다.
입꼬리	입꼬리가 수평하거나 살짝 올라가 있다.	입꼬리가 내려와 있다. 입꼬리가 우산 모양으로 뒤집혀 있다.
애교살	미소 짓거나 웃을 때 애교살이 선명하게 보인다.	미소 짓거나 웃어도 애교살이 생기지 않는다.
웃을 때	입이 벌어지면서 볼 정면이 위로 올라간다.	입을 다물고 웃거나 입꼬리를 좌우 수평 방향으로만 길게 벌려 웃는다.

이 현상은 30대 이후에 중안면 노화현상이 시작되었다는 상징적인 모습이다. 또한 나이가 들수록 중안면 미소근육 1번과 2번이 퇴화되면서 그 근육과 위쪽으로 붙어 있는 애교살을 만들어주는 눈가 주위의 눈둘레근의 긴장도가 감소해 아래로 같이 늘어지면서 눈이 처지고 힘이 없어 보이게 된다. 이처럼 중안면 미소근육의 퇴화로 인한 근육 볼륨과 근육 긴장도의 감소는 볼 측면의 꺼짐은 물론 볼 정면 볼륨 감소와 볼 처짐의 직접적인 원인이 돼 중안면 입체 윤곽의 밸런스를 깨뜨리게

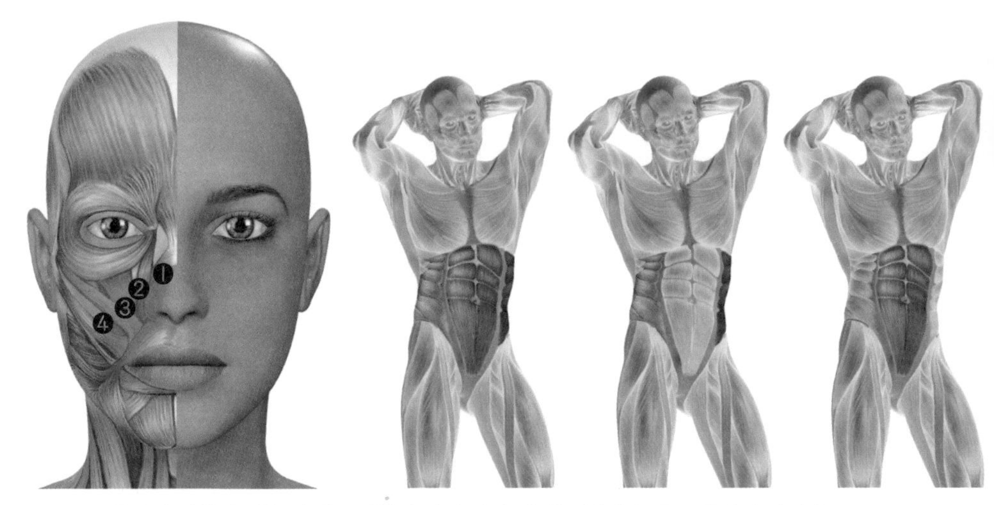

중력의 영향과 나쁜 자세로 변형이 가장 많이 생기는 부위가 바로 몸에선 허리이고 얼굴에서는 중안면이다. 따라서 중력과 반대 방향으로 힘을 주며 상태를 유지하는 자세가 허리는 물론 얼굴에도 좋다. 허리 건강을 위해서는 항상 명치 끝을 위에서 살짝 들어올린다고 생각하는 자세가 좋다.

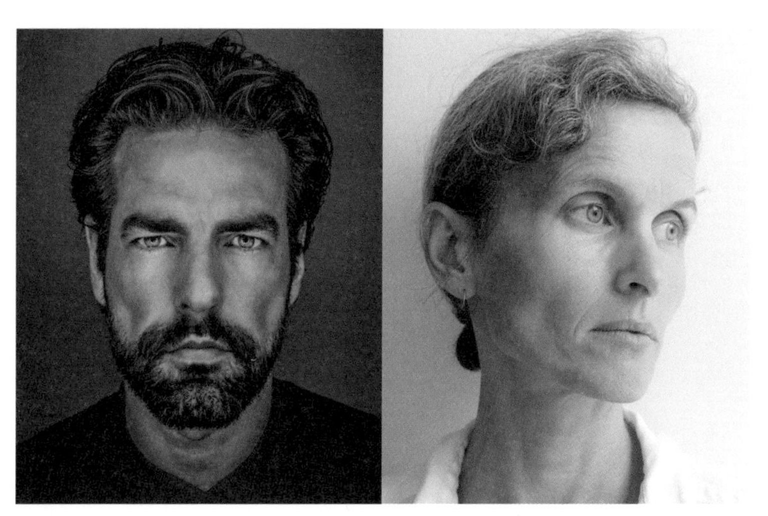

소위 '광대 하부 볼륨 감소' 현상은 30대 이후에 중안면 노화현상이 시작되었다는 상징적인 모습이다

되고 결국 나이 들어 보이는 얼굴 윤곽으로 만든다.

미소근육의 약화로 인해 볼 근육판은 2~3센티미터 정도 이상까지 늘어질 수 있다. 그러니까 표정근육판 위에 있는 지방층과 피부층이 함께 따라서 늘어진다. 이 현상은 앞서 163~164페이지 안면신경 마비 환자의 경우에서 이미 설명한 바 있다. 병원에서 고가의 탄력 레이저 치료를 받아도 볼이 위로 올라가는 정도는 2~3밀리미터에 불과하고 그 지속 또한 6개월을 넘기 어렵다. 그러나 신이 주신 미소근육을 다시 강화시켜 준다면 그 효과와 지속기간은 고가의 미용치료와 비교할 바가 아니다.

표정근육 트레이닝 전 체크리스트

표정근육 트레이닝의 핵심은 사실 아주 간단하다. 평상시 볼 부위 미소근육의 상태를 중력과 같은 방향인 내려가는 – 상태에서 중력과 반대 방향인 올라가는 + 상태로 바꾸고 그 상태를 오래 유지하는 것이다. 표정으로 이야기하면 '입을 꾹 다물고 있는 무표정한 얼굴'에서 '윗입술을 살짝 들어서 미소 스위치가 올라간 얼굴'로 유지하며 생활하는 것이다. 이렇게 생활하기 위해서는 생각을 바꾸는 것은 물론 중안면 미소근육을 강화하는 훈련이 필요하다.

중안면 미소근육 강화 훈련의 핵심은 우리가 미소 짓거나 웃을 때처럼 주로 긍정적 감정이 생길 때만 일시적으로 쓰는 미소근육을 말할 때는 물론 가만히 책이나 핸드폰을 볼 때도 습관처럼 쓸 수 있도록 훈련해 발달시키는 것이다.

〈미소근육 강화 운동에 필요한 준비물〉

- 거울 – 손거울을 사용하면 양쪽 미소근육을 손으로 만지면서 근육의 수축 정도를 체크할 수 없으므로 손거울보다는 얼굴 전체가 잘 보이는 벽에 걸린 거울이나 세워두는 거울이 좋다. 손거울을 쓸 경우에는 반드시 거울을 눈보다 높이 들어 위로 살짝 올려봐야 한다.
- 미소 키워드 또는 이미지 – 상상만 해도 바로 진짜 미소가 지어지는 대상의 이미지(예시: 웃고 있는 아기 사진, 애인이나 애완견 등 좋아하는 대상의 이미지).

자기만의 미소 키워드를 떠올리자

사실 코미디 프로그램을 보거나 어떤 특별한 즐거운 자극을 받지 않은 상태에서 갑자기 '미소근육을 살짝이라도 자연스럽게 들어올린다'는 것은 절대 쉽지 않다. 그래서 다들 미소근육에 힘을 완전히 뺀 무표정한 상태에서 종일 시간을 보내게 되는 것이다. 따라서 표정근육 트레이닝을 시작할 때는 우선 '미소 키워드Smile Keyword'로 생각의 도움을 받는 것이 필요하다.

미소 키워드란 상상하거나 보기만 해도 바로 자동으로 광대가 승천하고 웃음보가 터지면서 즐거워질 수 있는 대상을 지칭하는 단어다. 막 사랑에 빠진 여성이라면 남자친구의 이름이 미소 키워드가 될 것이다. 요즘 같은 어려운 경제 상황에서는 로또 당첨이 미소 키워드가 될

수도 있을 것이며, 할아버지 할머니는 손주의 이름이 될 것이다. 동물 애호가라면 반려견을 상상하는 것이 역시 미소 키워드가 될 수 있다. 언제 먹어도 행복해지는 자기만의 음식도 좋다. 미소 키워드는 사람마다 다 다르다.

긍정적 감정에 의해 자동으로 움직이는 중안면 미소근육을 훈련하는 데 도움이 될 만한 연구결과가 하나 있다. 바로 미국 듀크대 연구팀에서 장애인 지원 사업인 '다시 걷기Walk Again 프로젝트'의 하나로 진행된 하반신 마비 환자를 대상으로 한 실험결과이다.[46] 미겔 니코렐리스Miguel Nicolelis 교수는 브라질의 하반신마비 환자 8명에게 1년간 외골격 로봇과 가상현실VR, Virtual Reality을 이용해 재활 훈련을 시킨 결과 7명이 두 다리에 감각이 돌아왔다. 일부는 운동 능력도 회복했다고 국제학술지 『사이언티픽 리포트Scientific Report』가 밝혔다. 모두 의학적으로 재활 불가 판정을 받은 환자들이었기에 세간에 큰 관심이 주목됐다. 니코렐리스 교수는 '뇌-기계 연결Brain-Machine Interface' 분야의 세계적 권위자로 영화 「아이언맨」 슈트와 비슷한 원리의 외골격 로봇을 연구하는 중이었다.

여기서 주목할 것은 바로 재활 불가능 판정 환자들에게 가상현실 장비로 풍경을 보여주며 걸어가는 상상을 반복하게 해서 걷는 근육을 다시 재활시켰다는 점이다. 풍경을 보면서 걷는다는 상상이 뇌를 통해 운동신경을 자극해서 걸을 때 쓰는 여러 다리근육들의 복잡한 연속동작을 자연스럽게 자극하고 결국은 다시 살아나게 한 것이다. 우리가 일상에서 움직이는 아주 사소한 움직임이라 할지라도 어느 한 근육만을 사용하는 경우는 거의 없다.

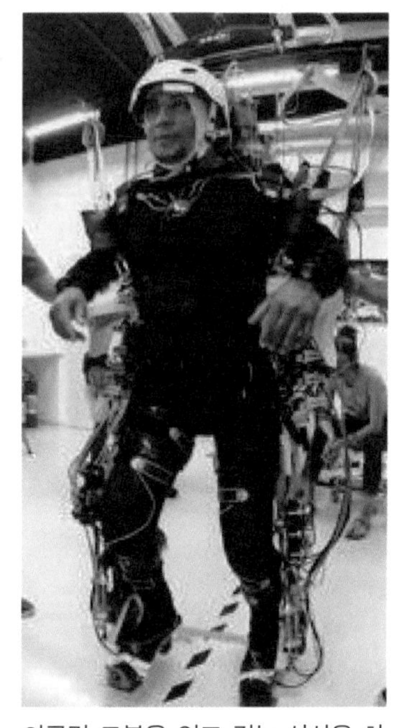
외골격 로봇을 입고 걷는 상상을 하면서 걷기 연습을 하는 하반신 마비 환자

손의 간단한 움직임을 예로 생각해보자. 오른손에 주먹을 쥐었다 펴는 동작을 하면서 왼손으로 오른팔의 팔꿈치 아래 가장 두꺼운 부위를 감싸 잡고 아래팔의 움직임을 느껴보면 아래팔 전체 10여 개 근육이 모두 계속해서 움직이는 것을 느낄 수 있다. 단순한 손가락 동작 하나를 만들기 위해서도 우리 뇌에서는 아래팔 근육을 통제하는 운동신경을 통해 10여 개 근육이 수축과 이완을 연속동작으로 그것도 근육 하나하나의 근육에 순차적이고 조화로운 움직임을 명령하고 있다.

그런데 마비가 되어 힘이 없는 상태에서 개별 근육 하나하나를 훈련시켜서 이 복잡한 움직임을 새롭게 재활한다는 것은 불가능하다. 우리가 어떤 움직임을 자연스럽게 할 수 있는 것은 그 움직임에 관여하는 여러 가지 근육을 동시에 조화롭게 사용하는 방법이 반복적인 움직임을 통해 일정한 패키지 명령 조합의 형식으로 뇌-운동신경-근육으로 이어지는 회로에 이미 하나의 패턴으로 프로그램되어 있기 때문이다. 따라서 개별 근육을 재활치료하는 것이 아니라 이 패키지 명령 조합을 훈련해야 하는 것이다.

얼굴 표정근육을 예로 들면 미소 스위치를 켜서 볼을 들어올리는 동작을 보더라도 1~4번 미소근육의 어느 근육의 윗부분을 쓸지 아랫부분을 쓸지, 눈가의 움직임과 입 주위의 움직임의 조화로움 정도에 따라 전혀 다른 모습이 된다. 독자 여러분들도 한 번 해보시기 바란다. 거울을 보고 볼을 위로 들어올리고 그 모습을 보면 여간해서는 그 모습이 자연스러운 모양이 될 수 없다. 따라서 자연스러운 표정습관을 만들기 위해서는 '패키지 명령 조합'을 훈련해야 한다. 그러기 위해서는 내가 좋은 감정 상태일 때 자동적으로 짓던 표정근육의 패턴을 만들고 유지하면서 그 근육의 힘을 느끼면서 단련하는 것이 중요하다. 여기에 필요한 것이 바로 미소 키워드이다.

중안면 미소근육을 단련하고 싶다면 근육을 단련하기 전 마음의 상태를 긍정의 감정으로 유지하는 것 혹은 감정 상태를 긍정적으로 환기시키는 노력 역시 아주 중요하다는 것을 기억하자.

미소근육의 생김새와 움직이는 방향

중안면 미소근육 1~4의 4개는 위쪽으로는 눈둘레근 밑부분의 광대뼈에 붙어 있고 아래쪽으로는 팔자 주름과 입꼬리 부분의 입둘레근과 붙어 있는 세로형 근육이다. 눈둘레근과 광대뼈에 붙어 있는 상층부가 시작되는 부위로 '몸통'에 해당하며, 아래 쪽은 팔자 주름과 입꼬리 피부에 붙는 자리로 근육의 '꼬리'가 된다.

힘을 주면 위의 방향으로 올라가는 엘리베이터 근육인 미소근육. 미소근육에 살짝 힘을 주고 생활하는 것이 고가의 리프팅 레이저보다 훨씬 강력한 리프팅 효과를 가지고 온다. 우리가 자연스럽게 입을 벌리고 웃는 표정을 만들면 미소근육 1, 2, 3, 4번이 그림과 같은 세 방향(미소근육 1번: 콧등 쪽으로↗↖, 미소근육 2번: 수직으로↑, 미소근육 3번과 4번: 볼 바깥쪽으로↖↗), 전체적으로 V 방향으로 위로 볼을 올려준다. 다시 말해 미소근육은 중력과 반대방향으로 작용해 중력에 의한 노화를 막아주는 역할을 하는 것이다.

당연히 미소근육 역시 팔다리 근육처럼 꼬리 부분이 아닌 위쪽의 몸통 부위를 키우고 단련하는 것이 중요하다. 즉 입둘레근에 붙어 있는 꼬리 쪽보다는 광대뼈에 붙어 있는 상층부 몸통을 들어올려 단련하는 것이 중요하다. 특히 입꼬리 쪽의 근육은 퇴화하면 퇴화할수록 좋다. 부지불식 중에 입꼬리의 힘을 주거나 하루에도 수백 번 이상 침을 삼키는 동작에서 입꼬리와 입 주위 근육에 과도한 힘이 작용해서 입 주변에 깊은 주름이 만들어지는 것이다. 마치 평소에 이마와 미간에 인상을 쓰는 습관이 있는 사람에게 이마의 가로 주름과 미간의 세로 주름이 깊

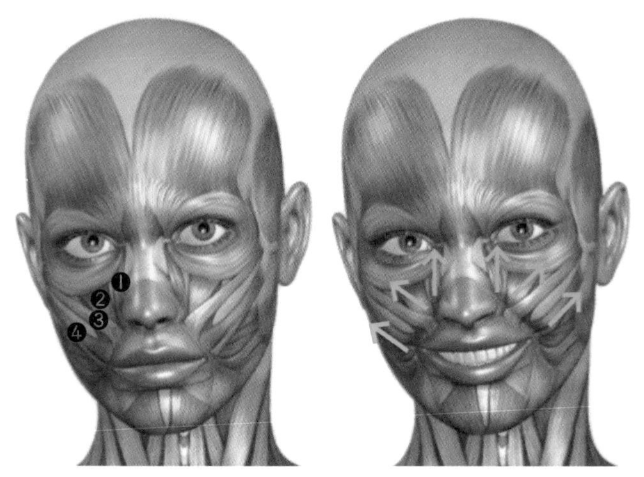

힘을 주면 위의 방향으로 올라가는 엘리베이터 근육인 미소근육. 미소근육에 살짝 힘을 주고 생활하는 것이 고가의 리프팅 레이저보다 훨씬 강력한 리프팅 효과를 가지고 온다.

연예인은 항상 대중을 의식하기 때문에 평소 나쁜 표정습관을 짓지 않도록 노력을 많이 한다. 그러나 예쁜 여자 연예인조차 대중을 의식하지 못하고 무엇인가 집중할 때는 입에 힘을 주고 꾹 다물고 만다. 분명한 것은 이런 상태는 +무드에서 빠르게 －무드로 전환이 되는 것임을 알 수 있다.

게 만들어지는 것과 같은 원리이다.

얼짱이나 몸짱이나 근육이 답이다!

사랑하면 예뻐진다고 한다. 왜 사람은 사랑하면 예뻐질까? 우선 우리 외모에 좋은 영향을 미치는 에스트로겐이나 도파민 같은 호르몬이 활발히 분비된다. 또 사랑하는 사람이 생기면 그 무엇보다 하루 종일 행복한 감정 상태에 빠져 있게 된다. 감정은 표정을 지배하므로 우리의 표정은 가장 행복함이 깃든 상태에 오랫동안 머물러 있게 마련이다. 그 표정이 어떤 모습일지 상상해보라. 그렇다. 다들 눈치채셨겠지만, 바로 광대가 승천하는 진짜 미소다. 여러 번 강조했듯이 기분이 좋아서 나오는 따뜻한 진짜 미소야말로 자기 자신은 물론 주위 사람들에게까지 긍정의 상황을 전염시키는 행복의 거울효과의 근원이다.

이 표정습관의 중요성을 가장 잘 아는 사람이 바로 연예인들이다. 우리는 신인 연예인들이 처음 나왔을 때는 무언가 2% 부족해 보였지만, 점차 방송 출연이 잦아지면 어느새 더 멋지고 아름답게 변하는 걸 자주 보게 된다. 연예인뿐 아니라 TV에 자주 등장하는 일반인들 역시 카메라에 찍히면 찍힐수록 외모가 좋아진다. 그 이유는 TV에 등장하는 사람들은 카메라를 통해 비치는 자신의 얼굴을 본인은 물론 많은 사람들로부터 객관적 시선으로 모니터링하고 꾸준히 관리하기 때문이다.

단순히 메이크업이나 헤어 스타일이나 패션뿐만 아니라 웃거나 말할 때 혹은 평소 전혀 생각하지 않았던 평범할 때의 모습까지 모니터링

하면서 교정하게 된다. 어떤 얼굴 표정이 대중에게 호감을 주는지, 어떤 각도가 자신을 더욱 돋보이게 하는지를 파악하게 되면서 더 멋지게 변한다. 연예인들은 항상 자신의 표정을 의식하고 대중에게 잘 보이기 위해서 어떤 표정을 만들어내야 하는지 알게 된다. 즉 어떤 표정근육을 어떻게 써야 하는지를 경험적으로 터득하게 되는 것이다.

그런데 연예인도 아닌데 연예인처럼 미소근육을 잘 쓰는 사람들이 바로 사랑에 빠진 사람들이다. 사랑에 빠진 사람들은 사랑하는 상대를 쳐다볼 때 자연스럽게 볼에 힘이 들어가며 올라간다. 그렇게 사랑에 빠져 행복에 겨워 저절로 미소근육이 올라가기도 하지만, 웃는 표정을 만들어 상대에게 호의적인 느낌을 주기 위해서 자기도 모르게 미소근육에 힘이 들어가는 부분도 분명 있다.

연예인들은 카메라를 들이대면 자연스럽게 볼에 힘이 들어가며 자신을 최대한 아름답고 호감이 느껴지도록 표정으로 연출한다. 연예인들이 멋져 보이는 것은 타고난 생김새도 있지만 대중과 소통할 때 생기 있고 멋진 분위기와 기운을 방출하기 때문이다. 소위 예쁜 척, 잘생긴 척, 멋진 척이 바로 그것이다. 연예인 같은 외모가 아니더라도 젊고 생기 있는 좋은 인상이 되고 싶다면, 바쁘고 힘든 일상이지만 소중한 자기 자신을 위로하고 응원한다는 마음으로 작은 결심을 해보자. 마치 아주 기분 좋은 일이 생겼거나 반가운 사람을 우연히 만난 것처럼 상상을 하면서, 가슴을 펴고 살짝 숨을 들이마시면서 미소근육을 활짝 들어 올려 얼굴 가득 환한 미소를 머금어보는 것이다. 그 순간 긍정의 에너지가 자신 안에 만들어지고, 그 기운이 주위로 발산되기 시작할 것이다. 물론 처음에는 쉽지 않을 것이다. 비슷한 일상을 '생활인'으로 살다 보면 긍정의 좋은 감정이 쉽게 생겨나지 않는다. '웃을 일이 있어야 웃지~'라는 사람들이 많다. 그런데 운동도 마찬가지다. 시간이 없어서 못한다는 사람이 많다. 그런데 둘 다 핑계다. 일상 중에 작은 시간을 활용하고 습관을 바꾸면 가능한 것이 바로 근육 트레이닝이다.

평상시 좋은 얼굴 기본자세:
은자세

몸에는 상대방에게 보기 좋은 자세와 나쁜 자세가 있다. 의자에 앉았다고 가정해보자. 온몸에 힘을 빼고 의자에 기대앉은 채 다리를 쭉 뻗은 자세가 좋은 자세일까? 구부정하게 허리를 굽히고 고개를 숙인 자세는 어떨까? 몸에 힘을 빼고 기대어 앉아 있는 자세는 본인은 지극히 편안하겠지만 보는 사람의 느낌은 어떻고 본인의 허리 건강에는 어떨까?

얼굴에도 자세가 있다

몸에 좋지 않은 소위 편한 자세의 특징은 무엇일까? 그것은 바로 그 자세를 만들거나 유지하는 데 있어 신체 척추기립근을 비롯한 자세유지 근육의 힘을 최소화해서 빼고 있으면서 그 대신에 의자나 쇼파 등

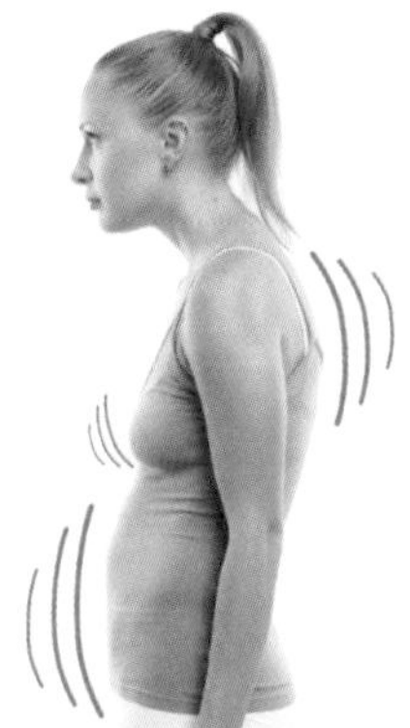

몸의 나쁜 자세와 얼굴의 나쁜 표정 자세

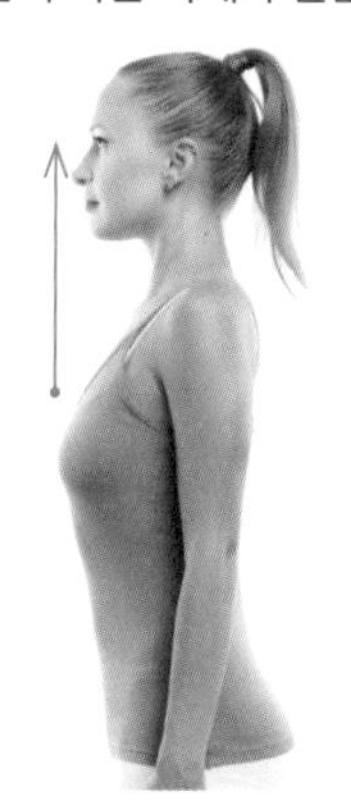

몸의 바른 자세와 얼굴의 바른 표정 자세

에 체중을 지탱하도록 하면서 심지어는 한쪽으로 편중된 자세를 말한다. 내 스스로의 힘으로 체중을 지탱하지 않으니 삐딱한 자세나 기댄 자세 등은 본인은 편할지 모르지만 보기 좋지 않고 장시간 이런 자세로 방치했을 경우에는 건강에도 별로 도움이 되지 않는다. 더욱이 신체는 물론이고 얼굴도 그렇다. 얼굴의 표정근육 역시 평상시 미간이나 입가 부위로 힘이 편중되게 들어가 찡그리고 있거나 넋을 놓은 듯 볼에 힘을 뺀 표정은 결코 좋은 표정이 아니다. 특히 허리 건강을 위해서는 허리

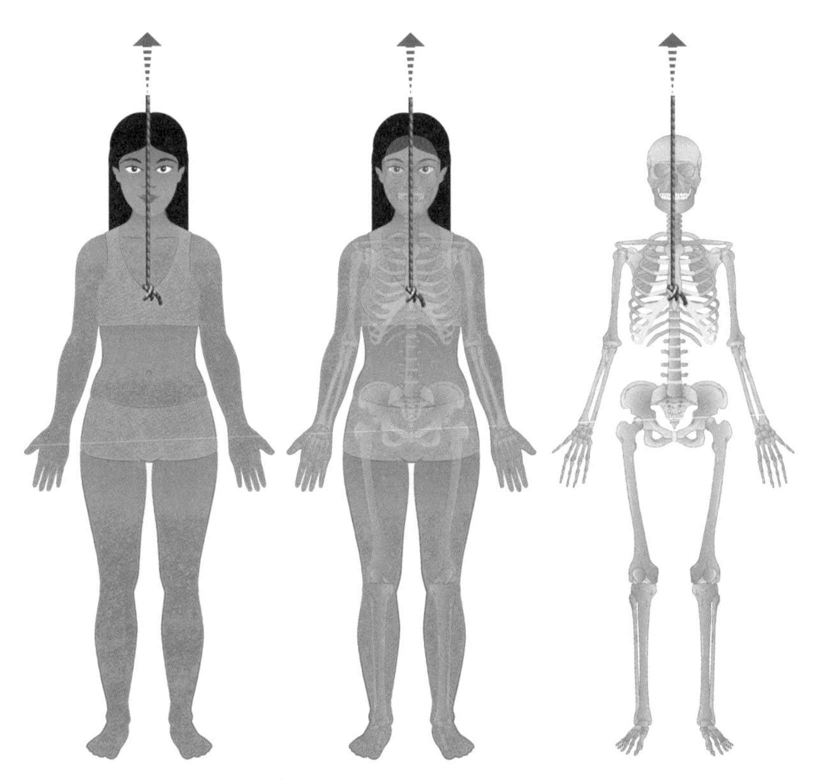

J. F. 명치 톱 자세. 명치에 끈을 매어 위로 잡아 당기는 듯한 힘을 스스로 주어서 들어올리는 것이다.

에 힘을 주는 것이 아니라 가슴의 흉골의 아래 오목한 명치 부위를 가장 위쪽으로 최대한 끌어 올려 앉거나 서 있는 자세를 유지해야 한다. 우리는 이 자세를 '명치 톱Top 자세'라고 부른다. 이렇게 좋은 자세를 유지하기 위해서는 힘을 주는 곳과 방향이 중요하다.

마치 가슴의 흉골 가운데에 끈이 있다고 생각하고 누군가 그 끈을 위로 살짝 잡아당기고 있다고 상상을 하면 가슴 부위와 갈비뼈가 위로 올라가고 자연스럽게 아랫배에도 힘이 들어간다. 뒤쪽으로는 허리 부위 척추를 지지해주는 근육에 힘이 들어가 허리가 펴지면서 허리 통증도 줄어들게 된다. 이처럼 쉽게 좋은 자세를 만들 수 있다. 얼굴도 마찬가지로 힘을 주는 곳과 방향이 중요하다. 당연히 얼굴의 기둥 역할을 하면서 긍정의 감정을 전달하는 중안면 미소근육에 힘을 주어 살짝 위로 들어올리고 있는 것이 보기에도 좋지만 노화를 예방하고 마음 건강에도 좋은 표정이자 바른 얼굴 자세이다. 그러니까 중력을 이겨 우주미인이 되는 가장 기본자세인 것이다.

턱끝을 살짝 내려라

우리가 보통 입을 다물면 7개의 입다물기 근육 중 '입다물기 1번 근육'이 올라가고 '입다물기 2, 3, 4번 근육'이 내려가면서 서로 힘의 균형을 맞춘다(198페이지 1 : 3현상 참고). 턱끝 근육인 '입다물기 1번 근육'은 힘을 주면 위로 올라가는 매우 강한 근육이다. 우리가 무의식적으로 입을 꾹 다물고 있으면 반드시 1번 근육에 힘이 많이 들어가서 턱끝을 들어올리게 되고 자동적으로 입 주변 좌우에 있는 2, 3, 4번 근육 3개씩, 즉 동시에 6개의 근육이 내려와야 한다. 그러니까 얼굴을 처져 보이게 만드는 일을 하는 것이다.

그렇게 되면 입 주변의 내려주는 근육의 힘 때문에 윗입술 모양이 마치 우산 모양으로 변하면서 입꼬리가 늘어지고 인중이 길어지며 윗입술의 양쪽 끝 부분이 입 안쪽으로 말려 들어가서 점점 얇아지게 된다. 이렇게 턱끝이 올라가면서 하트-꼭짓점이 뭉툭하게 되면 얼굴이 평면적이거나 커 보이고 나이가 들수록 볼과 턱선이 더 늘어져 보이게 된다.

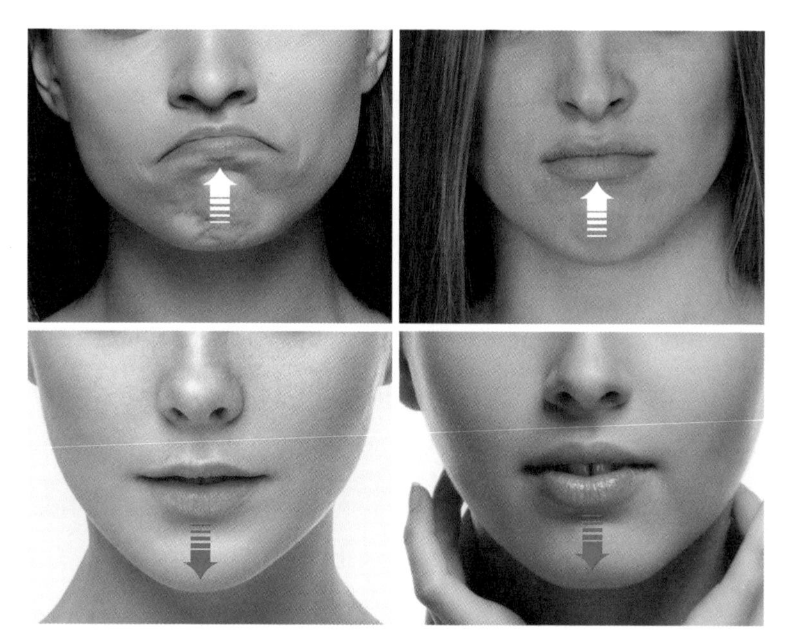

턱끝에 힘이 들어가면 하트 윤곽은 뚱뚱하고 찌그러진다. 즉 평상시에도 턱끝을 살짝 내리고 하트-꼭짓점을 완성하는 '은 자세'를 유지하고 있으면 얼굴이 훨씬 작고 갸름해 보일 수 있다.

작고 입체감 있는 얼굴의 핵심은 바로 언제나 이 턱끝이 아래 방향으로 내려와 있는 것이다. 즉 입다물기 근육 1번을 아래로 살짝 내리고 있는 것이다. 따라서 평소에 턱끝에 힘을 빼서 아래로 살짝 내리고 있도록 표정습관을 교정하는 것이 중요하다.

'더 하기'보다 '덜 하기'가 중요하다

다시 강조하지만 J. F. 표정근육 트레이닝의 가장 핵심은 미소근육을 강화하기 앞서 입다물기 근육의 힘을 빼는 것이다. 입다물기 근육에 힘을 빼는 가장 확실하고 쉬운 방법을 이해하고 생활 속에서 실천하는 것이다. 바로 그것이 지금 이 책에서 말하고 싶은 내용의 50% 이상을 차지한다. 우리 삶과 특히 건강의 문제에서 소중한 것은 더 좋다고 생각되는 무언가를 추가로 '더 하는 것Plus'이 아니라 자신도 모르는 사이에 하고 있었던 나쁜 것을 '덜 하는 것Minus'인 경우가 많다. 너무 자주 깔끔하게 몸을 씻고 2중 3중 세안을 하는 습관 때문에 항상 건조하고 예민한 피부로 고생하는 사람에게는 피부 보호막이 손상되지 않도록 씻는 습관을 '덜 씻고 조심스럽게 세안하기'로 바꾸지 않는 한 아무리 좋은 보습제를 추가로 발라봐야 큰 소용이 없다. 병病주고 약藥주기란 말이 있다. 스스로 병(나쁜 씻는 습관)을 주고 난 후에 약(보습제)을 주는 것이다. 이 약이라는 것이 아무리 좋아도 스스로 병을 만드는 습관이 남아 있다면 약은 항상 병을 고치기에 미흡하다. 어디 이뿐인가? 지나친 영양 과잉의 현대인들에게는 몸에 좋은 무언가를 '더 먹는' 것보다 영양 섭취의 총량은 물론 몸에 나쁜 것을 '덜 먹는' 식습관이 중요한 것도 같은 이치이다.

이렇듯 건강에 지나치게 신경 쓰는 현대인들에게는 '더 하기'가 아니라 '덜 하기'가 소중한 미덕이 된 지 오래다. 표정습관 역시 누가 시킨 것도 아닌데 자신도 모르게 힘을 꽉 주어 입을 다물고 있는 습관을 바꾸는 것이 미소근육을 강화하는 것보다 몇 배 더 중요하다. 아니, 입다물기 습관을 바꾸지 않고서는 한 발자국도 나아갈 수 없다. 천만 다행스럽게도 하루 종일 큰 힘을 들여 애써서 입을 굳게 다물고 있는 수십 년 굳어진 나쁜습관을 바꾸는 방법은 의외로 간단하다. 그러나 그것을 유지하는 데에는 굳은 결심은 물론 매 순간의 실천이 중요하다. 세상 모든 이치가 그렇듯 지행합일知行合一이 아니면 아무 의미가 없다.

'은 자세'는 좋은 표정과 좋은 얼굴을 만든다

그럼 지금부터 가장 중요한 기본 표정 자세인 '은 자세'에 대해 자세하게 알아보자.

어금니와 입술을 살짝 떼고 높은 음 "은~" 하고 소리를 내게 되면 턱끝에서 힘이 자연스럽게 빠지면서 턱끝은 살짝 내려가고 미소근육은 살짝 올라가게 된다. 물론 계속해서 소리를 낼 필요는 없다. 소리를 내어 한번 자세를 만든 후 그 자세를 계속 유지하는 것이다. 이것이 얼굴의 노화를 막아주고 좋은 인상은 물론 마음가짐까지 긍정으로 변화시켜 내 삶을 보다 젊고 행복하게 만들어줄 기본 얼굴 자세인 '은 자세'이다. 그 구체적인 방법은 다음과 같다.

입술을 꾹 다물고 있는 얼굴 자세 VS 윗입술이 살짝 기분 좋게 위로 올라간 '은 자세'

무표정 vs 은자세. 무표정 하게 입술을 굳게 다물고 있는 것과 입술을 살짝 떼고 '은 자세'를 하고 있는 것의 무드 차이를 느낄 수 있다.

① 입다물기 근육 7번(깨물근)에 힘이 빠지도록 살짝 '어~' 발음을 하면서 위 아래 어금니를 살짝 뗀다.

② 입다물기 근육 1번(턱끝근), 6번(입둘레근)에 힘이 가지 않도록 입술을 살짝 뗀다. 넋 놓고 입을 헤 벌리라는 것이 아니라 의식적으로 입술을 살짝 떼고 있으면 된다.

③ ①과 ②번을 유지하기 위해서는 혀의 위치가 중요하다. "은~" 발음을 하면서 혀가 살짝 입천장의 편안한 위치에 닿도록 하고 유지한다. 이때 "은~" 발음을 실제로 소리를 낼 필요는 없다.

④ 처음 시작할 때는 어금니와 입술을 살짝 떼고 있는 '낮은 단계의 은 자세'만으로도 충분하다. 그러나 점차 이것이 익숙해지면 미소근육을 살짝 들어올리는 '높은 단계의 은 자세'를 유지하도록 훈련한다. 높은 음 "은~"을 발음하면서 미소 스위치를 켜고 미소근육을 살짝 들어 올린다. 거울로 얼굴을 볼 때 윗니가 안 보이는

'은 자세'를 할 때는 되도록 미소 키워드를 상상해 기분을 좋게 만들고 중안면 미소 근육과 이마까지 위로 팽팽하게 올린다는 느낌으로 상안면과 중안면 피부를 살짝 올리면 좋다.

'은 자세'가 '낮은 단계의 은 자세'고, 미소 스위치를 켜서 윗입술이 위로 올라가 윗니가 보이는 정도에 따라 '높은 단계의 은 자세'로 올라간다고 생각하면 된다. 윗니는 처음에는 4분의 1정도로 시작해서 절반 이상 보이면 높은 단계의 '은 자세'다.

⑤ 무심코 입을 다물고 있던 시간들을 '은 자세'로 모두 바꾼 뒤 처음에는 하루 최소 6시간 이상을 유지하고 점차 시간을 늘린다. 밤 시간에는 낮 시간에 많이 했던 표정습관을 유지하게 된다. 입을 다물지 못하는 신생아들이 자면서도 웃는 듯 볼이 올라간 것이나, 낮에 입을 꾹 다물고 있는 어른들이 잠잘 때 어금니를 꽉 다물고 자는 것을 생각하면 쉽게 이해할 수 있다. 따라서 낮 시간에 입 주위에 힘을 뺀 상태가 익숙하고 하루 중 대부분의 시간을 '은 자세'를 유지하는 것이 자연스러워지면, 잠잘 때도 힘이 빠지는

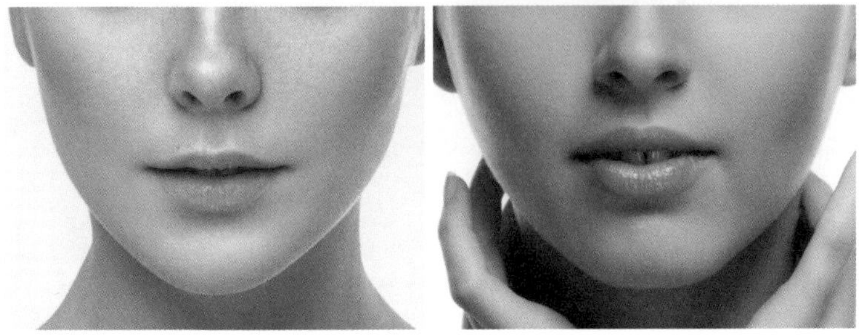

(왼쪽) 미소근육을 쓰지 않는 낮은 단계의 '은 자세' (오른쪽) 미소근육이 위로 올라가 윗치아가 절반 정도 보이는 높은 단계의 '은 자세'. 플랭크 자세는 운동이라고 하지 않고 자세라고 한다. 그럼에도 불구하고 평소 안 쓰던 근육을 단련하는 데 큰 도움이 된다. 같은 자세를 유지하며 근육 수축 상태를 지속하는 대표적인 등척성 운동이다. '은 자세'도 마찬가지다. 처음에는 큰 힘이 들어가지 않지만, 이것을 오래 유지하는 것만으로도 나쁜 근육을 퇴화하고 좋은 근육을 강화하는 데 큰 도움이 된다.

건 당연한 현상이다. 노력을 게을리하지 않는다면 3~6개월 이내에 잠 잘 때에도 어금니를 꾹 다물지 않고 힘을 빼는 것이 가능해진다.

⑥ 주의사항으로는 연습 초기에는 입술과 입이 마를 수 있다는 것이다. 항상 입을 다물던 사람이 입술을 떼고 있으면 처음에는 입술과 입 안이 마르는 느낌을 많이 호소한다. 하지만 이것은 지극히 정상적인 것으로 항상 입을 다물고 있다가 구강 점막이 외부 환경에 노출되면서 오는 자연스러운 현상이다. 2~3주일 정도 지나면 살에 굳은살이 붙는 것처럼 입술과 구강 점막이 입을 벌린 상

태에 적응하게 되므로 마르는 느낌은 없어진다. 특히 호흡은 코를 통해 해야 한다. 처음에는 입을 통해 호흡을 하게 되면 입이 많이 마를 수 있다. 연습 초기에는 입술 보호제를 사용하거나 물을 한 모금씩 마시는 것이 적응하는 데 도움이 된다.

중요한 것은 '은 자세'는 근력을 강화하기 위해 잠시 큰 힘을 써서 하는 운동이 아니고, 오래 시간 '형태'를 유지해야 하는 얼굴 표정의 기본 자세라는 점이다. 복근 운동을 열심히 하는 사람들이 평소에도 복근에 힘을 살짝 주고 있는 것과 비슷한 원리다.

입을 연다고 먼지가 들어가는 것은 아니다

입을 다물지 말라고 하면 입을 벌리라는 얘기로 오해하는 분들이 많다. 특히 입을 벌리고 있으면 작은 날벌레가 들어갈 수도 있고 나쁜 공기와 먼지도 들어갈 수 있는데 어떻게 입을 열고 있으라는 건지 반문하기도 한다. '은 자세'의 핵심은 입을 벌리는 것이 아니라 어금니와 입 주위의 힘을 빼고 굳게 다물었던 입술을 살짝 떼라는 것이다.

우리가 먹는 모든 음식이 무균 상태는 아니다. 하지만 음식은 우리 입 속에서 분해되고 침과 위에서 나오는 분해효소로 인해 안전하게 소화되고 흡수된다. 우리 입과 위에는 입 속으로 들어간 것들이 우리 몸을 해치지 못하도록 하는 효소가 존재한다. 더구나 입을 벌리고 있다고 해도 정상적인 호흡 기능을 가진 사람들은 입으로 숨을 쉬지 않는다. 숨은 당연히 코로 쉬는 것이다.

물론 요즘처럼 미세먼지가 문제일 때는 입술을 떼는 것에 더욱 부정적일 수 있다. 그러나 비강이나 호흡기에 문제가 있지 않는 한, 숨은 코로 쉬고 폐로 가기 때문에 일반적으로 입을 벌린다고 입으로 먼지가 들어가지 않는다. 주의할 점은 앞에서 설명한 것처럼 입을 벌리는 것이 아니라 입술을 살짝 떼는 정도로 어금니와 턱 끝의 힘을 빼고 유지하는 것이다. 입으로 숨을 쉬면 1분만 지나도 입술과 입과 목이 얼마나 많이 마르는지 쉽게 알 수 있다. 그러니 숨은 코로 쉬면 된다.

'은 자세'를 침 삼킬 때도 유지하라

'은 자세'를 유지하면서 침 삼키기를 하면 여러 가지 긍정적인 효과가 있다. 음식이나 침이나 무언가를 삼키는 동작은 두 가지 단계가 필요하다. 하나는 혀 앞쪽에서 입 주위 얕은 층에 있는 입다물기 근육의 힘을 이용해서 내용물을 뒤쪽으로 '밀어 넣는 움직임'이고 다른 하나는 혀 뒤쪽에서 인두, 후두, 식도와 목 부위의 깊은 층 근육들을 이용해서 내용물을 식도로 '빨아들이는 움직임'이다. 입 다무는 습관이 많은 사람은 침을 삼킬 때에도 입 주위의 입다물기 근육을 많이 사용해 침을 삼킨다. 입 주위 근육의 최대치의 힘을 써서 침을 안쪽으로 밀어 넣는다. 그러면 구강 내에서 입천장의 인두, 후두, 식도와 목 부위의 깊은 층에 있는 근육들이 대단히 조화롭고 강한 힘을 써서 그것을 빨아들이게 된다.

그런데 혀 앞쪽의 입가 근육의 힘을 많이 써서 침을 삼키면 '밀어 넣은 힘'이 강해지니까 상대적으로 뒤에서 '빨아들이는 힘'이 약해진다. 입을 꽉 다물고 하안면을 항상 긴장하는 사람들은 음식이나 침을 삼킬 때도 무의식적으로 강한 힘을 동원해 입을 오므리며 입다물기 근육을 강하게 움직인다. 우리는 이렇게 침을 삼키거나 무심코 입 주위를 강하게 오므리는 동작을 하루에 보통 500~1,000번 혹은 그 이상을 한다. 운동 근육으로 치자면 하루에 10번씩만 해도 힘이 강해지는 알통 운동을 하루에 1,000번 이상 하는 것과 마찬가지 일이 되는 것이다. 그런데 이 동작의 문제는 단순히 입다물기 근육을 키우는 것이 아니라 입가에 크고 작은 주름을 만드는 데 이바지한다는 것이다. 입 주위 근육을 움직일 때 필연적으로 그 근육에 붙은 피부를 안쪽으로 잡아당기게 되기 때문이다.

'은 자세'로 혀가 입천장에 닿은 상태로 고정하고 침을 삼키면, 다시 말해 입을 살짝 벌려 입 주변은 움직이지 않고 오로지 혀 뒤쪽의 깊은 층 근육의 빨아들이는 힘만으로 침을 삼키게 되면 우선 입 주변의 보기 싫은 나쁜 주름을 막을 수 있고 입 안쪽과 턱 밑은 물론이고 목 부위 근육까지 강화시켜 목 탄력을 강화할 수 있다. 일거양득인 것이다. 또한 인두, 후두는 물론 목 깊은 층 근육이 약화된 노인들은 흡인성 폐렴이 잘 생긴다. 이는 빨아들이는 힘이 약해져서 음식을 잘 삼키지 못하고 음식을 삼킬 때 내용물의 일부가 식도가 아니라 기도를 통해 폐로 잘못 들어가서 폐렴이 유발되는 것이다. 그런데 '은 자세'에서 침 삼키기' 훈련은 깊은 층 근육을 강화시켜 이런 증상을 예방하는 데 도움이 될 수 있다. 트레이닝을 받는 분들 중에는 역류성 식도염이 호전된다는 분들도 많다. 생각해보면 당연한 결과다.

'은 자세'는 기본이자 최종 목표다!

잡지나 TV 광고를 유심히 보면 이미지 광고 모델들이 하나같이 입술을 살짝 벌린 채 미소를 짓고 있는 모습을 발견할 수 있다. 화장품 광고에 등장하는 아름답고 멋진 배우들 역시 굳이 크게 웃고 있지 않더라도 입술을 살짝 떼어 입을 벌린 채 인상클리닉의 '은 자세'와 유사한 표정을 유지한 채 카메라를 응시하고 있다. 모델이나 배우들이 선호하는 이 표정은 턱끝을 밑으로 살짝 내리는 것이 포인트이다. 이렇게 '은 자세'를 하면 턱선이 살아나면서 전체적으로 얼굴이 갸름해 보이는 효과가 있다. 그래서 멋지고 예쁜 배우일수록 사진을 찍을 때 항상 의식적으로 '은 자세'를 기본으로 한다.

'은 자세'는 하루에 몇 번씩만 하는 운동이 아니라 하루 종일 유지해야 하는 얼굴 표정의 기본 자세이고 인상클리닉의 최종 목표이기도 하다. 혼자 있을 때, 차 안에 있을 때, 일에 열중할 때, TV를 볼 때도 '은 자세'를 유지하는 것이 중요하다. 우리는 얼굴 근육 어딘가에 힘을 주지 않으면 좀처럼 일에 열중할 수 없다. 대부분의 사람들은 집중할 때 입을 다물고 미간에 힘을 준 상태가 된다. 이런 나쁜 표정자세 대신에 미소근육을 살짝 들어 올리는 '은 자세'를 유지해보자. 입다물기 근육과 찡그리기 근육이 아니라 미소근육에 힘을 주어 기본 긴장도를 유지하는 것이다. 이렇게 해도 집중을 하는 데는 아무런 문제가 없다. 집중을 하기 위해서 반드시 입을 다물고 미간을 찡그려야만 할까? 아니다. 그래야 할 이유는 전혀 없다.

이미지 모델의 기본 얼굴 표정은 바로 입술을 떼고 턱끝을 내리는 '은 자세'이다. 배우지 않아도 본능적으로 알고 있는 것이다.

미소 스티커와 아차! '은~ 자세'

미소 스위치를 켜고 지내는 것이 너무나 소중하고 중요하다는 것을 다 공감했더라도 인상클리닉의 핵심인 '은 자세'를 생활화하는 것이 그리 호락호락 쉽지만은 않다. 지금 이 순간 집중해서 책을 읽고 계신 독자분들의 입 모양은 어떠하신가? 잊고 있었다면 지금 바로 '은 자세'를 유지하자!

수십 년을 너무나 익숙해져서 본인에게 입다물기 습관이 있다는 것조차 모르는 분들에게 눈에 보이지 않는 표정습관을 바꾸라고 하는 것은 참으로 무리한 요구다. 이 어려운 일을 완수해내고 밝은 인상의 소유자가 되기 위해서는 반드시 넘어야 하는 산이 있다. 바로 시간과의 싸움이다.

잠자는 시간을 포함해서 하루 20여 시간 가까이 입을 다물고 지내던 습관(175페이지 참고-하루 24시간 동안 어떤 표정으로 지내는가)이 바뀌려면 최소한 입을 다물고 지내던 시간의 절반이라도 힘을 뺀 상태를 유지해야 한다. 그 시간이 하루 10시간이다. 처음에 하루 10시간 이상을 '은 자세'를 유지해야 한다고 설명하면 모두 너나 할 것 없이 당혹스러워한다. 처음엔 5분을 유지하는 것조차 어려운데 10시간이라니. 굳은 마음을 먹고 '은 자세'를 유지하다가도 잠시 생각에 잠기거나 핸드폰을 보거나 누군가와 대화를 하다 보면 금방 다시 입을 다물고 만다. 그런 자신을 보면서 평소에 얼마나 입을 다물고 살아왔는지 새삼 깨닫게 된다. 그러나 실제로 '은 자세' 유지 노력을 하다 보면 힘을 빼면 뺄수록 발달되었던 입 주위 근육의 힘이 약화되면서 '은 자세'가 점점 더 쉽고 익숙해진다. '은 자세' 유지의 최종 목표는 깨어 있는 시간의 대부분을, 그게 어렵다면 6개월 이내에 최소한 10시간 이상을 유지할 수 있어야 한다고 구체적인 목표 시간을 제시하고 있다.

습관을 바꾸기 위해서는 무심코 입을 다물고 있다가도 자주 '은 자세'를 기억해낼 수 있어야 한다. 즉 일상에서 나를 일깨워줄 수 있는 계기가 필요하다. 그래서 생각한 것이 바로 미소 스티커다. 하루 일과 중에 가장 많이 시선이 머무는 곳에 미소 스티커를 붙이고 볼 때마다 무심코 입을 다물고 있었던 자신을 반성하며 '아차! 은 자세'를 떠올리며 긍정의 표정 자세를 유지해보자. 하루에 열 번이라도 이렇게 기억할 수 있다면 조금 더 쉽게 목표에 도달할 수 있다. 핸드폰, 컴퓨터 모니터, 거울, 정수기, 냉장고, 화장대, 자동차 핸들이나 룸미러 등 자신의 하루 일과에서 가장 많이 눈에 띄는 곳에, 그리고 본인이 혼자 집중해서 '은 자세'를 유지할 수 있는 시간과 공간에 미소 스티커를 붙여놓고 볼 때마다 자꾸 상기시켜보자.

꼭 미소 스티커가 아니더라도 무표정에서 탈출하여 '은 자세'를 유지할 수 있는 일상의 계기를 만드는 지혜를 발휘해보자. 스마트폰 알람을 30분 간격으로 설정해보는 것도 좋은 방법이다.

스마일 로고는 바뀌어야 한다

2006년 무렵에 인상클리닉의 원리를 대부분 이해하게 된 후 병원과 강연장에서 '은 자세'의 중요성을 전파하면서 세상에 없던 새로운 미소 로고로 만들어진 미소 스티커가 필요하다는 생각을 하게 되었다. 보는 것만으로도 뇌를 깨울 수 있는 간결하면서도 좋은 미소의 의미를 정확하게 표현할 수 있는 이미지가 필요했다.

우리가 흔히 사용하는 스마일 로고를 보면 입은 다물고 있고 입꼬리만 위로 살짝 위로 올라간 모습을 하고 있다. 이것은 앞서 소개한 입다물고 웃는 미소, 즉 나쁜 미소를 의미한다. 이 책을 읽는 여러분들은 우리가 오랫동안 너무나 익숙하게 사용해온 입다문 스마일 로고가 나쁜 미소였다는 것을 이해하셨을 것이다.

지금 J. F. 피부과의 공식 로고로도 사용하고 있는 인상클리닉의 스마일로고에는 두 가지 깊은 의미가 담겨 있다. 첫 번째는 우리의 표정과 감정은 언제나 동전의 앞면과 뒷면처럼 플러스 혹은 마이너스 둘 중 한 가지일 뿐이라는 것과 어느 순간에 어떤 표정을 지을 지조차 본인의

1.기존의 스마일 로고, 2. 인상클리닉의 스마일로고, 3. 우리의 얼굴 표정은 + 또는 - 모드

선택의 문제라는 사실을 앞과 뒤쪽의 상반된 표정으로 표현했다. 두 번째는 그 표정이 정확히 어떠한 모습인지를 표현하고 있다. 플러스 긍정의 표정은 반드시 입을 다물지 않아야 하며 볼이 살짝 위로 올라가도록 미소 스위치가 항상 켜져 있어야 한다. 그렇지 않은 순간의 모든 표정은 부정의 마이너스 표정으로 입을 다물고 입꼬리는 작던 크던 내려와 있고 미간은 살짝 찡그린 상태임을 표현하고 있다.

세상 가장 소중한 존재인 자신을 위하여 매 순간 어떤 표정을 선택할 것인가? 아주 작은 힘으로 긍정의 표정과 긍정의 감정을 선택할 것인가? 보다 큰 힘으로 부정의 표정과 부정의 감정을 선택할 것인가? 언제나 선택은 당신의 몫이다. 좋은 미소의 의미를 이해하고 공감했다면 삶이 그대를 힘들게 하고 속일지라도 세상 가장 귀한 존재인 자신을 위해서 의식과 정신이 깨어 있는 모든 순간에 긍정의 좋은 미소를 선택해 보자. 이 결심이 여러분들을 행복의 거울효과Happiness Mirroring의 근원지로 만들어줄 것임을 잊지 말자.

중안면 미소근육 강화운동: 어흥 운동

중안면 미소근육이 퇴화되어 볼살이 꺼지고 늘어져 나이 들어 보이는 사람들에게 표정근육 재활치료로서 추천하는 운동법이 바로 중안면 미소근육 강화운동법인 '어흥 운동'이다. 주로 미소근육 1, 2, 3번을 사용해 수직 방향의 움직임을 강화하는 방법이다. 특히 볼 앞 정면이 많이 꺼져서 입체감이 소실되고 눈 아래도 탄력이 없어 보이는 사람들에게 효과적이다. 혹은 안경을 쓰면서 얼굴 모양이 자꾸 바뀌는 사람들에게도 도움이 된다.

안경을 쓰면서 얼굴이 바뀌는 이유는 안경 때문에 코받침에 미소근육 1번 근육의 가장 윗부분이 눌려서 힘을 잃게 되거나 웃거나 크게 미소를 지을 때 통통하게 위로 올라온 볼살이 안경 아래면에 닿는 것이 신경쓰이면서 무의식적으로 볼을 위로 덜 들어 올리게 되면서 눈 주위와 볼 쪽의 움직임이 적어지면서 생기는 변화이다. 그런데 이는 마치 다리 깁스를 하면 한 두 달 만에도 다리의 볼륨이 줄어드는 것과 비

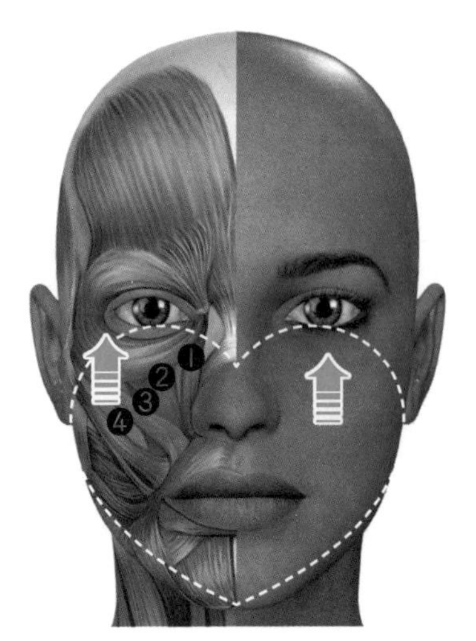

'어흥 운동'의 근육운동 방향

슷한 현상이다. 전제적인 운동법을 간단히 설명하면, 마치 낮은 음 '어' 소리를 낸 후 턱 끝이 아래로 내려간 자세를 유지하면서 동시에 높은 음 '흥' 소리를 낼 때의 모양을 만들고 유지하는 것과 유사하다. 그래서 '어흥 운동'이다.

이 운동의 최종 목표는 주로 미소 스위치 근육에 해당하는 눈동자 바로 밑부분의 2번 근육을 최대한 강화시키는 것이다. 하지만 2번 근육은 입다무는 나쁜 습관 때문에 가장 먼저 그리고 가장 많이 퇴화되는 근육이므로, 대부분의 성인은 트레이닝 처음부터 수직 방향의 2번 근육만을 이용해 운동하는 것이 대부분 불가능하다. '은 자세'도 중안면 미소근육의 긴장 정도에 따라 낮은 단계와 높은 단계로 나눌 수 있고 훈련 과정에 따라 변화가 있듯이 '어흥 운동' 역시 시작할 때와 훈련 과정에 따라 다소 변화가 있다.

'마중물 근육' 전략을 활용하자

미소근육이 퇴화된 사람일수록 입다물기 근육과 찡그리기 근육이 오히려 발달된 경우가 많으므로 찡그리는 동작은 비교적 쉽게 할 수 있다. 어찌 보면 슬픈 현실이다. 그러나 이 사실을 역으로 이용하면 원하는 목표를 달성할 수 있다.

찡그리는 동작을 할 때는 미간근육과 함께 자동적으로 콧등 부위의 미소근육 1번 근육이 동시에 움직이고, 1번 근육을 강하게 수축하게 되면 그와 동시에 그 바로 옆의 최종 목표인 2번 근육의 일부가 힘이 살아나기 시작하는 현상을 활용하는 것이다. 이렇게 미소근육 2번을 강화시킨 후에는 점차 미간근육과 미소근육 1번은 수축하지 않는 상태로 미소근육 2번만을 집중적으로 강화시키는 것이 운동 전략이다. 이 운동은 찡그림을 만들고 콧등에 많은 주름을 짓게 하므로 보기에 좋은 모습은 아니다. 그러나 2번 근육을 강화하기 위해서는 이런 노력은 피할 수 없는 과정이다. 잊지 말자. 우리의 최종 목표는 가장 많이 퇴화된 2번 근육을 강화하는 것이라는 사실을. 그러나 2번 근육을 단독으로 강화시키는 것은 절대적으로 불가능하다. 그래서 불가피하게 미간근육과 미소근육 1번을 잠시 활용할 뿐이다. 따라서 이 미간근육과 미소근육 1번의 역할은 잠들어 있는 미소근육 2번을 깨우기 위해 잠시 사용하는 '마중물 근육'인 셈이다.

트레이닝을 하다 보면 '어흥 운동' 초기에 모두 미간과 콧등은 물론 눈 밑의 주름을 걱정한다. 처음에는 미간, 콧등, 눈가 주름 등이 신경쓰일 수 있다. 하지만 이 정도의 운동으로는 주름이 심화되지 않으니 염

려할 필요가 없다. 피부에 주름이 고착된 형태로 남기 위해서는 최소한 몇 년 정도의 찡그림을 통한 수축이 반복돼야 한다. 다행히도 이런 어흥 동작은 그리 오랜 기간 동안 지속하는 것이 아니다. 퇴화된 근육을 다시 강화시키기 위해 2~3개월 정도 하루 10분 정도의 운동량으로는 절대로 주름이 더 생기지 않는다. 그래도 걱정이 된다면 피부에 주름이 깊어지지 않도록 한 번에 최대한 수축해서 오랫동안 버티기를 1회만 해준다. 시간이 지나 미소근육 2번이 어느 정도 발달하면 미소근육 1번의 힘을 줄여서 콧등의 주름이 만들어지지 않은 상태에서 순서대로 2번, 그리고 2번 근육이 발달되면 3번과 4번 미소근육으로 순차적으로 힘을 집중시키면서 운동한다. 목표를 향해 순차적으로 근육 발전의 단계를 지키면서 운동하는 것이므로 목표의식 없이 무조건 미간과 콧등을 찡그리는 운동만을 지속하는 것은 바람직하지 않다. 적절한 목표에 도달하면, 바로 그다음 단계로 나아가야 한다.

물론 이런 판단은 전문가의 도움이 필요한 부분이 있다. 그러나 기본 원리와 목표를 이해하면 스스로도 판단을 할 수 있다. '어흥 운동'의 최종 목표는 미소근육 2, 3, 4번을 고르게 발달시키는 것이다. 다만, 그 움직임의 시작과 중심은 미소근육 2번이기에 이곳에 우선적으로 힘이 들어가야 한다.

'은 자세'가 기본이다

많은 사람들에게 표정근육 트레이닝을 설명하면 다짜고짜 '어흥 운동'에만 집중하려 한다. 앞서 여러 번 강조했듯이 '은 자세'를 통해 입다물기 근육의 힘을 빼는 것이 무엇보다 중요하고, 그 다음이 '어흥 운동'을 통해 퇴화된 미소근육을 강화하는 것이다.

'은 자세'는 '어흥 운동'을 하는 동안에도 평상시 가능한 많은 시간 동안 집중해서 유지해야 한다. '은 자세'를 통해 점차 입다물기 근육과 찡그리기 근육의 나쁜 힘들이 빠지고 나면, 자연스럽게 미간의 찡그림 없이도 오직 중안면 미소근육 1, 2번만의 힘으로 흥~ 소리와 함께 볼을 들어올려 강화시키는 것이 가능해진다. 마찬가지로 '은 자세'를 통해 상안면과 하안면의 나쁜 힘들이 빠지면 중안면 미소근육의 힘이 발달하기 좋은 조건이 된다. 이와 같이 우리 얼굴 전체의 표정근육들은 서로 영향을 주고받으므로 '은 자세'를 지속하려는 노력은 모든 표정근육 트레이닝의 기본 중의 기본이다. 하루 10시간 이상 '은 자세' 유지를 잊지 말자.

처음에는 콧등이 찡그려지는 1번 근육을 쓰지 않으면 2번 근육을 들어올리는 것이 불가능하다. 그러나 점차 2번 근육의 힘이 강해지면 1번 근육을 쓰지 않고도, 즉 콧등을 찡그리지 않고서도 볼을 수직 방향으로 들어올리는 것이 가능해진다. 사실 이 과정은 몸 근육의 재활치료보다 더 전문적인 과정이기 때문에 나쁜 습관이 고착화된 사람에게는 나쁜 힘들을 조절해주는 인상보톡스(114페이지 참고) 치료나 전문적인 표정근육 트레이닝이 필요할 수도 있다. 특히 잘못된 표정근육 습관으로 얼굴 비대칭이 심하게 있는 경우에는 보다 전문적인 도움이 필요할 수 있다. 하지만 누구나 기본적인 노력만으로도 상당한 호전을 경험할 수 있으니 노력해보자.

'어흥 운동'하기

지금부터 누구나 실천하면, 좋은 인상은 물론이고 노화도 예방하고 미소 스위치와 행복의 스위치를 단련시켜 마음까지 긍정으로 바꿔주는 '어흥 운동'의 가장 기초적인 운동법과 단계에 대해서 알아보자.

① 거울을 보고 마치 낮은 음 '어' 소리를 내듯 턱에 힘을 빼면서 아래턱과 아랫입술을 아래로 자연스럽게 뚝 떨어트린다. 이때 반드시 명심해야 할 두 가지 주의점이 있다.

첫 번째는 입꼬리 부분이 좌우로 당겨지는 힘, 즉 하안면 입다물기 근육 5번-'입꼬리당김근'에 힘이 절대로 들어가지 않도록 주의해야 한다. 그러기 위해서는 미소나 웃음은 물론이고 얼굴에서 표정을 전혀 짓지 않은 상태로 시작해야 한다. 살짝 미소를 머금은 상태에서는 입꼬리를 수평 방향으로 당기는 힘이 들어가기 때문이다. 입 좌우 수평 방향 쪽으로 힘이 들어가면 정작 위로 들어올리는 방향의 미소근육에 힘을 주기 어렵다.

두 번째는 턱끝이 반드시 아래 방향으로 내려가는 듯한 움직임을 유지해야 한다는 것이다. '어흥 운동'은 '어' 동작과 '흥' 동작이 둘 다 중요하다. 즉 '어' 동작에서 아래 턱이 아래로 내려가 '위아래 치아 사이가 약간 벌어진 모양'을 유지한 채 미소근육 1번과 2번을 위로 들어올려야 한다. '어' 자세가 유지되지 않는 상태에서 '흥' 동작에만 집중하면 대부분 아래 턱끝이 위로 끌려 올라가면서 어금니가 다물어지려 한다.

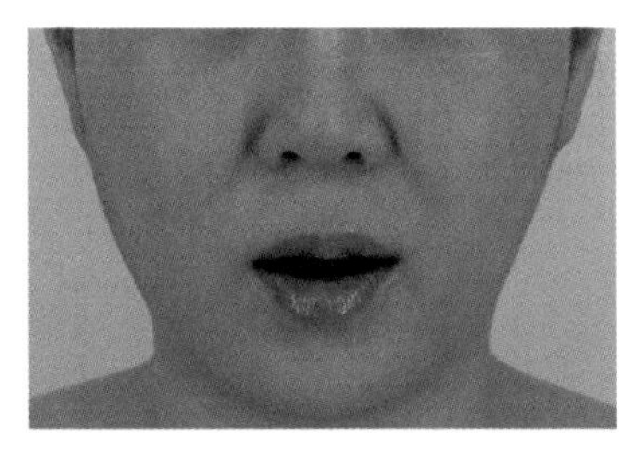

'어흥 운동'에 낮은 음 '어' 동작

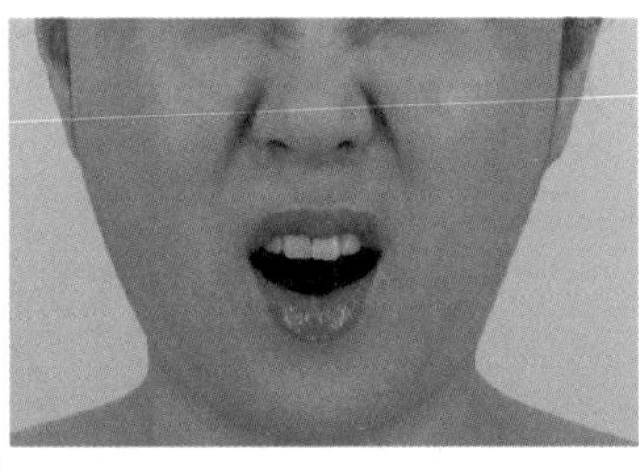

'어흥 운동'에 높은 음 '흥' 동작

턱끝이 위로 올라간다는 것은 입을 다무는 동작이기 때문에 입을 벌려서 미소근육을 올려야 하는 '어흥 운동'과 상충되므로 전혀 도움이 되지 않는다. 따라서 턱끝을 손가락으로 아래로 당겨 내리면서 운동하거나, 위아래 치아 사이에 볼펜이나 손가락을 넣으면 아래턱을 내린 상태를 유지할 수 있다.

② '어' 동작으로 입을 벌린 상태에서 높은 음 '흥' 소리를 내듯 혹은 코를 풀거나 미간이나 콧등을 찡그릴 때 힘을 주듯 1번과 2번 미소근육을 콧등 쪽으로 모아 들어올린다. 양치질할 때 윗니를 닦기 위해 윗입술을 들어올리듯 올리고 콧등에 주름을 잡고 웃는 모습을 상상하면 좀 더 쉽게 올릴 수 있다. 이때 중요한 것은 입꼬

리는 절대로 양옆 수평 방향으로 움직이지 않도록 해야 한다. 오직 힘은 위쪽으로만 향해야 한다.

미소근육 1번과 2번 중 특히 2번 근육은 나쁜 표정습관이 있는 사람은 퇴화 정도가 심해서 생각보다 잘 올라가지 않는 경우가 많다. 심지어는 꼼짝하지 않을 수도 있다. 그래서 재활치료가 필요한 것이다. 움직이지 않던 근육도 매일매일 노력하면 움직이기 시작하고 힘도 강해질 수 있다. 이때 동작은 미간과 콧등 부위를 힘껏 찡그리는 것처럼 움직여 1번 미소근육을 더 강하게 들어 올리면 2번 미소근육도 함께 수축돼 올라가므로 반복적인 연습을 통해 2번 근육이 강화되도록 해야 한다. 이때도 검지손가락으로 2번 미소근육의 위쪽 몸통 부위가 수축이 돼 힘이 들어가는 것을 느끼며 버티는 것이 매우 중요하다.

③ 이미 이야기했듯 중안면 미소근육을 강화하는 데는 하루 3분의 등척성 운동이면 충분하다. 정확한 방향으로 최대 강도로 미소근육을 들어올린 상태를 최소 30초에서 최장 2분 정도 유지하면 된다. 더 힘이 강해지면 버티는 시간을 좀 더 늘려보는 것이 좋다. 이 운동은 최대한 들어올린 상태를 유지한 시간을 합해서 하루 5분 이상, 가능하면 더 많은 시간 동안 운동하면 좋다.

④ '어흥 운동'은 평소에 혼자 있는 시간에 생각날 때마다 1~2분 정도 해주면 좋고 규칙적으로는 할 수 있는 가장 좋은 때는 욕실에서 양치할 때나 혼자 운전할 때, 엘리베이터에 혼자 탔을 때처럼 아무도 보지 않는 상황에서는 언제든 습관처럼 거울을 보면서 해

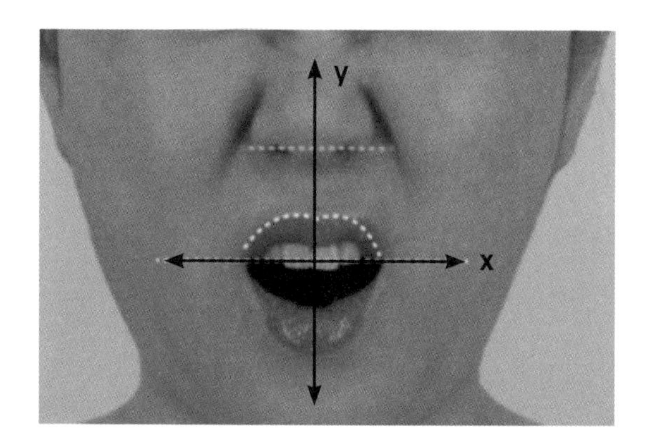

주면 좋다.

어드바이스 1 안경을 벗고 시작한다.

안경을 쓰는 사람은 안경을 벗고 운동하면 훨씬 수월하다. 안경 코받침에 미소근육이 눌린 상태에서는 힘을 최대한 주기도 어렵고 근육이 충분히 수축했는지 잘 볼 수 없어서 안경을 벗고 하는 것이 좋다. 안경을 벗고 규칙적으로 '어흥 운동'을 하면 평소 안경에 눌려 있던 미소근육이 다시 살아나면서 동시에 다크서클이 완화되는 효과를 얻을 수 있다.

어드바이스 2 정면보다 약간 높게 거울을 보고 운동한다.

대부분의 사람들은 얼굴이 어느 정도는 좌우 비대칭이다. 비대칭의 이유는 많지만, 표정습관에 의해서 좌우 근육의 발달 정도가 다른 것도 중요한 원인이다. 따라서 '어흥 운동'을 할 때는 항상 거울을 보면서 양쪽 미소근육의 힘이 같게 균형을 이루며 올라가는 것을 확인해야 한다. 이것을 확인하는 방법은 양쪽 콧망울을 잇는 선과 양쪽 입꼬리를 잇는 선이 수평적으로 평행하게 위로 올라가는지를 확인하면 된다. 거울을 보면서 항상 양쪽이 같이 올라가는지를 확인하면서 운동을 하는 것이 중요하다. 그리고 어흥 상태를 유지할 때는 특히 윗입술의 좌우 대칭 여부를 잘 확인해야 한다. 만일 윗입술의 어느 한쪽이 약간 내려와 있다면, 그쪽의 미소근육 1번과 2번에 힘을 더 주어서 양쪽 근육이 대칭적으로 발달될 수 있도록 해야 한다.

어드바이스 3 손가락으로 미소근육을 체크하자

미소근육 1, 2번의 정확한 위치를 손가락으로 눌러 확인한 후 힘이 들어가는지 변화가 있는지 확인해보는 것이 중요하다. 모든 근육 트레이닝의 기본은 발달시키고자 하는 근육을 의식하면서 운동하는 것이다. 시작 전에는 반드시 거울을 보며 양 검지를 1, 2번 근육에 댄 후 정확히 그곳의 근육이 단단하게 수축하면서 올라가는지를 확인하면서 운동을 한다.

볼웃음과 입술 미소

남한과 북한 국어 사전에 모두 실려 있지만, 우리는 잘 쓰지 않고 북한에서는 널리 쓰는 말 중에 바로 '볼웃음'이란 말이 있다. 우리는 흔히 입을 벌리거나 소리를 내지 않고 입술을 다문 채 입꼬리만 좌우로 당겨 웃는 것을 미소(微笑: 작은 웃음)라고 한다. 우리가 인식하는 미소는 바로 입다물고 미소 짓는 '입술 미소'였다고 앞서 소개한 바 있다. (259페이지 참고) 그런데 북한에서는 우리말 미소를 볼웃음이라고 부르고 있다. 소리를 내지 않고 볼 위에 좋은 감정이 드러나는 웃음이란 뜻이다. '은 자세'를 생활하고 '어흥 운동'으로 중안면 미소근육을 단련하다 보면 웃는 모양도 약간 달라진다. 그 모양을 설명할 때 볼웃음이라는 표현이 제격이다.

우리가 흔히 사진을 찍을 때 '치즈'와 '김치'로 만드는 입술 미소는 오히려 팔자 주름이나 입가 주름을 심화시키고 중안면 미소근육은 퇴화시킨다. 결국에는 웃을 때 볼을 들어올리기 위해서 미소근육 대신 미소근육보다 얕은 층에 있는 눈둘레근을 수축해서 볼과 눈가의 웃는 동작을 만들게 된다. 눈둘레근으로서는 필요 이상의 과도한 수축을 하게 되면서 이 과정이 반복되면 당연히 더 많은 눈가 주름이 만들어지는 것이다.

그뿐만 아니라 나이가 들면서 마리오네트 주름Marionette Line이라 하여 입꼬리 아래로 깊은 주름이 보이는 현상은 첫째 중안면 근육이 퇴화해

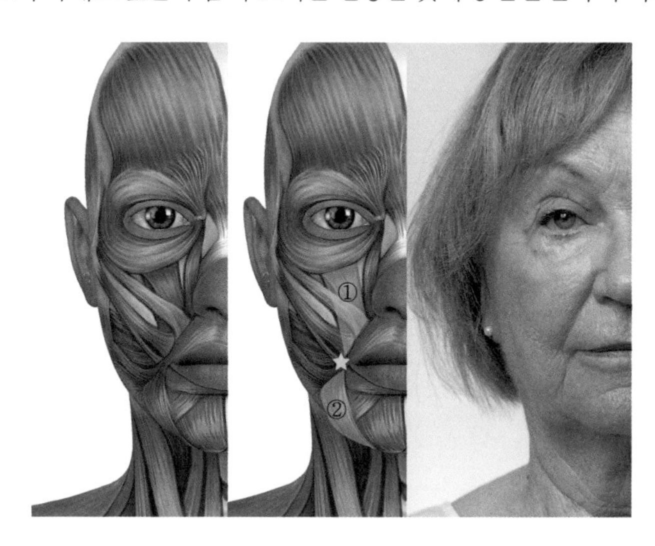

서 볼살이 늘어지는 현상(그림의 ①)과 평상시 입꼬리 부분에 힘이 과도하게(그림 별표 부위) 들어가서 그렇다. 특히 그림에 별표와 입다물기 근육 3번(입꼬리내림근, 그림의 ②)에 힘을 많이 주면 입꼬리 아래가 파이면서 볼살이 더 많이 늘어져 보여 소위 심술 주름이 심화된다. 평소 말할 때나 침을 삼킬 때는 물론 말하지 않을 때도 이 부분의 힘을 풀어주는 것이 중요하다. 그래서 '은 자세'를 유지하라고 하는 것이다. 요약하자면, 작든 크든 긍정의 감정을 표현할 때는 입이나 눈으로 웃기보다는 볼로 웃고 입술 양 옆의 힘은 되도록 빼주는 것이 중요하다. 이렇게 웃어야 정말 생기 넘치고 사랑스런 표정이 된다. 젊어 보이는 것은 기본이다.

미소 코칭 – '예쁜 척' 운동

'은 자세'가 생활화되고 '어흥 운동'으로 어느 정도 중안면 미소근육 1, 2번이 단련되면 그다음으로는 말할 때는 물론 웃는 모양도 조금씩 교정을 시작한다. 방법은 위에 언급한 볼웃음을 이용한 훈련이다. 미소 코칭 단계로 넘어가는 것이다. 아주 쉽게 간단히 설명하면 '은 자세' + '어흥 운동'이라고 말할 수 있다. '어흥 운동'할 때만큼 중안면 미소근육을 강하게 위로 수축시키지 않고 50% 정도만 위로 올리고 은 자세를 유지하는 것처럼 유지하는 것이다. 이때 입 모양은 마치 높은 음 '엉~' 소리를 내는 것과 비슷하다. 이해를 돕기 위해 이것을 앞으로는 '엉 자세'로 하겠다.

여배우들이 진짜 예뻐 보이기 위해서는 예쁜 옷이나 화장도 중요하지만 무엇보다 중요한 것은 느낌, 바로 '예쁜 척'을 하는 기운이 타인에게 전달되는 것이다. 아무리 좋은 체형을 가지고 있어도 구부정한 자세로 있으면 좋아 보이지 않는 것처럼 얼짱이나 몸짱이나 자태가 중요하다. 그런데 이런 것 역시 계속적인 노력으로 바뀔 수 있다. 특히 '예쁜 척' 운동은 무성無性의 아줌마 표정으로 점차 바뀌는 중년 여성들이 하면 무척 도움이 된다. 골드 미스가 나이가 많아도 여자처럼 보이는 이유는 바로 이 표정근육의 긴장도에서 차이가 크다. 카메라 플래쉬를 받는 스타처럼 '예쁜 척' 운동을 해보자.

중요한 것은 이때 아무 감정 없이 중안면 미소근육 2, 3번만 절반 정도 올려서 유지하는 것은 자연스럽지도 않고 쉽지도 않다. 더더욱 예쁘지도 않다. 당연히 긍정의 감정 없이 중안면 미소근육만 올리고 있으니 어색하다. 이처럼 '엉 자세'를 정확이 만들고 오래도록 편히 유지하는 일은 단순히 동작에만 집중해서는 절대로 되지 않는다. 따라서 이때부터는 자신이 만들고 싶은 얼굴 모양을 상상해야 한다. 우리가 원하는 것은 결국 보기에도 좋고 이왕이면 젊어 보이는 얼굴이다. 몸의 근육을 단련할 때에도 거울을 보면서 멋진 형태를 흉내도 내보고 확인하면서 단련해야 상상하던 모양으로 변해간다. 얼굴 역시 마찬가지다. 그래서 거울을 보고 '엉 자세'를 만든 후에는 최대한 '예쁜 척'을 하면서 유지해야 한다. 남자라면 멋진 척을 하는 것이다. 가장 '예쁜 척' '반가운 척' '행복한 척'을 상상하면서 밝은 표정을 만들고, 그 표정을 운동삼아 유지하는 것이 바로 '엉 자세'에 대한 가장 정확히 설명일 것이다. 모델이 워킹 연습을 할 때 몸의 자세를 멋지게 만든 후 워킹을 하듯 얼굴에도 보기 좋은 모양을 만들어보는 것이다. '엉 자세'를 정확하게 잘하는지를 평가하는 방법은 '예쁜 척' 운동을 하는 모습을 사진으로 찍어서 하안면을 가리고 상안면만을 봐도 기분 좋은 느낌이 나는 웃는 얼굴임이 상상이 되면 좋은 것이고, 어색하거나 무표정할 때와 비슷하다면 잘못하고 있는 것이다. 웃는 것을 못하는 사람은 없기에 쉽다고 생각될 수도 있지만, 중안면 미소근육 2, 3번의 힘으로 볼을 들어올려 '예쁜 척'을 유지하고 버티는 것이 생각보다 쉬운 일은 아니다.

아무리 잘생기고 예쁜 연예인도 화장을 지우고 평범한 옷을 입고 일상에서 만나면 스크린이나 사진 혹은 공연장에서처럼 멋지지 않다. 단순히 꾸미지 않아서가 아니다. 일상에서는 그들 역시 예쁜 척, 멋진 척을 하고 있지 않기 때문이다. 물론 분명히 객관적으로 예쁘거나 잘생긴 외모가 있다. 그러나 같은 외모라고 해도 어떤 에너지를 내부에서 외부로 발산하느냐에 따라 평가는 아주 달라질 수 있다. 생기있는 젊은 얼굴이 되고 싶다면 얼굴의 표정근육을 예쁘게 멋지게 그리고 젊어 보이게 사용할 수 있어야 한다. 젊어서는 타고난 이목구비로 평가받지만, 나이가 들수록 결국 평소 표정근육을 어떻게 쓰느냐에 따라 좋은 얼굴로 평가받을 수도 있고 나쁜 얼굴로 평가받을 수도 있다.

내게 줄 수 있는 최고의 선물

J. F. 인상클리닉의 미소 코칭은 일반 서비스업에 하는 미소 코칭과는 전혀 다른 것이다. 일반적으로 서비스업에서 강조하는 미소 코칭은 나를 위한 것이 아니라 고객인 타인을 위한 것이다. 고객에게 좋은 평가를 받고 판매를 증대하기 위해서 웃음을 강요당하는 것이다. 그래서 어느새 미소는 서비스업을 상징하는 또 하나의 키워드가 되어 있다. 중요한 것은 이런 미소에서는 행복감이나 나를 사랑하는 마음이 샘솟기 어렵다. 내가 아니라 남을 위한 것이고 능동이 아니라 수동적인 행위이기 때문이다. 하지만 오직 한 번뿐인 인생, 기쁨과 행복이 넘치는 얼굴을 목표로 하는 인상클리닉에서 말하는 미소는 남이 아니라 나를 위한 것이다.

일상의 삶이 호락호락하지 않고 늘 어려움이 있다고 찡그리거나 무표정하게 지낼 것인가? 아니면 이왕 사는 인생인데 세상에서 가장 귀한 존재인 '나'를 위해서 애써 미소를 지어 보일 것인가? 일상의 매 순간에서 독자 여러분들의 현명한 선택이 여러분 얼굴과 삶에 생기를 가져올 것임을 잊지 말자. 가끔은 인상클리닉 덕분에 인생이 완전히 바뀌었다고 감사의 인사를 전하는 분들도 있다. 그래서 이 미소는 나를 정말 귀하게 생각하는 사람들이 범사凡事에 감사하는 긍정의 마음을 가지고 할 때 정말 빛이 난다. 말 그대로 '내게 줄 수 있는 최고의 선물'인 것이다.

바로 오늘부터 표정습관을 바꾸자

습관을 바꾼다는 것은 생각보다 쉽지 않다. 오죽하면 세 살 버릇이 여든까지 간다고 했겠는가! 직접 눈으로 볼 수 있는 자세, 걸음걸이, 젓가락질 같은 습관도 바꾸는 것이 쉽지 않다. 하물며 내가 평소에 어떤 표정을 짓고 있었는지 전혀 의식하지도 않았고 볼 수도 없었던 표정습관을 바꾼다는 것은 결코 쉽지 않다. 하지만 근육은 늙지도 않고 거짓말을 하지도 않는다. 노력만 한다면 100세가 되어도 건강한 힘을 유지할 수 있는 유일한 조직이다. 노력하면 된다. 더구나 우리 모두는 태어날 당시에 가장 정확한 방법으로 표정근육을 사용했던 사람들이다. 단지 살아가면서 조금씩 미소 스위치를 끄고 미소근육을 퇴화시키며 살아왔을 뿐이다.

이 책을 읽고 계신 당신이 변화에 성공하는 독자가 되시길 바라는 간절한 마음으로 그 동안 진료실과 강의장에서 만났던 많은 분들이 공통적으로 언급한 인상클리닉의 성공 비결을 소개한다.

좋은 인상 만들기에 성공하는 사람들의 7가지 다짐과 습관

1. '나를 위한 행복한 미소'가 '내게 줄 수 있는 최고의 선물'임을 알고 바로 실천을 다짐한다.
2. 무심코 입다물고 있던 시간들을 '은 자세'와 살짝 미소를 머금은 시간으로 바꾸고 버스, 지하철, 택시, 운전 중, 엘리베이터 안에서는 항상 '미소 스위치'를 켠다.
3. 일상에서 입다물고 있는 무거운 인상의 사람을 보면 '아차! 나는

저러지 말아야지~' 생각하고 '은 자세'를 실천한다.

4. 나는 지금부터 1주일 이내에 하루 6시간, 1달 이내에 하루 10시간 이상 '은 자세' 유지에 성공할 것이다.
5. 절대로 입다물고 웃지 않겠다.
6. 양치할 때마다 거울을 보고 최소 2분 이상 '어흥 운동'을 실천한다.
7. 나이 들어도 젊은 얼굴은 피부가 아니라 젊은 근육이 만들어 준다는 것을 매 순간 기억하고 실천한다.

우리 모두 '하나, 둘, 셋, 흥~' 하자!

우리가 흔히 사진을 찍을 때 포즈를 잡는 '치즈'와 '김치' 스마일은 오히려 팔자 주름이나 입가 주름을 심화시키고 중안면 미소근육은 퇴화시켜 결국에는 웃을 때 볼을 들어올리기 위해서 미소근육 1, 2, 3번과 붙어 있는 눈둘레근을 이용할 수밖에 없게 만든다. 눈둘레근으로서는 필요 이상의 과도한 수축을 하게 되면서 웃을 때마다 더 많은 눈가 주름이 만들어진다.

그렇다면 카메라 앞에서 어떻게 웃는 모양을 만드는 것이 좋을까? 바로 앞서 346페이지에서 언급한 '볼웃음'이다. 먼저 어금니와 입술을 떼고 자신만의 미소 키워드를 상상하면서 높은 음 "흥~" 소리를 내는 느낌으로 볼을 활짝 들어올리며 미소를 짓는 "흥~" 미소, 다시 말해 '볼웃음' 포즈를 취하는 것이다. 입 옆으로 힘이 가는 '치즈 미소', 소위 '입술 미소'보다 훨씬 자연스럽고 활기 넘친 얼굴이 될 것이다.

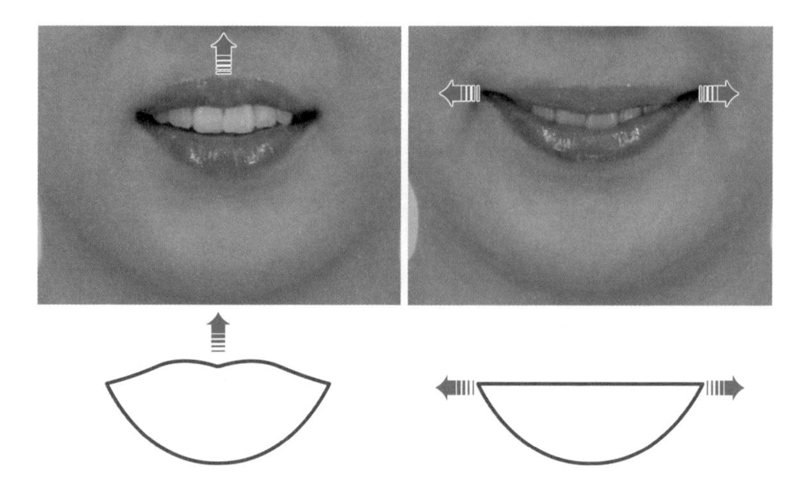

(왼쪽) 중안면 미소근육을 위로 들어올려 윗 입술이 위로 올라가는 볼로 웃는 볼웃음 (오른쪽) 입술을 좌우로 당겨 웃는 입술 미소. 얼핏 보면 두 웃음 사이에 큰 차이가 없어 보이지만, 좌측의 볼웃음은 말 그대로 볼로 웃는 모양으로 미소근육 2,3번을 많이 써서 미소 스위치가 위로 올라가는 힘이 큰 미소이고, 우측의 '입술 미소'는 입다물기 근육 5번(입꼬리당김근)을 많이 써서 옆으로 향하는 힘이 큰 미소다.

앞으로는 우리나라 모든 사람들이 "흥~" 하는 포즈로 '흥興'한 일만 가득하길 기대해본다.

더불어 우리나라가 기존의 일률적이고 외모 지향적인 K-뷰티에서 내면의 아름다움을 드러낼 수 있는 기쁨과 행복이 가득한 'J.F. 미소'로 세계 사람들에게 따뜻하게 기억되기를 바란다. 동방의 선하고 아름다운 나라라는 전통을 이으며 정이 넘치는 우리의 웃는 얼굴 'K-스마일'이야말로 진정한 한류의 힘이 될 것이다.

인상클리닉은 미용의학뿐 아니라 행복학이다

-정찬우, 피부과 전문의

"어떻게 들리실지 모르겠지만 비로소 행복이 무엇인지를 알게 된 것 같습니다. 감사합니다."

인상클리닉 프로그램을 마친 한 분이 병원을 나가다가 다시 진료실로 찾아와 한 말이다. 그분의 말이 어떤 의미인지 알기에 나 역시 잠시 숙연해졌다. 가끔 인상클리닉을 하는 분들의 입을 통해 듣게 되는 감사의 말 속에는 내가 인상클리닉을 완성하고 실제로 치료에 적용하기

까지 10여 년간 외롭게 애써왔던 수고에 대한 모든 보상이 들어 있다. 언제 들어도 깊은 감동이 전해지는 순간이다.

나는 강연할 때 대형 화면에 세잎클로버가 가득 찍힌 사진 한 장을 보여준다. 청중들은 세잎클로버를 한참 보다가 이야기를 듣는다.

"자, 네잎클로버를 찾으셨습니까? 여러분 기억하시죠. 우리 모두 클로버가 만발한 들판에서 네잎클로버를 찾은 적 있지 않습니까? 그런데 혹시 여러분은 그때 우리가 무엇을 밟고 서 있었는지 기억하십니까? 네 맞습니다. 우리는 네잎클로버를 찾기 위해 무수히 많은 세잎클로버를 짓밟고 서 있었습니다."

너무도 뻔한 말이지만 행복은 항상 우리 곁에 있다. 들판에 천지로 널려 있던 세잎클로버처럼 말이다. 하지만 우리는 행복을 찾기 위해 아주 먼 여행을 한다. 마치 네잎클로버를 찾기 위해 부단히 애를 쓰는 아이와 같다. 아이는 네잎클로버를 찾는 중에 무수히 많은 세잎클로버가 짓밟히고 있다는 것을 알지 못한다. 행복을 찾고 있는 우리는 세잎클로버 속에서 네잎클로버를 찾기 위해 시간과 에너지를 쓰는 아이와 다르지 않다.

네잎클로버는 일종의 돌연변이다. 500분의 1의 확률로 세상에 태어난다. 나는 행복이 500분의 1의 확률로 우리에게 온다고 생각하지 않는다. 500분의 1의 확률이라면 그것은 당연히 행운이다. 올 수도 있고 안 올 수도 있다. 그러나 행복이라면 그것은 당연히 우리 곁에 있다. 우리가 무수히 짓밟고 섰던 세잎클로버의 모습을 하고서 말이다.

강연이나 진료 현장에서 인상클리닉을 소개하면서 '행복학'에 대한 내용을 항상 덧붙이는 이유다. 우리는 행복해야만 긍정의 표정을 지을 수 있다고 생각한다. 자신의 표정을 바꾸는 일을 어려운 일로 여긴다. 하지만 막상 표정이 바뀌고 나면 그제야 눈에 보이지 않던 행복이 보이기 시작한다. 훈련을 통해 표정습관이 바뀐 사람들은 실제로 삶을 더 행복하게 느낀다.

많은 행복학자가 무수한 논문을 통해 '행복은 몇 가지 조건에 의해 결정되는 것이 아니라 일상의 순간에서 긍정을 찾으려는 삶의 태도, 즉 매순간 나의 선택으로 만들어지는 것'이란 결론을 우리에게 던져주었다. 결국 내 삶의 주인공이 나이듯 행복하냐 행복하지 못하냐 역시 나의 선택, 나의 행동의 문제에 지나지 않는다.

매일매일의 감사를 헤아릴 줄 알고 어떤 상황에서도 가장 좋은 것을 선택할 수 있는 긍정의 마인드가 언제나 행복한 삶을 약속하는 유일한 조건이다. 어려운 삶 가운데에서도 가장 좋은 것을 선택하고 행복을 선택할 수 있음을 알고 있다. 이러한 긍정의 효과는 한 번 일어나면 좀처럼 멈추지 않는다.

사람들은 표정이 삶의 결과물인 줄로만 안다. 하지만 표정은 원인이고 과정이다. 삶이 뜻대로 되고 기회가 많고 유독 좋고 편한 길이 펼쳐져야만 좋은 표정이 만들어지는 것이 아니다. 좋은 표정이 있었기 때문에 삶이 뜻대로 되지 않고 기회가 부족하고 험하고 힘든 길 속에서도 비록 작을지 몰라도 지금의 행복을 표현할 수 있게 된 것일지도 모른다.

우리는 애타게 바라는 무언가가 이루어지길 기대하며 오늘을 견디고 희생시킨다. 대학 입학, 취업, 결혼, 승진 등만 이루어지면 행복에 겨워 죽을 것이라고 실제로 일어날 기쁨보다 지나치게 과장되게 상상하며 기대한다. 하지만 막상 그러한 것들이 이루어졌을 때의 행복은 잠깐이다. 그 순간이 지나면 또다시 일상이 시작된다. 이처럼 행복이라는 감정은 휘발성이 매우 강하다. 그러나 다행스럽게도 그것이 이루어지지 않았을 때의 세상이 끝날 것만 같은 절망도 시간이 지나면 생각보다 쉽게 흘러간다. 행복은 거창하고 큰 어떤 것이 아니라 매 순간의 선택이며 내 주위에 항상 존재하는 것이다. 인상클리닉을 경험한 당신이 언제 올지 모르는 행운을 기다리며 무수한 행복을 지나치지 않기를 바랄뿐이다.

앞서 강조했듯 인간의 감정은 어느 한 순간에는 긍정과 부정 두 가지밖에 없다. 부정의 감정은 끝없이 반복되는 상념을 만들어내고 우리의 표정을 노화의 길로 이끈다. 긍정은 중력과 나이듦에 역행하는 가장 좋은 단초다. 긍정의 미소 스위치를 켜서 입술을 떼고 미소근육에 힘을 주는 순간 우리는 노화라는 고정관념대로 늙어가는 것을 막을 수 있다.

세상을 바꾸는 일들은 이론은 간단하고 법칙은 간결하지만 실천은 매우 어렵다. 그러나 인상클리닉의 실천법은 매우 간단하다. 일단 굳게 다문 입술을 떼고 생각날 때마다 '은 자세'를 취하면서 하루에 5분 이상 표정근육 강화 운동을 하면 된다. 이렇게 간단한 실천법을 위해 10여 년을 고민하고 애쓴 내용으로 책 한 권을 쓴다는 것이 참으로 수고롭게 느껴질 정도다.

그럼에도 이러한 작업을 하는 것은 꾸준히 하는 것, 즉 지행합일이 생각보다 굉장히 어렵기 때문이다. 일찍이 아인슈타인은 "자신의 입으로 설명할 수 없는 것은 모르는 것"이라고 일갈했다. 어떤 것을 진실로 안다는 것은 그것을 전혀 모르는 사람들에게도 설명해 이해시킬 수 있을 정도가 돼야 한다는 것이다. 아인슈타인은 타인에게 가르치고 설명할 수 있는 것을 '안다'라는 말의 중요한 기준으로 정했다.

나는 감히 "아는 데도 하지 않는 것은 모르는 것"이라고 말하고 싶다. "그런 이야기가 있다고 해." "그런 이야기를 들어는 봤어."는 아는 것이 아니다. 무언가를 제대로 아는 것은 그것으로 인해 자신의 삶이 변화할 때 진정 안다고 말할 수 있는 것이다. 변화가 없는 지식은 아무 쓸모가 없고 변화를 이끌어내지 못할 지식을 얻은 데 들인 시간과 에너지는 그야말로 낭비인 셈이다.

강조했듯 신은 우리에게 남녀노소, 가진 자와 없는 자, 똑똑한 자와 그렇지 못한 자를 구분하지 않고 똑같이 표정근육이라는 선물을 주셨고 미소근육에 아름다움과 행복의 열쇠를 담아주셨다. 미소 스위치가 바로 그 열쇠다. 우리가 할 일은 그 선물을 열어서 직접 확인하는 것뿐이다. 우리는 미소 스위치를 직접 켜보고 나서야 미소 스위치가 나를 얼마나 변화시킬지 알 수 있다.

다시 한 번 묻고 싶다.

"도대체 안 할 이유가 무엇인가?"

| 참고문헌 |

1. MA Shiffman, A Di Giuseppe. *Cosmetic surgery: art and techniques*. Springer, 2012
2. 탈 벤 샤하르. 노혜숙 옮김. 『해피어 (하버드대 행복학 강의)』. 위즈덤하우스. 2007
3. 최인철. 『굿라이프』. 21세기북스. 2018
4. 법륜. 『인생수업』. 휴(休). 2013
5. 울리히 렌츠. 박승재 옮김. 『아름다움의 과학』. 프로네시스, 2008
6. Langlois, Judith H., et al. *Infant preferences for attractive faces: Rudiments of a stereotype?. Developmental Psychology*. 23(3):363-369, 1987
7. 낸시 에트코프, 이기문 옮김. 『미: 가장 예쁜 유전자만 살아남는다』. 살림, 2000
8. Shaw, RB., et al. *Aging of the Facial Skeleton: Aesthetic Implications and Rejuvenation Strategies. Plastic & Reconstructive Surgery*. 127:374-383, 2011
9. 조용준. 『미인』. 해냄출판사. 2007
10. 폴라 비가운. 최지현 옮김. 『나 없이 화장품 사러 가지 마라!』. 중앙북스. 2008
11. 폴라 비가운. 『오리지널 뷰티바이블』. 월드런트렌드. 2010
12. Zimbler MS. Tord skoog: face-lift innovator. Arch Facial Plast Surg. 2001 Jan-Mar;3(1):63.
13. The essay by Denis Diderot*(1875–77)*. "Regrets on Parting with My Old Dressing Gown". English translation: https://www.marxists.org/reference/archive/diderot/1769/regrets.htm
14. 장바티스트 드 라마르크, 이정희 옮김. 『동물철학』. 지만지, 2009
15. Mehrabian, A. 『Silent messages』. Belmont, CA: Wad- sworth Publishing Company, 1971
16. Christensen, K., et al. *Mortality is Written on the Face. The Journals of Gerontology Series A: Biological Sciences and Medical Sciences*, 71(1):72-7, 2016
17. Dykiert, D., et al. *Predicting mortality from human faces. Psychosomatic Medicine*. 74(6):560-6, 2012
18. Kruger, ML., Abel, EL. *Smile intensity in photographs predicts longevity. Psychological Science*. 21(4):542-4, 2010
19. Deni Kirkova, D. for Mailonline. 21 May 2015. Smile… and you'll look up to

Four YEARS younger: People with happy expressions appear more youthful (but looking miserable is ageing).: https://www.dailymail.co.uk/femail/article-3091126/Smile-ll-look-TWO-YEARS-younger-People-happy-expressions-appear-youthful-looking-miserable-ageing.html

20. Voelkle, MC., et al. *Let me guess how old you are: effects of age, gender, and facial expression on perceptions of age. Psychological Aging*. 2012 27(2):265-77, 2012
21. Darwin, C. Ekman P, editor. 『The expression of the emotions in man and animals』. 3rd ed. New York: Oxford University Press, 1872/1998.
22. The play by William Shakespeare. (2013). Script of Act V Henry V. Retrieved September 19, 2015, from http://www.william-shakespeare.info/act5-script-text-henry-v.htm
23. Poe's Short Stories. "The Purloined Letter" (1844). Retrieved September 19, 2015, from http://xroads.virginia.edu/~hyper/POE/purloine.html
24. 윌리엄 제임스. 『(윌리엄 제임스가 한 권으로 간추린) 심리학의 원리』. 부글북스, 2014
25. Tourangeau, R., Ellsworth, PC. The role of facial response in the experience of emotion. *Journal of Personality and Social Psychology*. 37(9):1519 – 1531, 1979
26. Strack, FM., et al. *Inhibiting and facilitating conditions of the human smile: A nonobtrusive test of the facial feedback hypothesis. Journal of Personality and Social Psychology*. 54(5):768-777, 1988
27. Izard, CE. *Facial expressions and the regulation of emotions. Journal of Personality and Social Psychology*. 58:487-498, 1990
28. Soussignan, R. *Duchenne smile, emotional experience, and autonomic reactivity: a test of the facial feedback hypothesis. Emotion*. 2:52-74, 2002
29. Ekman, P, Friesen, WV. 『Facial action coding system: a technique for the measurement of facial movement』. Palo Alto (CA): Consulting Psychologists Press, 1978
30. Heckmann, M., et al. *Pharmacologic denervation of frown muscles enhances baseline expression of happiness and decreases baseline expression of anger, sadness, and fear. Joruanl of Americal Academy of Dermatology*. 49:213-216, 2003
31. Davis, JI., et al., *The effects of BOTOX injections on emotional experience. Emotion*. 10:433-440, 2010
32. Hennenlotter, A., et al. *The link between facial feedback and neural activity*

within central circuitries of emotion--new insights from botulinum toxin-induced denervation of frown muscles. Cerebral Cortex. 19:537-542, 2009

33. Kim, MJ., et al. *Botulinum toxin-induced facial muscle paralysis affects amygdala responses to the perception of emotional expressions: preliminary findings from an A-B-A design. Biology of Mood & Anxiety Disorders.* 31:4-11, 2014
34. Alam, M., et al. *Botulinum toxin and the facial feedback hypothesis: can looking better make you feel happier? Joruanl of Americal Academy of Dermatology.* 58(6):1061-72, 2008
35. Havas, DA., et al., Processing of emotional language. Psychological Science. 21:895-900, 2010
36. Rizzolatti, G. and Sinigaglia, C. *The mirror mechanism: a basic principle of brain function. Nature Reviews Neuroscience*, 2016
37. Field, TM., et al. *Discrimination and imitation of facial expressions by neonates. Science.* 218:179-181,1982
38. Rapson RL, et al. 『Emotional contagion』. Cambridge: Cambridge University Press, 1994
39. Duchenne, GBA., Cuthberton, RA. Trans. 『The mechanism of human facial expression』. New York: Cambridge University Press, 1859/1990
40. Frank, MG., Ekman, P., Friesen, WV. *Behavioral markers and recognizability of the smile of enjoyment. Journal of Personality and Social Psychology.* 64:83 – 93,1993
41. Kraft, TL., Pressman, SD. *Grin and bear it: the influence of manipulated facial expression on the stress response. Psychological Science.* 23(11):1372-8, 2012
42. Neuhoff, CC., Schaefer, C. *Effects of laughing, smiling, and howling on mood. Psychological Reports.* 91:1079-1080, 2002
43. S. Noji, S., *Takayanagi, K. A case of laughter therapy that helped improve advanced gastric cancer. Japan Hospital.* 29:59-64, 2010
44. Harker, L., Keltner, D. *Expressions of positive emotion in women's college yearbook pictures and their relationship to personality and life outcomes across adulthood. Journal of Personality and Social Psychology.* 80(1):112-24, 2001
45. Milinski, M., et al. M. Honest signaling in trust interactions: smiles rated as genuine induce trust and signal higher earning opportunities. Evolution & Human Behavior. 36:8-16, 2015

46. Nicolelis, MA. et al. Long-Term Training with a Brain-Machine Interface-Based Gait Protocol Induces Partial Neurological Recovery in Paraplegic Patients. Scientific Report. 11:6, 2016

스마일 닥터 정찬우 원장의 인상클리닉
행복은 얼굴에 있다!

초판 1쇄 발행 2020년 6월 30일
초판 8쇄 발행 2023년 2월 6일

지은이 정찬우 문혜영
펴낸이 안현주

기획 류재운 이지혜 **편집** 김경철 최진 안선영 박다빈 **마케팅** 안현영
디자인 표지 최승협 본문 장덕종

펴낸곳 클라우드나인 **출판등록** 2013년 12월 12일(제2013-101호)
주소 우) 03993 서울시 마포구 월드컵북로 4길 82(동교동) 신흥빌딩 3층
전화 02-332-8939 **팩스** 02-6008-8938
이메일 c9book@naver.com

값 18,000원
ISBN 979-11-89430-78-8 03320

---

* 잘못 만들어진 책은 구입하신 곳에서 교환해드립니다.

* 클라우드나인에서는 독자 여러분의 원고를 기다리고 있습니다.
출간을 원하시는 분은 원고를 bookmuseum@naver.com으로 보내주세요.

* 클라우드나인은 구름 중 가장 높은 구름인 9번 구름을 뜻합니다. 새들이 깃털로 하늘을 나는 것처럼 인간은 깃펜으로 쓴 글자에 의해 천상에 오를 것입니다.